JN046491

インテリジェンス用語事典

[監修]
川上高司

[執筆]
樋口敬祐
上田篤盛
志田淳二郎

並木書房

監修者のことば

　社会のデジタル化は急速に進んでいる。世界各国でCovid19の拡散防止のためロックダウンがなされ、わが国でもたび重なる緊急事態宣言の発令で、IT化、AI化に拍車がかかり、働き方改革も進行している。それにともないITの関連用語も日常的にマスコミやSNSなどに溢れるようになった。

　教育界においてもDX（デジタルトランスフォーメーション）が加速している。2017年度から小学校にプログラミング教育が導入された。高等学校ではすでに2003年度から「情報」が必修科目となり、2022年度の高校の新学習指導要領では、「情報」が、プログラミングなどを学ぶ必修科目「情報Ⅰ」と選択科目「情報Ⅱ」に再編されるなど、情報やデジタルに関する教育は深化・高度化している。さらに、文部科学省は2025年1月の大学入学共通テストから、新教科として「情報」を新設することを決定した。

　その一方で、日本における「情報」に関する認識はまだまだ低い。たとえば、日本語の「情報」という言葉は、英語のinformation及びintelligenceの両者の訳語として使われているため、それぞれの意味が混在している。つまり、欧米の有識者の間では明確に区別されている両者の使い分けがなされていないのが現状である。（「インテリジェンス」「インフォメーション」の項参照）

また、わが国では学術的研究もほとんど行われず、国際政治や政治学といった社会学の分野でも「インテリジェンス」の研究は重要視されなかった。いやむしろ、まともな研究の対象とすらされてこなかった。

　しかしながら、諸外国においては、情勢分析を行う上で「インテリジェンス」に関する知識は必要不可欠であり、大学の教育でも専門教育の中に広く取り入れられている。また、アメリカの大学生には就職先としてCIAやFBIなどのインテリジェンス関係の政府機関や民間企業は人気が高い。

　2001年9月11日に発生した米国同時多発テロ（9.11テロ）は、インテリジェンス機関に問題があったのではないかという議論が起こり、インテリジェンスの強化が訴えられ、インテリジェンス機関が拡大された。また、それと同時に、学術面からも9.11テロを境に「インテリジェンスの失敗」の研究も盛んに行われるようになった。

　そうした流れから諸外国の大学ではインテリジェンス関連の学部の新設が急増している。しかしながら、わが国においてインテリジェンスを教育科目として教えているところは、私が教鞭をとる拓殖大学大学院を除き、ほとんど皆無であるのが実情である。

　それでもわが国でもインテリジェンスに関する教科書的な書籍が出版されるようになってきた。たとえば『インテリジェンス入門―利益を実現する知識の創造』（北岡元著）、『インテリジェンス―機密から政策へ』（元CIAの分析官マーク・ローエンタール著、茂田宏監訳）、『インテリジェンスの基礎理論』（小

林良樹著）、『戦略的インテリジェンス入門』（上田篤盛著）などである。しかし、インテリジェンスに関する事典はなかったため、実務面でも、また国際政治を学ぶ上でも本格的な用語事典が求められていた。

　そのような中にあって、本書『インテリジェンス用語事典』の刊行は画期的なことである。拓殖大学大学院や中央大学大学院などの私のゼミ生や卒業生などを中心に議論を重ね、4年越しにインテリジェンスに関する事典が完成した。サイバー関連用語についても、サイバーセキュリティ会社の専門家に協力や執筆をいただいた。

　インテリジェンスは、わが国において諸外国のように研究が進んでいる分野ではないので、研究者や読者の意見を得て、さらに充実させる必要性があることは十分認識している。本事典は初学者の参考になると思料しており、今後の研究の礎になることを期待している。

拓殖大学大学院教授　川上高司

編著者のことば

　近年は「インテリジェンス」に関連する書籍も多く出版され、情報という意味での「インテリジェンス」という言葉も世間に市民権を得たと思っていた。もちろん、本書を手に取っていただいた読者の皆さまは、安全保障、国際政治などに関心があり、「インテリジェンス」についてさらに理解を深めたいと思われている方が大半だと思う。

　しかし、安全保障や国際政治にあまり関心がない方にとっては、「インテリジェンス」が「情報」も意味することは、あまり浸透していないようである。試しに広辞苑でインテリジェンスと引いてみると、「知能。知性。理知」が先に来て、次に「情報」となっている。また、インテリジェンス＝諜報・スパイと思っている方も多いようである。

　私は、2020年に自衛官として定年を迎えたが、1995年頃から20年以上にわたり自衛隊でインテリジェンスに関わってきた。最初の頃は、現場で使われているインテリジェンス関連の用語の意味がわからなかった。旧軍で使われていた用語、アメリカで使われている用語、隠語などが現場では当たり前のように飛び交い、そのつど意味を聞ける雰囲気ではなかった。

　辞書で調べても、どうも現場のニュアンスと異なる。まだインターネットも普及していない頃である。そこで時間を見つけては先輩に尋ねるのだが、聞く人によって微妙に解釈が異なることもわかっ

てきた。特に自分にとって衝撃的だったのは、外国のインテリジェンス機関の人との雑談で、「日本の情報関係者は、フュージョンとオールソース分析の違いもわかってないので、説明に疲れる」と聞いたことである（違いがあやふやな人は本書の該当項目を参照されたい）。

当時は、私も両者の明確な違いなど意識していなかった。そのような経験からインテリジェンスに関する用語集や事典がないかとかなり探したが、日本語で記述されたものは皆無だった。もちろん、安全保障やサイバーなどに関連して記述したものはあった。また、スパイに関連した本の末尾に用語集らしきものは見かけたが、あまり信憑性はなかった。インテリジェンスに特化した事典がいつか出版されるだろうと思い、日々の業務に打ち込んでいたが、刊行されることはなかった。

しびれを切らして、誰も出さないなら後輩たちのために自分たちで作ろうと上田篤盛氏と意気投合したのが、本書を出版するに至ったきっかけだった。それまでに15年以上、2人とも自衛隊でインテリジェンスに関わってきたので、お互いの知識や経験を持ち寄ればなんとかなると思っていた。しかし、いざ取りかかると簡単なことではなかった。すぐに直面した大きな問題は、次の3つである。1つ目は用語集には必要だが、秘密扱いとされている用語やトピックをどのように扱うか、2つ目は秘密の解除やインターネットの普及によって最新のデータがどんどん更新されていること、3つ目はデータの中に偽情報や誤情報が紛れ込んでいることである。

これらの問題に対処するためには、2人だけでは、すぐに行き詰ってしまった。そこで私の大学院の恩師である拓殖大学教授の川上高司先生に相談したのが、2018年のことである。インテリジェンス

に興味を示してくれた、当時中央大学法学部助教の志田淳二郎氏や同大学の大学院生などと共に「インテリジェンス研究会」と称して定期的に集まり、インテリジェンス関連の読書会やインテリジェンスに関連する用語について意見を出し合い作成を試みた。

　最初は軽易に使っている日本語の「情報」という言葉の由来もわからなかったので、研究者に教えを乞うたこともある。事典づくりに関しても素人の集まりであったが、議論を重ねるうちに何とか形になってきた。

　本書は、初めてインテリジェンス業務に関わる実務担当者やインテリジェンス研究の初学者を念頭に置いて、陰謀論的なあやふやな用語を排除して、わかりやすい説明と解説を心がけた。インテリジェンスに関する文献の中から、使用されている用語を抽出し、略語や俗語などを含めて掲載し、インテリジェンス的な意味を一義的に記述し、その解釈を加えることに尽力した。記述した内容は、すべてオープンソースに基づくものであり、できるだけ調査時点での最新の資料を盛り込むように努めた。

　さて、アメリカの歴史研究家ロベルタ・ウールステッターは、1941年の日本軍の真珠湾攻撃を研究し、多くの玉石混交の情報の中から、真に役に立つ情報を探し出すことは困難であるとして、「ノイズとシグナルの問題」を指摘している。

　その後の科学技術の進歩はすさまじく、インテリジェンス機関が収集できる情報は、幾何級数的に増加し、当時よりもはるかに膨大な情報を収集できるようになった。インターネットやSNSの発達で、人々は情報の洪水に溺れそうになり、フェイクニュースの海に漂っているといえるだろう。それはなにも一般の人だけでなく、情

報関係者も同じ状況である。

　さらにインテリジェンス機関においては、情報の収集だけでなく情報の分析すらも、もはや個人の能力や経験に基づく職人的技術で何とか対応できるものではなくなっている。

　「群集の英知」を発揮してこそ、良質のインテリジェンスを作成できる。その際の共通理解の促進のために、この事典を活用していただければ望外の喜びである。

　特に分析手法（中でも構造的分析技法）についての項目をできるだけ盛り込んだのは、本書の大きな特徴の1つである。構造的分析技法は、チームとして分析する際に作業が分担しやすいこと、個人では陥りやすいバイアスを回避するためにも有益であるとされ、特に9.11テロ以降、欧米のインテリジェンス機関においては、その活用が推奨されている（「分析手法」「ストラクチャード・アナリティク・テクニック〔構造的分析技法〕」の項参照）。

　本書の構成は、数字・英語・五十音順に用語を並べ、それぞれの用語には一般的な訳語や意味に続いて、簡単な解説を加え、末尾には矢印（⇒）をつけて関連用語がわかるようにした。

　本文において使用する用語については、できるだけ統一するように努めたが、原文に使われている用語、慣例的に使われている用語、文脈の中で適切と思われる用語などを使用したため、必ずしも統一されていないことをご容赦願いたい（インテリジェンス機関と情報機関、諜報機関など）。

　諸外国のインテリジェンス機関については、略語や通称を付記すると共に、できるだけ組織図を入れることとした。同じ国においてさえ組織図の書き方は、上から下、左から右へなど表現方法が異な

り、詳しい組織図や編成が明らかにされていない機関、文章でのみで説明している機関など様々である。それらをできるだけピラミッド型の組織図に統一して記述し、比較しやすいように工夫した。

　本書が、インテリジェンスに関する誤解を解き、インテリジェンスをより理解していただく基礎になることを願っている。

　最後に、本書作成にあたってアドバイスをいただいた皆さま、特に中央大学院生の出口雅史氏、関谷俊敏氏には、勉強会や執筆に関し多大なお手伝いをしていただきました。また、サイバー関連用語については、サイバーセキュリティ企業である株式会社ラックの佐藤雅俊氏（同社ナショナルセキュリティ研究所所長）から執筆協力をいただきました。この場を借りてお礼申し上げます。さらに出版事情が厳しいなか、刊行の労をとっていただいた並木書房編集部に心から感謝申し上げます。

元防衛省情報本部分析部主任分析官　樋口敬祐

　追記：インテリジェンス用語は秘密が解除されたり、新たな用語が生み出されるため、本書刊行後に明らかになった関連用語については下記のサイトで適宜追加していきます。

【数字】

4つの仮説（Quadrant Hypothesis Generation）

　事象に影響を及ぼす2つの重要な要因をもとに4つの異なる仮説を立てる手法。4象限マトリックス。2軸マトリックスともいわれる。シナリオ分析において異なるシナリオを列挙する際によく使用される。その手順は次のとおり。①ブレインストーミングなどにより、事象にとって影響を及ぼす要因を列挙した後、その中から2つの重要な要因を特定する。②縦軸と横軸の一端に要因をそれぞれ記述する。③2つの要因により規定される状況がどのようなシナリオになるかを予測し、そのシナリオの名称や概要を記述する（図1参照）。

⇒シナリオ分析、ブレインストーミング

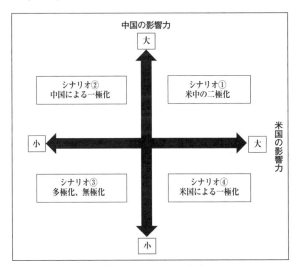

図1「4つの仮説の一例」
（米国と中国が国際情勢に及ぼす影響の大小によるシナリオの動向）

5Ｇ（5th Generation Mobile Communication System）

　第5世代移動通信システムの略称。携帯電話などの通信に用いら

れる次世代通信規格の1つ。「Society 5.0」を実現する上で必要不可欠なテクノロジー。これまではインターネット空間にある情報やデータは人間の手によりさまざまな処理が行われてきたが、リアルな世界とサイバー空間が融合する「Society 5.0」が実現すると、インターネット上にある膨大なデータをロボットやAIなどが自動的に処理し、人間の手を必要とする作業が大幅に低減されることが予測される。情報分析の分野にAIがどのように関わってくるかが注目されている。

⇒AI、人工知能、ビッグデータ

007

イギリスの作家イアン・フレミング（1908〜64年）のスパイ小説およびこれを原作とする映画の主人公ジェームズ・ボンドのコードネーム。ジェームズ・ボンドはイギリス秘密情報部（MI6）の工作員という設定である。フレミングは1939年からイギリス海軍情報部（NID）に勤務。第2次世界大戦中に特殊作戦にも携わり、このような経験などを活かして、007シリーズを書いたとされる。またフレミングは「イントレピッド（豪勇）」のコードネームを持つウィリアム・スティーヴンスンBSC（イギリス安全保障調整局）長官の部下だったとされる。

⇒コードネーム、MI6、イントレピッド、スティーヴンスン,ウィリアム、BSC

7.20事件

1944年7月20日に起きたヒトラー暗殺未遂事件。ドイツ軍の一部高官が第2次世界大戦を終了させるために企てたが、失敗した。SD（親衛隊情報部）は暗殺未遂事件の兆候を探知できなかった。ヒトラーのインテリジェンス機関がすでに機能崩壊しつつあることを物語る事件。

⇒ヴァルキューレ作戦、SD

20委員会（Twenty Committee：イギリス）

第2次世界大戦時にイギリスで組織された情報関係者のグループ。ダブルクロス委員会とも呼ばれる。ドイツのスパイを二重スパイに転

向させ、ドイツ軍のインテリジェンス機関に対抗したダブルクロス・システムの中心的組織。委員会の名称はローマ数字のXXとスパイを裏切らせる（ダブルクロス）という目的にちなんでいる。このグループは、真実と虚偽が巧みに混在した情報を寝返ったエージェント（二重スパイ）に提供し、これらエージェントを掌握していると信じていたドイツ軍のインテリジェンス機関アプヴェーアを騙した。
⇒二重スパイ、エージェント、アプヴェーア

24時間チャート（Time-Event Wheel Analysis）

　ある地域でのテロ活動や港湾における密輸の現況を時間軸で把握・分析する時などに活用できる。その手順は次のとおり（図2参照）。
①同心円を30（1ヵ月）作り、放射線上にそれを24等分する直線を引く（事案の発生頻度に応じて同心円の数は調整。下図は一部省略。頻繁に起こらなければ3ヵ月分をまとめるなどの工夫が必要）。
②事案が発生した時間帯に統一された印をプロットしていく。事案と

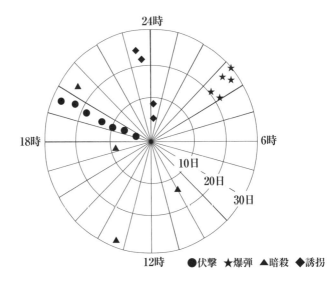

図2 24時間チャート

は爆弾テロが起こった時、迫撃弾が撃ち込まれた時、密輸が行われた時など。

③事案が起こった場所を地図上にプロットして、このチャートと組み合わせればさらに効果的な分析が可能となる。

　このように、事案を展開することにより1カ月間に発生した事案の特徴を把握できる。たとえば爆弾テロは何日おきにどのような時間帯にどこで起きるかなどが視覚的にわかる。データが蓄積されれば傾向が分析できる。

35号室（北朝鮮）

　かつて朝鮮労働党傘下にあったインテリジェンス機関「朝鮮労働党対外情報調査部」の通称。韓国および海外においてテロ、情報収集およびスパイ獲得工作などを行ってきた。日本、フランスなど国交のない国家に対しては、貿易商社または通商代表部を設置し、国際的な諜報活動を展開していた。金賢姫らによる大韓航空858便の空中爆破事件、崔銀姫・申相玉夫妻拉致事件は対外情報調査部による犯行であったといわれている。同室は2009年に党作戦部と共に朝鮮人民軍偵察総局に吸収され発展的に解消した。

⇒金賢姫

2025年の崖

　2018年、日本の経済産業省が発行したレポートから生み出された用語。既存の基幹システムは2025年以降、急速に時代遅れになってしまうと指摘し、その状態を「2025年の崖」とする。それに対応してDX（デジタルトランスフォーメーション）を推進できない企業はデジタル敗者になると警鐘を鳴らしている。ちなみにレポートには「あらゆる産業において、新たなデジタル技術を活用して新しいビジネス・モデルを創出し、柔軟に改変できる状態を実現することが求められている。しかし、何をいかになすべきかの見極めに苦労すると共に、複雑化・老朽化・ブラックボックス化した既存システムも足かせとなっている。複雑化・老朽化・ブラックボックス化した既存システムが残存

した場合、2025年までに予想されるIT人材の引退やサポート終了等によるリスクの高まり等に伴う経済損失は、2025年以降、最大12兆円／年（現在の約3倍）にのぼる可能性がある」と記されている。

2506旅団（Brigade2506）

1961年のピッグス湾侵攻作戦において、主にCIAとアメリカ軍により訓練を受け、ピッグス湾から上陸作戦を行った亡命キューバ人部隊の通称。ピッグス湾はコチーノス湾のアメリカ側の呼称。
⇒ピッグス湾事件

8200部隊（イスラエル）

イスラエル国防軍情報部（アマン）の通信情報収集部門の一部署。サイバー攻撃・防御に優れた能力を有するイスラエル国防軍の部隊。
⇒IDI

61398部隊（中国）

中国人民解放軍に所属するサイバー諜報部隊。アメリカのセキュリティ会社、マンディアント社が2013年に公表したレポートで、その存在が広く知られるようになった。マンディアント社はアメリカ政府・企業を標的とするAPT攻撃の発信源を調査していたが、その過程で「APT1」と同社が名づけた組織が諜報能力、発信源の位置、任務内容などの特徴において、人民解放軍総参謀部に所属する「61398部隊」と類似していることを発見した。

総参謀部の中でシギントを担当する中国人民解放軍総参謀部第3部（現在は戦略支援部隊に改編）第2局の通称が「61398部隊」であり、アメリカおよびカナダに関する政治、経済、軍事情報を収集するシギント部隊であった。マンディアント社のレポートでは、北米地域を対象にサイバー攻撃を繰り返していた「APT1」と「61398部隊」が密接な関係にあることが示されている。また「61398部隊」の一部が「上海市浦東新区高橋鎮大同路」に面しているビルで活動していると具体的な場所まで言及されている。

「61398部隊」の活動に対して、2014年にアメリカ司法省が産業スパイなどの罪で、人民解放軍の将校5人を起訴するという対抗措置をとったため、同部隊の存在はサイバーセキュリティ関係者の間だけでなく国際的にも広く認知されるようになった。

　「61398部隊」以外にも、中国人民解放軍戦略支援部隊（SSF）には複数のシギント組織があるとみられる。

⇒APT攻撃、総参謀部第3部、シギント、中国人民解放軍戦略支援部隊

61419部隊（中国）

　中国人民解放軍に所属するサイバー諜報部隊。2021年4月20日、JAXA（宇宙航空研究開発機構）や防衛関連企業など日本の約200にのぼる研究機関や会社が大規模なサイバー攻撃を受けた。報道によれば、一連のサイバー攻撃は中国人民解放軍「61419部隊」の指示を受けたハッカー集団「Tick」が関与した模様で、「61419部隊」は日本に対するサイバー攻撃を専門に担当する部隊だとみられる。2011年のアメリカのシンクタンク「プロジェクト2049研究所」の資料によれば、「61419部隊」は総参謀部第3部（技術偵察部）第4局のことで、同局は韓国、日本を担当するシギント部隊とされる（総参謀部第3部は、2015年に戦略支援部隊に移管）。

⇒総参謀部第3部

【英文字】

A-1、-2、-3

北朝鮮工作員の通信法の一種。A-1は「無線を使用」、A-2は「モールス使用」、A-3は「ラジオ放送利用」をそれぞれ示す。

AFIO（Association of Former Intelligence Officers：アメリカ）

元インテリジェンス・オフィサー協会。1975年、国家インテリジェンス機関に対する大衆の健全な理解と支持を促進するため、アメリカのインテリジェンス機関の現役および元職員、インテリジェンス・コミュニティー支援者により設立された非営利、非政党の教育的団体。設立当時はインテリジェンス・オフィサー退職者協会（Association of Retired Intelligence Officers）と称していたが、1978年、引退していないメンバーも含まれている組織の実体を反映するために名称が変更された。

AI（Artificial Intelligence）

人工知能の略称。

⇒人工知能、ビッグデータ

AIMS

インテリジェンス・プロダクト（成果物）を作成する前に明らかにすべきポイントの頭文字。Audience（聞き手は誰か？）、Intelligence or policy question（インテリジェンスあるいは政策上の問いは何か？）、Message（何を訴えたいのか？）、Story（プロダクトの筋書きは何か？）。

APT攻撃（Advanced Persistency Threat Attack）

特定の標的を対象とするサイバー攻撃の中でも、高度かつ持続的な手法が用いられる種類の攻撃。「持続的標的型攻撃」「発展型持続的攻撃」「高度標的型攻撃」とも呼ばれ、次のような特性がある。

①標的に対する攻撃の継続性：特定の標的に対して一過性の攻撃ではなく、数カ月から数年にわたる長期間の攻撃を行う。攻撃が成功した際にはC&C（コマンド&コントロール）サーバーという外部から遠隔操作をするための専用サーバーを使用し、情報の外部送信や遠隔操作を行う。さらにコンピュータが不正な攻撃を受けていることを正規のユーザーに発見させないよう偽装工作し、長期間のミッションを可能にする。
②攻撃の洗練性：特定の標的をピンポイントで狙う目的から、攻撃の精度を向上させるために洗練された攻撃方法を使用する。

　代表的な方法としてカスタマイズされた特別なマルウェア、未発見の脆弱性を利用したゼロデイ攻撃、人間の心理につけ込むソーシャルエンジニアリングなどがあるが、攻撃には諜報活動により得られた情報が用いられる場合もある。
⇒C&Cサーバー、マルウェア、ゼロデイ攻撃、ソーシャルエンジニアリング、標的型サイバー攻撃

APT（＋数字）
　世界のサイバー攻撃グループ識別のため、アメリカのファイア・アイ（Fire Eye）社がグルーピングしたもので、APTの後に数字を付けている。関与が疑われる国の識別は次のとおり（2021年12月確認）。
●中国：APT1、2、3、4、6、7、8、9、10、12、14、15、16、17、18、19、20、21、22、23、24、25、26、27、30、31、40、41
●イラン：APT33、34、35、39
●ロシア：APT28、29
●ベトナム：APT32
●北朝鮮：APT37、38

ARW（Anti-Radiation Weapon）
　対電磁放射源兵器。電波送信機を物理的に無力化する兵器。通常、敵防空網制圧（SEAD）作戦に用いられる。

ASIO（Australian Security and Intelligence Organisation：オーストラリア）

　オーストラリア保安情報機構。オーストラリアのインテリジェンス機関であり公安組織。1949年3月に設立。現在の任務や機能は、79年のオーストラリア保安情報機構法によって定められている。その任務は安全保障上の脅威からオーストラリアの国家と国民を守ること。

　1949年頃、オーストラリアにソ連のスパイがいることが明らかになり、同政府はイギリスのMI5をモデルにASIOの設立に取り組んだ。当時のベン・チフリー首相は南オーストラリア州の最高裁判所裁判官であるジェフリー・リード判事を任命し、組織を創設。49年初頭、組織の役割と機能を規定する憲章を起草させた。

　この憲章は新しい組織にスパイ、妨害、破壊から国家を保護するための情報活動を行う権限を与えた。最初のASIO職員は、49年7月時点でわずか15人だったが、すぐにソ連のスパイの疑いのある人々の調査を始めた。

⇒MI5

ASIS（Australian Secret Intelligence Service：オーストラリア）

　オーストラリア保安情報庁。主に国外の秘密のヒューミント情報を収集する機関。ASISは外務省の一部であり、外務大臣がその責任を有する。オーストラリアの死活的な国益を保護および促進するため、政府の指示に基づき活動し、情報を提供すると共に防諜活動も行う。

　1952年5月13日、ASISは主にアジア太平洋地域での情報収集のために設立されたが、その後、20年以上オーストラリア政府内のメンバーにさえその存在は秘密にされていた。75年に議会で初めて言及されたが、77年まで公には認められなかった。

　当時のマルコム・フレーザー首相は、存在は認めても「オーストラリアの国益に奉仕するASISの能力は、完全に秘密にされている活動に依存し続ける」と議会に通知し、活動内容を明らかにすることはなかった。この見解は、歴代の政府に引き継がれたが、1995年の調査委員会の勧告に基づき、2001年、情報サービス法が成立し、その機能および制限事項が初めて明らかにされた。

ASIS（US Army Signal Intelligence Service：アメリカ）

　アメリカ陸軍通信諜報部。ハーバート・ヤードレーが率いたMI8（通称ブラック・チェンバー）の後継機関。1927年に陸軍士官のウィリアム・フリードマンらによって組織された。日本の外交暗号（正式名称「暗号機B型」、通称九七式欧文印字機）を「パープル暗号」と呼び、その解読に努めた。

⇒ヤードレー,ハーバート、MI8、フリードマン,ウィリアム、パープル

BAMAD（Bundesamt für den Militärischen Abschirmdienst：ドイツ）

　連邦軍事防諜庁。前身は1956年に連邦軍の一部局として設置された軍事保安局（Militärischen Abschirmdienst：MAD）で、ドイツ連邦国防軍内における憲法擁護庁と同様の役割、つまり軍内の情報保全や防諜などを担っていた。2017年に組織上は連邦軍から独立し連邦防衛省の外局となり、それに伴いBAMDAに改称された。これはBAMDAの活動に対する連邦防衛省の監督を強化するためのもので、組織および任務に変更はない。人員は約1,200人（2017年）、予算7,900万ユーロ。

⇒ドイツのインテリジェンス・コミュニティー

BDA（Battle Damage Assessment, Bomb Damage Assessment）

　戦闘損耗評価（爆撃損耗評価とも）。主に爆弾または空中発射ミサイルがターゲット（標的）に与えたダメージ（損傷、損耗）を評価する手法。BDAは、ターゲットそのもの、または軍事力全体の損耗に関するタイムリーで正確な見積りであり、インテリジェンス機能の１つである。BDAは、物理的損傷評価（physical damage assessment）、機能的損傷評価（functional damage assessment）およびターゲットシステム評価（target system assessment）からなる。

　物理的損傷評価とは、ターゲットの物理的損傷（弾薬の爆発や破壊、または火災による損傷などの影響）を定量的に推定すること。

　機能的損傷評価とは、ターゲットの機能的または運用的能力がどの程度、低下または破壊されたかを推定すること。この評価はオー

ルソースの情報に基づいて考察され、評価にはターゲットの機能回復またはシステム交換に必要な時間の見積りも含まれる。

　ターゲットシステムの評価とは、ターゲットとしたシステムそのものの損耗や攻撃による損耗が軍事力全体に及ぼす影響や効果を総合的に評価することである。

BESTMAPS

　情報分析に用いるフレームワークの１つ。Biographical（人物）、Economic（経済）、Sociological（社会）、Transportation &Telecommunications（輸送・通信）、Military Geography（軍事地理学）、Armed Forces（軍隊）、Political（政治）、Science/Technology（科学技術）の頭文字。

BfV（Bundesamt für Verfassungsschutz：ドイツ）

　憲法擁護庁。1950年に創設され、内務省が管轄する。西ドイツの防諜機関（図３参照）。BNDが対外情報を収集・分析するのに対して、ドイツ国内の治安やカウンター・インテリジェンス活動に関する情報（テロリズム、極右・極左組織による活動、軍事・産業スパイなど）を収集・分析する機関である。人員約3,100人、予算3.49億

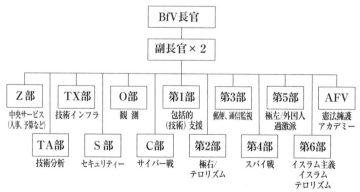

図3 BfV組織図

19

ユーロ（2017年）。東西冷戦時は東ドイツのシュタージ管轄下の
HVAによるスパイ浸透作戦を阻止するため第一線で活動した。軍内
部の防諜は連邦国防省のBAMAD（連邦軍事防諜庁）が担ってい
る。
⇒ドイツのインテリジェンス・コミュニティー、BND、カウンター・インテリジ
ェンス、HVA、BAMAD

BIGOTリスト（イギリス）

　偏狭（Bigot）を意味する隠語。特定の機密情報に接近できる限定さ
れた人々のこと。またはその部外秘リスト。適切な秘密保全検査を経
て、特別な作戦や機微な情報に関して知ることができる人物の名簿。
BIGOTは、イギリスによる対ドイツ支配地域進攻「British Invasion of
German Occupied Territory」の頭文字で、第2次世界大戦時のトッ
プシークレット（機密）以上の最高レベルの秘密区分に由来する。
　連合軍の着上陸地域と進攻の日付を含むD-Day計画—オーバーロー
ド作戦計画—に関する知識を持つすべての者は、保全検査後「BIGOT
リスト」に登録された。BIGOTリストに載っている者（チャーチルを
除く）は敵に捕らえられたり、情報漏洩する危険性を防止するため、
イギリス国外への旅行を禁止された。BIGOTのスタンプがすべてのオ
ーバーロード作戦計画関係書類とファイルに押印された。

BND（Bundesnachrichtendienst：ドイツ）

　連邦情報庁。ドイツの対外インテリジェンス機関。人員約6,500人、
予算9.25億ユーロ（2018年）。2018年、ベルリンの新庁舎に移転。ド
イツのインテリジェンス・コミュニティーの取りまとめ役を果たして
いる。シギント、ヒューミント、組織犯罪と国際テロ対策などを担当
するほか、情報の分析・評価を行う。首相府に直属している（図4参
照）。旧ドイツ参謀本部の流れをくみ、第2次世界大戦後、創設された
ゲーレン機関を受け継ぎ、1956年に設置された。初代長官に元ドイツ
軍情報部東方外国軍課長ラインハルト・ゲーレンが就任した。
⇒ドイツのインテリジェンス・コミュニティー、ゲーレン機関

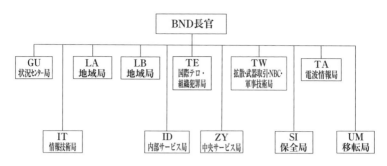

出典：BNDのHPを基に筆者作成

図4 BND組織図

BRUSA（ブルーサ）協定（Britain-United States of America Agreement）

　イギリス外務省管轄の政府通信本部（GCHQ）とアメリカ陸海軍・国務省通信情報委員会間で結ばれた協定、のちにカナダ、オーストラリア、ニュージーランドを含むUKUSA協定に拡大。1946年３月５日成立。第２次世界大戦中のホールデン協定が戦争遂行のための必要性によるものであったのに対し、BRUSA協定はソ連との対決に備え、平時から協力体制を維持するという性質があった。通信傍受対象は米英、英連邦諸国以外のすべての国家である。

⇒GCHQ、UKUSA協定、ホールデン協定

BSC（British Security Coordination：イギリス）

　イギリス安全保障調整局。第２次世界大戦中のアメリカ・ニューヨークに設置されたイギリスの諜報機関のカバー組織。この組織は外国団体として国務省に登録され、表向きはイギリスのパスポート発給所としてロックフェラー・センターのオフィスを拠点に活動した。1940年５月、イギリスのSIS（MI６）によって設置され、「イントレピッド（豪勇）」と呼ばれたウィリアム・スティーヴンスンによって率いられた。

⇒007、SIS、スティーヴンスン,ウィリアム

C⁴ISR （Command,Control,Communication,Computer,Intelligence, Surveillance,Reconnaissance）

指揮、統制、通信、コンピュータの4つのCと情報、監視、偵察の頭文字。地球上の地域の観測や通信、測位などを行い、情報優越を獲得するためには、C⁴ISR機能の総合強化が必要とされる。

⇒情報、監視、偵察

CALEA （Communications Assistance for Law Enforcement Act：アメリカ）

法執行のための通信援助法。1994年成立。アメリカの通信傍受法は、通信事業者に通信傍受を可能にするために必要な支援を行うことを義務づけたが、その後のデジタル通信技術の発展により事業者の支援があっても傍受できないケースも出てきたため、94年、アメリカ議会は捜査当局の要請に応えて同法を制定し、捜査当局が法的に許可された傍受を可能にするように、通信事業者に通信システムの設計変更を義務づけた。

具体的には、通信事業者は発着信機能を加入者に提供する機器、設備、サービスが以下の機能を満たすことを保証しなければならない。①通信をすみやかに特定し、政府が傍受できるようにすること。②通信識別情報をすみやかに特定し、政府がアクセスできるようにすること。③前述（①と②）の情報を政府に引き渡すこと。④傍受を許可されていない通信のプライバシーとセキュリティを守り、もしくは妨げないように上記の行為を実施すること。

C&Cサーバー （comand & control server）

サイバー攻撃を行う際に、マルウェアに感染したコンピュータを長期間遠隔操作するために用いる専用サーバー。C²サーバーとも呼ばれる。C&Cサーバーの使い方として、コントロール下に置いたコンピュータを踏み台としてDDoS攻撃に用いたり、APT攻撃の実行機器として用いたりするなどの手法が知られている。

⇒マルウェア、DDoS攻撃、APT攻撃

CIA（Central Intelligence Agency：アメリカ）

中央情報局。アメリカの対外インテリジェンス機関。海外での諜報活動、防諜活動、秘密工作を担当する。その任務は情報を収集、オールソース分析に基づくプロダクトを生産し、大統領の命令・指示により効果的な秘密工作活動を実施して国の安全を保つのに役立つ秘密を守ることにより、アメリカの国家安全保障の目標を促進することである。

人員は2万人以上、予算規模は年間147億ドル程度（2013年、ワシントンポスト紙）と推定される。CIAは1947年の国家安全保障法に基づき設立され、その際、CIA長官がインテリジェンス・コミュニティーの長である中央情報長官（DCI）を兼務することとなった。しかし、9・11同時多発テロや2003年のイラク戦争でのインテリジェンスの失敗などにより、04年、インテリジェンス改革法が成立。その改革法により、CIA長官が中央情報長官を兼務することが禁止され、その役割は国家情報長官（DNI）に引き継がれた。

CIAは、分析部、作戦部、科学技術部、デジタル・イノベーション部、支援部の5部とミッションセンターからなる（図5参照）。

分析部は入手した情報を分析し、タイムリーで客観的なインテリジェンスを提供することにより、政策立案者の意思決定を支援する。作戦部は人的情報源から得られた情報を収集整理する。また必

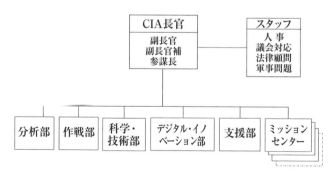

出典：CIAのHPを基に筆者作成

図5 CIA組織図

要に応じて、大統領の命令により秘密工作活動を行う。科学技術部は海外での情報活動において科学技術を用いることによって支援する。デジタル・イノベーション部は新しく設立された部署で、CIA全般のデジタル化を推進し、サイバーセキュリティからITインフラまで幅広く対応する。支援部はセキュリティ、サプライチェーン、施設、医療、人事、ロジスティックスなど主要な支援機能を担当する。

　複数あるそれぞれのミッションセンターは、国家安全保障上の課題に対応するため、あらゆる機関と緊密に連携し、CIAのすべての部の機能を統合している。各部からの要員が現在および将来の脅威に対処するため、1つのチームとして活動している。2021年6月時点では、約12のセンターが地域的、また優先度の高い問題に焦点を当てて活動している。

⇒アメリカのインテリジェンス・コミュニティー、DNI、ヒューミント

CIA（Confidentiality Integrity Availability）

　情報セキュリティを構成する要素としてISO/IEC2002に定義されたもので、情報の「機密性」（Confidentiality）、「完全性」（Integrity）、「可用性」（Availability）の頭文字からなる。

　情報セキュリティの目的は、企業などが持つ情報を安全に利用できるように対策し、その環境を維持することである。そのために情報セキュリティの脅威を分析し、有効な対策を講じるポイントとして示されたのが、機密性、完全性、可用性である。

　機密性（Confidentiality）とは情報へのアクセスを制限、完全性（Integrity）は情報が破壊・改竄されていないことの確認、可用性（Availability）は運用のしやすさ、使い勝手を表わす。これら3つの要素の比重はシステムの特性や環境、運用目的により異なる。

CIRO （Cabinet Intelligence and Research Office：日本）

内閣情報調査室のこと。サイロと呼称。

⇒内閣情報調査室

CNA （Computer Network Attack）

コンピュータ・ネットワーク攻撃。コンピュータ・ネットワークを利用して、コンピュータやコンピュータ・ネットワーク内の情報、またはコンピュータ・ネットワーク自体を妨害・拒否・劣化・破壊する行動。

CND （Computer Network Defense）

コンピュータ・ネットワーク防御。情報システムおよびコンピュータ・ネットワーク内での不正な活動を防護・監視・分析・検出・対処する行動。CND活動には、システムを外部の敵対者から防護するだけでなく、内部の窃取からも防護しており、今やすべての軍事作戦の通信・情報機能にとって必要な要件となっている。

CNE （Computer Network Exploitation）

コンピュータ・ネットワーク活用。コンピュータ・ネットワークを利用し、標的または敵対者の情報システムまたはネットワークからデータを略取する情報収集活動。

CNO （Computer Network Operation）

コンピュータ・ネットワーク・オペレーション。コンピュータ・ネットワークに関する活動の総称。CNOは、電子戦と共に電子的情報とインフラの攻撃、欺騙、劣化、妨害、拒否、活用および防御に使用される。CNOは、コンピュータ・ネットワーク攻撃（CNA）、コンピュータ・ネットワーク防御（CND）、コンピュータ・ネットワーク活用（CNE）の3つに大別される。

COBRA（Cabinet Office Briefing Room A：イギリス）

国家緊急治安特別閣議。イギリス国内や海外で発生し、イギリスに多大な影響を与えると考えられる事件に対して、主要閣僚や治安捜査当局者が集まって行われる会議。通常、内閣府のブリーフィングルームＡで行われることから、この名称が付いた。

CSIRT（Cyber Security Incident Response Team：イギリス）

シーサートまたはシーエスアイアールティと発音。コンピュータ・セキュリティにおいて発生したインシデントに対処する組織。CSIRTは情報システムの状態、発生したインシデントの特性、システムの脆弱性を総合的に分析して対応する。

コンピュータ・セキュリティのインシデントとは、情報システムの運用におけるセキュリティ上の問題として捉えられる事象で、情報流出、フィッシングサイト、不正侵入、マルウェア感染、ウェブ改竄、DoS（DDoS）などがある。
⇒DDoS、インシデント

CYMAT（Cyber Incident Mobile Assistant Team：日本）

日本の情報セキュリティ緊急支援チーム。サイマットと呼称。政府機関などの情報システムに対するサイバー攻撃などが発生した際、これに対処するための機動的な支援を行うチーム。各府省庁から派出される情報セキュリティに関する技能・知見を有する職員をチームの要員として併任。定常時で約40人。

DDoS（Distributed Denial of Service）攻撃

分散型サービス拒否攻撃。多数のコンピュータを用い、標的となるコンピュータシステムの処理能力を超えた通信量を意図的に発生させ、対象システムの機能障害を引き起こす攻撃。何らかの手段で大量の通信負荷を与える攻撃をDoS（サービス拒否）攻撃というが、多数のコンピュータから同時に発信した場合にはDDoS攻撃となる。

DDoS攻撃の典型的な手法として、マルウェアによって事前に支配

された「踏み台」といわれるコンピュータを利用して、司令塔となるコンピュータから命令を下すことで同時に特定のシステムへ通信負荷を与える攻撃がある。この攻撃で使われるコンピュータ群はボットネットと呼ばれる。

⇒マルウェア、踏み台、ボットネット

DGSE（Direction Générale de la Sécurité Extérieure：フランス）

　対外治安総局。フランス国防省の管轄下にある対外インテリジェンス機関。組織は管理部、作戦部、情報部、戦略部、技術部などから構成されている。作戦部はフランスの安全保障に関わる情報を調査・利用し、政府によって委託されるすべての活動に従事する。情報部は情報を収集し、それらを統合する。戦略部はDGSEの公式の窓口である。技術部はシギント担当専門部署である。情報・行動中央局（BCRA、1940年創設）、特殊戦力総局（DGSS、1943年創設）、研究・調査局（DEGR、1945年創設）、防諜・外国資料局（SDECE、1946年創設）を経て、1982年にDGSEとなった（図6参照）。

⇒シギント

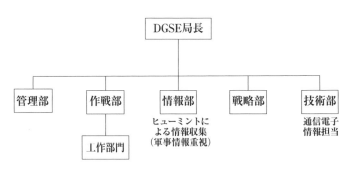

出典：DGSEのHP、『フランスのインテリジェンス・コミュニティと近年の改革』などを基に筆者作成

図6 DGSE組織図

DGSI（Direction Générale de la Sécurité Intérieure：フランス）

　国内治安総局。フランス国内での防諜活動を行い、外国人スパイや経済スパイの摘発、テロリストや過激派の破壊活動の阻止、サイバー犯罪の取り締まりなどを行う組織。人員は3,000人以上。情報部、作戦部、技術部、管理部、監査部などで構成。1907年に創設されたRG（中央総合情報局）と44年に創設されたDST（国土監視局）を統合し、2008年にDCRI（フランス版FBIと呼ばれた）が創設、14年4月にDGSIに改編。DCRIは内務大臣管轄下の国家警察総局の組織であったが、DGSIは内務省直轄となり、より独立した活動が可能となった。

DI（Defence Intelligence：イギリス）

　国防情報部。DIは国防省を構成する一部で、三軍からの軍人および文官のスタッフからなり国防費により運用されている。DIはオールソース・アナリシス（分析）を行っており、政策策定者、危機管理、軍事力整備などを支援するためのインテリジェンスを提供する。そのほか軍事作戦を直接支援したり、ほかのインテリジェンス機関の活動を支援するための情報収集も行う（図7参照）。

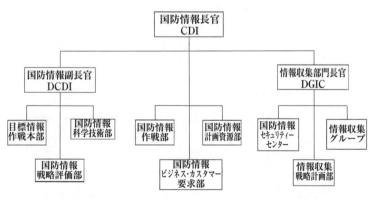

出典：DIのHPを基に『世界のインテリジェンス』を参考に筆者作成

図7 DI組織図

DIA（Defense Intelligence Agency：アメリカ）

　国防情報局。国防総省の管轄下にあり、インテリジェンス・コミュニティーのメンバーの１つ。1961年、各軍の情報活動の統合化を目的に設置された軍のインテリジェンス機関。DIAは政策決定者や軍の指揮官のために外国の軍事情報を収集し、作成・管理する。人員は１万6,000人以上（3,000人以上の海外勤務員含む）で、年間予算は10億ドルを超えると推定。職員の30％は軍人で、70％は文官である。DIAには外国の大量破壊兵器（WMD）、ミサイルシステム、テロ、インフラ、医学情報などを扱う分析部（DI）、カウンター・インテリジェンスや秘密工作活動を担任する作戦部（DO）、MASINTなどを担任する科学技術部（ST）、施設管理や人事などを担任する業務支援部（MS）がある。そのほか情報センターとしてアメリカセンター、アジア・太平洋センター、国防テロ対策センター、欧州・ユーラシアセンター、中東・アフリカセンターがある。また教育機関として国防大学（NDU）や国防情報アカデミー（ADI）なども運営している（図8参照）。
⇒アメリカのインテリジェンス・コミュニティー、MASINT

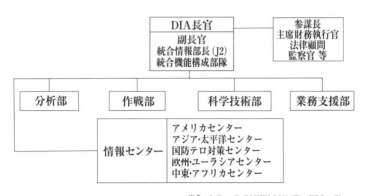

出典：Jeffrey T. RICHELSON "The US Intelligence Community sixth edition"およびDIAのHPを基に作成

図8 DIA組織図

DIH（Defense Intelligence Headquarters：日本）

⇒防衛省情報本部

DIME

　情報分析に用いるフレームワークの１つ。Diplomatic（外交）、Information（情報）、Military（軍事）、Economic（経済）の頭文字。

DNI（Director of National Intelligence：アメリカ）

　国家情報長官。アメリカのインテリジェンス・コミュニティー（18のインテリジェンス機関からなる）の長として国家安全保障に関連するインテリジェンス事項について、大統領、国家安全保障会議、国土安全保障会議の首席顧問としての役割を担う。また国家情報長官（DNI）は、インテリジェンス・コミュニティー内の各インテリジェンス機関のための情報関心事項および優先順位を決定し、これら機関の情報収集・分析・配布作業を管理・監督する。国家情報官室の人員数は公開されていないが、2012年の時点で1,750人との報道がある。

　アメリカでは、2004年12月、連邦議会においてインテリジェンス改革法が成立し、同法に基づき従来の中央情報長官（DCI）に代わって、05年、国家情報長官が新設された。これは1947年の国家安全保障法によってインテリジェンス・コミュニティーが創設されて以来、最大規模の制度改編である。国家情報長官の新設は、2001年の9.11同時多発テロやイラク戦争の教訓として導き出された施策の１つで、その主目的はインテリジェンス・コミュニティーの統合と情報収集機能の集約である。

⇒アメリカのインテリジェンス・コミュニティー

DOTMLPF

　情報分析に用いるフレームワークの１つ。相手国軍隊の能力評価を行う上で、アメリカ統合参謀本部が活用している概念区分。Doctrine（ドクトリン）、Organization（組織・編成）、Training（訓練）、Material（装備）、Leadership（統率）、Personnel（人材）、Facility（施設）の頭文字。

DRM（Direction du Renseignement Militaire：フランス）

　軍事偵察局。1992年創設。DRMは統合参謀本部に所属し、主として軍事情報とイミントを担任しており、画像収集・解析、エリント収集・解析などの関連組織からなる。人員は約1,600人。職員の70%は軍人で、30%が文官。DRMは、軍事情報計画の方向性を定め、企画・実行、軍事作戦における情報活動の支援、国防大臣、統合参謀総長および各軍司令部に対し必要な情報を提供する。

　フランスのインテリジェンス機関はイラクのクウェート侵攻と湾岸戦争開戦の際、自前の情報収集能力の貧弱さを認識し、その教訓がDRM創設や偵察衛星ヘリオスの導入につながった（図9参照）。

⇒イミント、エリント、フランスのインテリジェンス・コミュニティー

出典：『フランスのインテリジェンス・コミュニティと近年の改革』、FSA（全米科学者連盟）資料などを基に筆者作成

図9 DRM組織図

DSS（Diplomatic Security Service：アメリカ）

　外交保安局。米国務省において法執行およびセキュリティを担当する機関。法執行担当としての役割は、アメリカの国境を確保し、アメリカの国家安全保障を保護するため、アメリカおよび世界中に調査員のネットワークを持ち、パスポートおよびビザの詐欺を調査すること。

　セキュリティ担当としての役割は、国務省・在外公館高官や訪米した外交使節の身辺警護、在外公館の警備・防諜、在外邦人の保護および各国の外交安全保障情報の収集・対処などである。そのため、国内の29都市と世界中の270以上の場所にオフィスを構え、2,000人を超える捜査官と関連スタッフ45,000人を擁する。アメリカの法執行機関の

中で最大のグローバルな展開を誇る。職員は主に連邦捜査官（federal agent）たる外交保安官と、事務官、技官によって構成される。外交保安官は連邦法、国際法ならびに各国との協定に基づき、必要に応じた火器の携帯・使用が認められる。

EA（Electronic Attack）
⇒電子攻撃

EC（Enemy Courses of Action）
　敵の可能行動（軍事用語）。特に我が任務を達成するのに影響を及ぼす敵が取り得る可能性がある行動のこと。

　敵の可能行動の列挙は、指揮官の状況判断を適切にし、かつ敵の奇襲を防止することを主目的として行われる。敵の可能行動の列挙が正しくないとその後いかに論理的な思考をしても、至当な結論を導くことはできないため、情報見積りにおいて重要な思考段階である。敵の可能行動を列挙する際は、実行の可能性があり、我が任務を達成するために影響のある行動はすべて列挙する。その際、我に不利な影響を与えるものだけでなく有利なもの、現に徴候があるものは見逃さない。その後、影響の少ないものは除外し、影響度の差の小さいものは統合整理する。

⇒情報見積り

ECM（Electronic Counter Measures）
　電子対抗手段。電子妨害装置。相手が電子機器を正常に運用できないように妨害することおよび装置。

EEI（Essential Elements of Information）
　情報主要素。指揮官が決心する際、敵や環境に関して最も知りたい情報。

EMCON
　電波封止（テフシ）。企図、所在の絶対厳重な秘匿を要する場合、

一切の電波の発射を禁止すること。
⇒電波管制

英文字

EP（Electronic Protection）
⇒電子防護

ES（Electronic Warfare Support）
⇒電子戦支援

EW（Electronic Warfare）
⇒電子戦

FBI（Federal Bureau of Investigation：アメリカ）

アメリカ連邦捜査局。アメリカ司法省の傘下にあり、テロやスパイなどの重大犯罪や州を越えた事件を担当する法執行機関。職員は約35,000人で、インテリジェンス部門は約10,000人と推定される。

1908年に捜査局（BOI）として発足し、35年にFBIに改称され現在に至るが、活動の主体は時代の趨勢に合わせて変化している。第2次世界大戦後は国内の共産党員の排除（いわゆる赤狩り）を主に活動していたこともある。

近年では、2001年の9.11同時多発テロにより、インテリジェンス機関と法執行機関の連携・協力に関して問題があることが顕在化し、それがFBIの改編につながった。05年には、FBI内に偏在していた国家安全保障関連の組織や能力を統合するため国家安全保障局（NSB：National Security Branch）が新設された。NSBはカウンター・インテリジェンス部、対テロ部、高価値拘留者尋問グループ、テロリストスクリーニングセンター、大量破壊兵器課で組織されている。

FISA（Foreign Intelligence Surveillance Act）
⇒外国諜報監視法

FSB（ロシア）

　ロシア連邦保安庁。ロシア国内の治安を主に担当する保安およびインテリジェンス機関。大統領直属の組織で、FSBの地方支部も地方政府ではなくFSB中央の指揮下にある。連邦本部と各地方の支部および軍隊内の支部からなる。主要任務は防諜と犯罪対策であるが、これに必要な情報をSVRなどと協力して外国から取得する。FSBはもともとKGBにあった複数の総局や局の集合であり、1995年4月に創設。主要なものとしては、国境警備隊、政府通信情報庁、特殊部隊などがある。政府通信情報庁は2003年にいくつかの組織に分割・合併されたが、FSBは大規模な部隊と共に重要なシギント能力（通信傍受、暗号解読機能など）を継承した。インターネットの監視も行っている。

　FSBに所属する特殊部隊の中では、「アルファ」と「ヴィンペル」が有名。「アルファ」はもともとKGB議長直属の少数精鋭部隊として創設され、ソ連崩壊後は警護総局の下に置かれ、その後FSBに移管。2002年のモスクワのドゥブロフカ劇場人質事件、04年のベスラン小学校人質事件などで制圧作戦を遂行。06年11月23日にアレクサンドル・リトビネンコ（元FSB中佐）が「ポロニウム210」によって中毒死する事件が発生したが、これもFSBが実行したとされている。イギリス内務省の公開調査委員会は、長年の調査の結果、16年1月21日にリトビネンコのFSBによる殺害は、おそらくFSB長官とプーチン大統領が承認していたとの報告書を公表している。

⇒ロシアのインテリジェンス・コミュニティー、SVR、KGB、シギント、リトビネンコ,アレクサンドル

FSO（ロシア）

　ロシア連邦警護庁。ロシア連邦保安局（FSB）から独立した大統領直属の組織であり、大統領など要人および通信保全を専門とする。大統領保安局（SBP）が傘下にある。元KGB第9局であり、以前は警備総局と呼ばれた。FSBのように捜査権限もなければ、海外諜報活動も行わないが、権力闘争が絶えないロシアにあってFSOは「プーチンに近い」という強みから極めて高い地位を占めている。

FSO幹部はプーチンの護衛を務めることで国家の重要な役職に配置されるケースが多い。FSOはプーチン大統領に提出する諜報活動の報告書作成、ロシアに対するサイバー攻撃に対する検出、警告、被害管理のほか、経済や社会情勢を監視し政策の優先順位を決める各地の統合情勢センターの運営も担う。

⇒ロシアのインテリジェンス・コミュニティー、FSB、KGB

G-2（General Staff-2）

アメリカなど主にNATO各国で、陸軍の師団クラス以上の司令部情報組織に用いられる略号。参謀本部などの各部署に「G（一般幕僚：General Staff）」を付ける慣習は、1800年代後半のフランス陸軍が発祥である。一般的にG-3が作戦部署、G-2が情報部署を指す。旅団以下のレベルでは「S（専門幕僚：Special Staff）」が付けられる。また統合司令部においては「J（統合幕僚：Joint Staff）」が使用される。

GC&CS（Government Code & Cypher School：イギリス）

政府暗号学校。1919年に創設。学校の名称を冠しているが、教育機関ではなく、第1次世界大戦後から第2次世界大戦にかけて存在したイギリスの暗号解読組織。第2次世界大戦勃発の1カ月前に移転した所在地の地名をとって「ブレッチリー・パーク」と呼ばれていた。大戦中、ドイツの暗号「エニグマ」を解読したことで有名。第2次世界大戦終了時には約7,000人のスタッフを擁していた。のちにGCHQに発展した。

⇒エニグマ、GCHQ

GCHQ（Government Communications Headquarters：イギリス）

政府通信本部。イギリス国内外のシギントを担当するインテリジェンス機関。アメリカのNSAと緊密な連携を保持。要員数は6,000人以上、予算は約4億ポンドと推定。GCHQの前身はGC&CS（政府暗号学校）。1946年にGC&CSがGCHQに改組されロンドンへ移転。52年には現在も本部が所在するチェルトナムに移転した。2003年、3億3,000万

ポンドの費用をかけたGCHQの新庁舎、通称「ドーナッツ」が完成。
⇒シギント、NSA、GC&CS

GPU（ロシア）

　国家保安部。ソ連のチェーカーの後継であり、KGBの前身組織。
1922年2月に創設。1923年11月にOGPU（統合国家政治局）に発展解
消。制度上は同じ時期に創設されたNKVD（内務人民委員部）に従
属。スターリンが書記長となり、対外情報活動が本格化するなか、
GPUの組織も拡大。1922年7月、コミンテルンの担当であった対外情
報活動の機能を吸収し、総合インテリジェンス機関となった。初代長
官はジェルジンスキーで、NKVD長官も兼務した。
⇒チェーカー、KGB、NKVD

GRU（ロシア）

　ロシア連邦軍参謀本部情報総局。GRUの母体は1918年11月、レーニン
がレフ・トロツキー軍事委員の要請に応じて創設した労働者・農民赤軍
野戦本部扇動課。その後、十数回の名称変更を経て現在まで継続して
存在している。特殊作戦部隊のスペツナズ、駐在武官の管轄もGRUが
行う。2010年に正式にGU（参謀本部総局）に改称されたが、いまだに
GRUの呼称が広く使われている。KGBが解体されたことにより、GRU
はロシア最大のインテリジェンス機関とされ、25,000人からなる特殊部
隊を傘下に置き、多くの特殊・秘密工作にも関与していると見られる。
　GRUは、ロシア連邦軍参謀本部の指揮下に置かれ大統領直属ではな
い。GRU内部について体系的に記述されていることは少ないが、その
役割は軍事に関連する政治、技術、経済、環境に関する情報収集であ
る。GRUは日本でも継続的に活動している。リヒャルト・ゾルゲも有
名なGRUのスパイで、その活動は今も語り継がれている。1980年には
元陸上自衛隊陸将補が在職中に部下だった現職自衛官2人から軍事情
報を入手しては、在日ソ連大使館のユーリー・コズロフ武官に手渡し
ていたゴズロフ事件が発覚。2000年9月、元防衛庁防衛研究所所属の
3等海佐が在日ロシア大使館のビクトル・ボガチョンコフ海軍武官

（大佐）に秘密を漏洩したとして逮捕される事件、15年12月4日、陸上自衛隊の元東部方面総監が在日ロシア大使館のセルゲイ・コワリョフ武官に自衛隊内部の冊子「教範」を渡した事件などへのGRUの関与が指摘されている。

⇒ロシアのインテリジェンス・コミュニティー、スペツナズ、KGB、ゾルゲ,リヒャルト、アクアリウム

GSOC（Government Security Operation Coordination Team：日本）

日本の内閣サイバーセキュリティセンター（NISC）内にある政府機関情報セキュリティ横断監視・即応調整チーム。各府省庁情報システムを24時間態勢で監視する。サイバー攻撃発生時には、統括責任者であるNISCセンター長の下で、GSOCとCYMATが相互連携し、被害拡大の抑止と復旧、原因調査および再発防止のための技術的な支援や助言を行う。

⇒内閣サイバーセキュリティセンター（NISC）、CYMAT

HISINT（ヒジント）（Homeland Security Intelligence）

国土安全保障に関するインテリジェンス。収集される情報は、テロリストに直接関係あるもの、潜在的なテロリストによる攻撃を抑止、阻止、またそれに対応する自国の能力に関するものが含まれる。

HVA（東ドイツ）

国家保安省「A」総局。東ドイツのシュタージの管轄下で対外諜報を担当する組織。1951年に創設された外務省管轄下の外交政策諜報機関（APN）が前身。同機関は創設当時、経済学研究所（IPW）という名称が用いられた。HVA初代長官はシュタージ次官であるマルクス・ヴォルフ。86年まで在任し、この間、西ドイツに多数のスパイを浸透させた。

I&W（Indications & Warnings）

兆候と警告。インテリジェンスの最も重要な役割の1つで、軍事的な危機の兆候を察知し、政策決定者に警告を与えること。

IBM産業スパイ事件

　日立製作所や三菱電機の社員など6人が、米IBMの機密情報を不正な手段で入手しようとして、FBIのおとり捜査で逮捕された産業スパイ事件。1982年6月22日に発覚した同事件は、各日本メーカーと米IBM本社との間の事件であり、同社日本法人である日本アイ・ビー・エム株式会社は無関係であった。

ICT（Information & Communications Technology）

　情報通信技術。メール、SNS、通販、ネット検索などを使って人とインターネットがつながる技術。ITとほぼ同義であるが、ICTでは情報・知識の共有に焦点を当てて、「人と人」と「人とモノ」の情報伝達といったコミュニケーションが強調されている。国際的にはIT、ICTどちらの技術も「ICT」と認識されているため、日本でも最近はICTという言葉が定着し始めている。総務省では情報通信産業を扱うのでICTを使っており（総務省が刊行する『情報通信白書』は「ICT白書」と呼称）、経済産業省は通信技術そのものを扱うのでITを用いている。
⇒IT

IDI（Israel Defense Intelligence、アマン：イスラエル）

　イスラエル国防軍情報部。通称「アマン」。アマンは同国のインテリジェンス・コミュニティーの中で最大規模の組織で、人員は約8,000人である。外国の軍事情報の収集のほかに国家レベルでの情報分析も担当しており、政府に対して危機を警告することがアマンの重要な役割といわれている。アマンはイスラエルの安全保障政策と外交政策の決定に助言を与えるが、国防相と参謀総長に隷属している。

　アマンは情報収集組織（情報部隊収集部）、分析部、管理部に分かれており、収集部には、衛星画像情報を収集する9200部隊、通信情報を収集する8200部隊、人的情報を収集する504部隊、公開情報を収集するHatsavからなる。9200部隊は空軍情報部と協力し、偵察機による情報収集（VISINT：Visual Intelligence）も行っている（図10参照）。

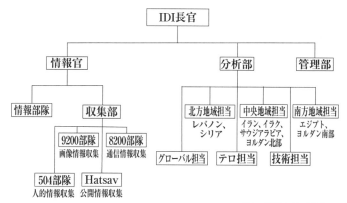

出典：『世界のインテリジェンス』

図10 IDI（アマン）組織図

分析部は3,000から7,000人の人員を有するアマン最大の部局で、すべてのインテリジェンス・コミュニティーの情報を取り扱い、それらを集約・分析し、毎日の「情報摘要」、年に一度の「国家情報見積り」を作成し、軍および政府に報告している。

1973年の第4次中東戦争（ヨムキプール戦争）まで、分析部は7つの国別の課に分けられていたが、縦割り組織の弊害のために同戦争における情報見積りを失敗したとされ、その後、地域・機能別になり、北方、中方、南方の地域とグローバル、テロ、技術担当に区分されている。

⇒イスラエルのインテリジェンス・コミュニティー

IDS（Intrusion Detection System）

侵入検知システム。ネットワーク上の通信データを監視し、不正な侵入がないか検知するシステム。一般的に不正な侵入には、セキュリティ・ホールの利用や通常の接続では見られない大量のデータ送信といった不自然な兆候があるため、それらの通信パターンに基づいて検出する。

⇒セキュリティ・ホール

INR（Bureau of Intelligence and Research：アメリカ）

　国務省情報調査局。主要な任務はアメリカの外交に資するようにインテリジェンスを活用、提供することである。規模的には職員300人程度であるが、国務省の海外ネットワークを活用した高い分析能力を誇る。イラクのWMD（大量破壊兵器）の開発などに関して、他のインテリジェンス機関と一線を画し、確固たる情報はないとジョージ・W・ブッシュ政権のイラク開戦理由に懐疑的だったが、「情報の政治化」が発生し、アメリカはイラク戦争へ突入した。
⇒情報の政治化

INTREP（Intelligence Report）

　情報報告書。特に作戦・戦術レベルでヒューミント情報に関する定型の報告書（要領）である。この報告は現在遂行されている作戦などに関して、緊急かつ重要な影響を及ぼすタイムリーな情報を報告する際に使用される。
⇒ヒューミント

INTSUM（Intelligence Summary）

　情報要約書。特定の期間における情報関心に関する情報を定型の項目に沿って要約した報告書である。それらの情報には敵の状況・作戦・能力および作戦地域の地形の特徴、気象などが含まれる。

IOB（Intelligence Oversight Board：アメリカ）

　情報監査会議。1976年フォード政権時（行政命令E.O. 11905）に設立され、1997年クリントン大統領によってPFIAB（大統領対外情報諮問会議）の常設委員会（a standing committee）（E.O. 12863）となった。IOBの主要な役割はインテリジェンス活動の法的正当性や妥当性について監視し、違法または行政命令および大統領令に対する違反の嫌疑があるインテリジェンス活動について、大統領へ報告すること。また、それら疑わしいインテリジェンス活動に関する報告書を司法長官に提出することである。

IoT（Internet of Things）

　物体（モノ）のインターネット。コンピュータなどの情報・通信機器だけでなく、世の中に存在する様々なモノにセンサーや通信機能を持たせ、インターネットに接続したり相互に通信することにより、自動認識や自動制御、遠隔操作などを行うこと。

IPB（Intelligence Preparation of the Battlefield）

　戦場における情報準備。主としてアメリカ陸軍において用いられる地域・情報見積り。ある特定の地域における地形、環境、脅威を分析し、それらが敵および味方の行動に及ぼす影響を評価する体系的なプロセスを指す。

ISA（Israel Security Agency、シャバク：イスラエル）

　イスラエル保安機関。通称「シン・ベトまたはシャバク」。シン・ベトは1960年代まで使用されていた通称。ISAは、もともとはイスラエル国防軍の第184部隊が独立してできたため、創設後しばらくは軍の影響下にあり、1950年代になって首相府直轄の組織となった（図11参照）。対外機関であるISIS（モサド）に対し、ISA（シャバク）は国内での情報収集、防諜担当組織である。要員は約2,000〜5,000人と推定される。根拠法は2002年11月16日になって制定された通称「ISA法」。

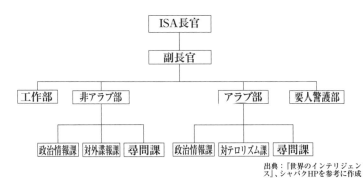

出典：『世界のインテリジェンス』、シャバクHPを参考に作成

図11 ISA（シャバク）組織図

主要な任務は国内における過激派の監視、テロ活動の防止、要人警護などである。イスラエルにおいては警察の役割は限定的で、国内防諜活動のほとんどをISAが担っている。対象がテロリストの場合、シャバクは軍、または警察の特殊部隊と連携することが多い。

　現在の組織は、非アラブ部、アラブ部、工作部および要人警護部からなっている。従来、国内の過激派、テロリスト、共産主義グループの監視を任務としていた第1課と、イスラエル国内におけるソ連のインテリジェンス機関に対する防諜活動を担っていた第2課が、1960年代末に合併し、非アラブ部または防諜部と呼ばれるようになった。アラブ部は国内におけるアラブ人の政治活動を監視する任務を有していた第3課と、パレスチナ自治州でPLOに関する情報収集活動を行っていた第4課、通称アラブ課が合併してできた。またISA創設時には通称「AL」と呼ばれる海外からイスラエルへの新規移住者を監視する部署も設けられていたが、のちに廃止された。

⇒イスラエルのインテリジェンス・コミュニティー、ISIS

ISIS（Israel Secret Intelligence Service、モサド：イスラエル）

　イスラエル秘密情報部。通称「モサド」。モサドはヘブライ語で「機関」の意味に過ぎないが、この名称が一般的に通用している。モサドは世界中に張り巡らされたユダヤ人情報網によって情報収集活動や特殊作戦を行う対外情報組織。長官は政治任命で、基本的には2期8年までとされる。しかしモサド自体に関する根拠法はないため、法的には認知されていない組織ということになる。ただし公式ウェブサイトは存在する。

　モサドは長官の下に、工作担当と行政管理担当の副長官が存在し、多くのミッションは工作担当副長官の下で行われる。モサドの人員は約2,000人である（図12参照）。ツォメットは部内でも最大の部署であり、対外情報収集の中心的な役割を担っている。その情報収集はヒューミントが基本で、必要に応じ情報提供者などを雇って情報収集活動にあたる。ネヴィオスは偵察、尾行、盗聴などにより対象者の監視を行う部署でツォメットの情報収集を支える。実力行使が必要な場合

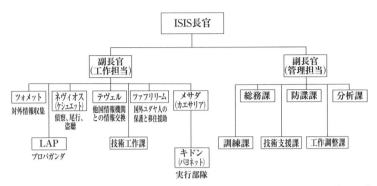

出典：『世界のインテリジェンス』『モサド 暗躍と抗争の六十年史』、モサドHPを参考に作成

図12 ISIS（モサド）組織図

は、メサダが担当する。メサダの下にはキドンと呼ばれる実行部隊がある。1972年のミュンヘン・オリンピック事件を引き起こしたテロリスト・グループ「ブラックセプテンバー」のメンバーらの暗殺を実行した組織として知られている。
⇒イスラエルのインテリジェンス・コミュニティー、ヒューミント

ISR

情報（Intelligence）・監視（Surveillance）・偵察（Reconnaissance）の略号。

IT（Information Technology）

情報技術。ハード・ソフトウエア、アプリケーション、インフラなどコンピュータ関連の技術そのものを指す用語。現在は「ICT」という用語が使われることが多い。
⇒ICT

JIC（Joint Intelligence Committee：イギリス）

合同情報委員会。略称はJIC（ジック）。省庁横断型の組織であり、

内閣府内に置かれている。閣僚および政府高官に対し、短期および中長期の観点により、イギリスの国益、特に治安、国防および外交の分野において重要な情報評価を提供する責任を有する。

1936年に設置されたが、当時は統合幕僚委員会の下に置かれ、あまり機能しなかった。チャーチル首相が直接JICを統括するようになり、機能強化が図られた。現在のメンバーは外務（連邦）省、国防省（国防情報長官含む）、内務省、内閣府、国際開発省、財務省の各高官、3つのインテリジェンス機関（SIS、SS、GCHQ）の長で構成され、必要に応じ他省庁からも参加。JICの委員長は委員会の業務に監督責任を有し、ほかの機関の長と同様に首相に直接接触できる。JICは毎週1回会合を開き、評価スタッフにより支援されている（図13参照）。
⇒イギリスのインテリジェンス・コミュニティー、SIS、MI5、GCHQ

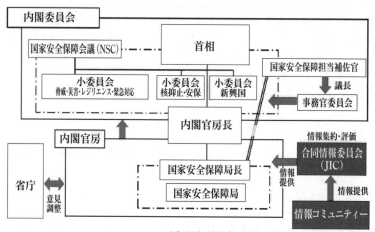

出典：国会図書館「日本版NSC（国家安全保障会議）の概要と課題」『調査と情報―ISSUE BRIEF-』NUMBER 801, 2013.10.10

図13 NSCとJIC組織図

KAC（Key Assumption Check）

主要な前提事項の見直し。正しいと思っていた前提を見直す手法。グループで実施する。その際の参加者は、その事象に関わっている者

のほかに外部の者を数人含める。それにより別の視点から事象を見ることができる。KACの手順は次のとおり。

①参加者は事象を分析する際に使用した前提事項をホワイトボードなどに書き出し全員が見えるようにする。

②それぞれの前提について、エビデンス（根拠、証拠）を列挙しつつ「正しい」「注意が必要」「根拠なし」かを検討する。その際、次のような質問が効果的である。

- なぜこの前提が正しいと自信があるのか（そのエビデンスは）？
- どのような状況であれば、この前提は無効になるか？
- もしこの前提が正しくないと判明した場合、それは分析や判断にどのように影響するか？

③その上で「注意が必要」「根拠なし」と判定された前提はエビデンスを再チェックしたり、新たなエビデンスを探す。

④再チェックの結果、前提が変われば、分析結果を修正する。たとえば2003年のイラク戦争開戦前において、英米はイラクがWMD（大量破壊兵器）を保有していることを情報サイドも政策サイドも自明の前提として行動していた。しかしイラクがWMDを保有しているエビデンスはあるのか？ 情報提供者は信頼できるのか？ 虚偽の発言をしていたのではないか？ イラクはWMDを以前は保有していたが、現在は廃棄したのではないか？ といった質問で、その前提事項をしっかり再チェックしていれば、全く違った結論になったと考えられる。

⇒前提、イラク戦争

KAEOT（Keep An Eye On Them）

「彼らに注意せよ（Keep An Eye On Them）」。スパイと疑われる人物に注意という意味でイギリスのインテリジェンス機関で使用される俗語。

KCIA（韓国）

韓国中央情報部。1961年5月、朴正煕少将によるクーデター後、創設された韓国のインテリジェンス機関。ソウル市内にあった本部の所在地名から「南山」と呼称されていた。初代部長は陸軍中佐だった金

鍾泌が就任。捜査権、逮捕権を有し、強権的な手法で北朝鮮工作員および反体制派を摘発した。81年に国家安全企画部に改編。KCIA時代には、金大中拉致事件（73年8月）、金載圭第8代部長による朴正煕大統領射殺事件などが起きている。

KGB（ロシア）

　国家保安委員会。1954年に創設され、91年に解体されたソ連の諜報・防諜機関。KGBの本部はモスクワのジェルジンスキー広場にあった。80年代は40万人以上の要員を擁したと見積られ、そのうち約25万人は国境警備要員とみられた。また約5万人が通信保安部門に所属していたとされる。さらにソビエト社会には数十万人の情報提供者がいたとされている。

　1980年代の基本的な組織は4つの総局（管理本部）、9つの局（管理局）、6つの部（管理部）から構成されていた（ただし資料によって組織編制は異なる）。

　第1総局は国外活動、第2総局は国内防諜活動、第5総局が反体制派の対処、国境警備総局が国境警備を担当していたとみられる。局では技術支援局、総務局、人事局のほか、第3局は軍の防諜・保安活動、第7局が監視任務、第8局が信号情報および通信保安、第9局が国家指導部および重要秘密施設の警備などを担当していたとみられる。

　第1総局は世界各地に派遣する諜報員を管理しており、同局には非合法活動を指導するS局、科学技術情報を収集するT局、外国のインテリジェンス機関や治安機関の職員を抱き込み、これら機関に浸透するK局があった。I特別部は同局が収集した情報の分析および配布にあたった。第1総局は11の地域部を有し、担当地域の積極工作活動、情報収集活動を実施した。

　KGBの国内支配体制は第2総局と第5総局に分けられる。第2総局はソ連内で外国人に罠を仕掛けたり買収したりしながら、ソ連市民との接触および交流を管理していた。あらゆる外国大公使館の電話盗聴、ソ連を訪れる旅行者およびジャーナリストの監視も第2総局の任務であったとされる。

第5総局の監視対象範囲は広く、国内の芸術家、著述家、科学者などのインテリ層や知識層などを対象としていた（図14参照）。

ソ連の国内保安、諜報および防諜組織は、当時の組織トップが権力の掌握・拡大を狙って離合集散を繰り返したので複雑な変遷をたどる。革命後のロシアの国内保安体制はチェーカーが担った。他方、国外情報活動は1919年3月に設立されたコミンテルンに依存した。

1922年2月にチェーカーが改編強化され、内務人民委員部（NKVD）とその隷下に国家保安部（GPU）が成立した。GPUは23年7月、コミンテルンの国外情報活動を吸収し、総合国家保安部（OGPU）に発展した。34年7月、OGPUがNKVDに再編入された。

NKVDは、第2次世界大戦前のスターリン独裁体制確立のための粛清工作を実施した。1941年2月、NKVDから国家保安人民委員部（NKGB）が分離独立した。この際、責任範囲が分割され、NKVDは警察行政、秘密警察、民事、NKGBは国内治安、対情報工作、国境警備、強制労働収容所の管理、ゲリラ工作、対独地下活動を受け持った。

1941年7月、再びNKVDに一本化されたが、43年4月にNKVDはNKVDとNKGBとスメルシに分離した。46年1月、NKVDは内務省

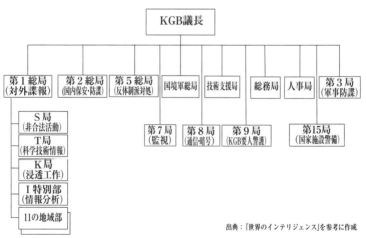

出典：『世界のインテリジェンス』を参考に作成

図14 KGB組織図

（MVD）となった。一方のNKGBとスメルシが46年10月に合併し、国家保安省（MGB）となった。そしてスターリンが死亡する53年3月に再びMVDとなり、54年3月に国家保安委員会（KGB）が分離独立した。

　KGBは冷戦期間中、アメリカCIAなどのインテリジェンス機関と水面下での情報戦を展開したが、1991年の解体後、ロシア連邦ではKGB第1総局はSVR、第2総局や第5総局、国境警備総局はFSBなどに引き継がれた。
⇒ロシアのインテリジェンス・コミュニティー、チェーカー、NKVD、GPU、スメルシ、MGB、CIA、SVR、FSB

KH（Key Hole）

　1959年打ち上げのKH-1から始まるアメリカが運用する偵察衛星の代表的な型名の通称。最新型はKH-13。ただし国家偵察局は1980年代のKH-11を最後にこの呼称体系を廃止したと伝えられている。

KJ法

　文化人類学者の川喜田二郎（1920～2009年）が、文化人類学のフィールドワークをした後で、集まった膨大な情報をいかにまとめるかについて考案した手法。それを川喜田は名前の頭文字からKJ法と名づけ、チームワークで研究を進めていくのに効果的な方法だと考え、それをまとめた『発想法』（1967年）を刊行した。KJ法はあらゆる分野に普及し、様々な現場の問題解決・発想のための技法へと発展している。

　ブレインストーミングの技法とも結合され、様々なアイデアが出された後に、それらの雑多なデータやアイデアを統合し、新たな発想を生み出すために用いられている。カードの代わりに付箋紙が使われることが多い。KJ法の4ステップは次のとおり。
①カードの作成：1つのデータを1枚のカードに要約して記述する。
②グループ編成：複数のカードの中から似ているものをグループ分けし、それぞれのグループに「見出し（タイトル）」をつける。
③図解化（KJ法A型）：グループの近いものは近くに配置し、関連性がわかるように線で囲んだり矢印で結ぶなどして相関図にする。
④叙述化（KJ法B型）：各グループにつけられた見出しを使いなが

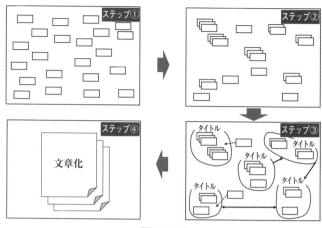

図15 KJ法

ら、全体の関係を文章化する（図15参照）。

KSK（Kommando Spezialkräfte：ドイツ）

　ドイツ連邦陸軍特殊部隊。1990年代、KSKはアメリカ陸軍の特殊作戦軍などを参考に創設。人員数は約1,400人とされ、特定目標に対する偵察、襲撃、破壊、敵後方地域の撹乱などの特殊作戦が主要任務。

MA（Mission Assuarance)

　任務保証。自らが遂行すべき業務やサービスを「任務」と捉え、これを着実に遂行するために必要となる能力や資産を確保すること。2012年に策定されたアメリカの任務保証戦略がこの考え方の基礎となっている。

MAD（Militärischer Abschirmdienst：ドイツ）

　軍事保安局。1956年に設置され、ドイツ連邦国防軍内において、憲法擁護庁と同様の役割、つまり軍内の情報保全や防護などを担っている。2017年にBAMADに改称（図16参照）。
⇒BAMAD、ドイツのインテリジェンス・コミュニティー

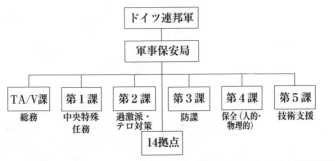

出典：『世界のインテリジェンス』を基に筆者作成0

図16 MAD（軍事保安局）組織図

MECE（Mutually Exclusive & Collectively Exaustive）

　ミッシーまたはミーシーと発音。互いに重複せず、全体に漏れがないことで、「漏れなくダブりなく」と訳されることが多い。ロジカルシンキング（論理的思考）において基本とされる概念で、マーケティングやビジネスの用語としてもよく使用されている。

⇒ロジック・ツリー

MfS（Ministerium für Staatssicherheit：東ドイツ）

　国家保安省。通称「シュタージ」。1950年に創設され、89年に廃止。創設当初はゲシュタポやSD出身者が相当数採用されたといわれている。東ドイツ国内において徹底した監視態勢を敷いた対内インテリジェンス機関。西ドイツにもスパイを送り込み、両ドイツ国民から恐れられた。

⇒ゲシュタポ、SD

MGB（ソ連）

　国家保安省。ソ連KGBの前身組織。1946年10月、国内治安、対情報工作、国境警備、強制労働収容所の管理、ゲリラ工作、対独地下活動を所掌する国家保安人民委員部（NKGB）と、軍および軍の活動を監視する軍防諜機関であるスメルシが合併して国家保安省（MGB）となった。

⇒KGB、スメルシ

MI（Military Intelligence）

軍事情報（Military Intelligence）の略語。

MI＋数字（Military Intelligence：イギリス）

イギリスの情報・保安組織を示す略称。第1次世界大戦頃、陸軍省内に設置された部署に由来する。当初は軍事作戦（Military Operation）を指すMOの接頭語が付与されたが、第1次世界大戦が始まるとそれまで各官庁が個別に有していた情報を一元的に管理することになり、陸軍省情報部の下で各組織との連絡を担当する部・課の名称として組織名に番号が割り振られた。1916年にMOがMIに変更された。MI5（保安部）、MI6（秘密情報部）などが有名だが、ほかにもMI3（東欧課）、MI4（地誌情報課）、MI7（プロパガンダ課）、MI8（暗号解読課）などもあった。

⇒イギリスのインテリジェンス・コミュニティー、MI5、MI6

MI5（イギリス）

イギリスの国内防諜を担当する組織。エム アイ ファイブ と呼称。

⇒イギリスのインテリジェンス・コミュニティー、SS

MI6（イギリス）

イギリスの対外情報活動を担当する組織。エム アイ シックス と呼称。

⇒イギリスのインテリジェンス・コミュニティー、SIS

MI8（アメリカ）

軍事情報部第8課。アメリカの暗号専門機関。通称「ブラック・チェンバー」。第1次世界大戦後の1920年に設置。同機関を率いたのは第1次世界大戦以前からアメリカ国務省に在職していたハーバート・ヤードレー。MI8は21年のワシントン会議において、日本の暗号電を解読し、交渉を有利に進めるのに大きく貢献した。ハーバート・フーヴァー政権が発足し、国務長官にヘンリー・スティムソンが就任する

と、スティムソンは「紳士は他人の信書は読まないものだ」として、MI8を29年10月末で廃止した。この措置に怒り、反発したヤードレーは『ブラック・チェンバー』を出版、暗号解読の内情を暴露した。
⇒ヤードレー,ハーバート

NIC（National Intelligence Council：アメリカ）

国家情報会議。1979年設立。アメリカのインテリジェンス・コミュニティーの長である国家情報長官の下で長官を支える組織。戦略的長期見積りに関してインテリジェンス・コミュニティー内で中心的な役割を果たしている。国家情報会議は「国家情報見積り（NIE）」や1997年以降、ほぼ4年ごとに、その後の約20年間の世界情勢を予測・分析した報告書『グローバルトレンド（NIC Global Trends）』を作成・発表している。NICの中核となる国家情報官（national intelligence officer）には政府、学界および民間から地域別機能別の様々な問題に関する上級専門家が選ばれる。
⇒NIE

NIE（National Intelligence Estimate：アメリカ）

国家情報見積り。アメリカの主要な国家安全保障問題に関し、各インテリジェンス機関の分析をとりまとめ、総合的に記述した戦略的な情報評価文書。NIEは通常、政策立案者、議会の長の要求、時には国家情報会議（NIC）の要求によって作成される。NIEが起草される前に、担当の国家情報官はコンセプトペーパーまたは業務指示書（TOR：Terms of Reference）を作成し、インテリジェンス・コミュニティー全体に回覧、まずコメントを求める。TORには、主要な質問、起草の責任、作成時期などが記載されている。通常1人以上のインテリジェンス・コミュニティー内の分析官がドラフト（草案）作成担当者として割り当てられる。その担当者は、各インテリジェンス機関と協力して、ドラフトを作成し、情報源の質やインフォメーションに疑義がないかなどを精査する。すべてのNIEは国家情報長官（DNI）が議長を務め、関連するインテリジェンス・コミュニティー

内のインテリジェンス機関の長で構成されるNIB（国家情報委員会）によって審議される。NIBによって承認されると、NIEは大統領と上級政策立案者に報告される。NIEを作成するプロセス全体は、通常少なくとも数カ月かかる。

　NICは、DNIの下でNIEプロセスを改善したが、これらは、2004年の情報改革法を主に準拠している。情報改革法が策定された原因の1つとして、02年のNIE（当時はCIAが草案作成）では、イラクが「大量破壊兵器（WMD）開発中」と報告され、03年のイラク戦争開戦の根拠となった失敗からである。WMDはイラク戦争開戦後もイラク国内で発見されず、インテリジェンス機関の信頼性に対する批判の声が高まった。
⇒DNI、NIC、イラク戦争

NISC（National center of Incident Readiness and Strategy for Cybersecurity：日本）
⇒内閣サイバーセキュリティセンター

NKVD（ソ連）

　内務人民委員部。スターリン政権下で反体制派の大粛清を指導した旧ソ連のインテリジェンス機関。1922年2月に設立した時には、国内保安のための指導組織であり、隷下の国家保安部（GPU）とその後継の総合国家保安部（OGPU）を指導していた。34年7月からはOGPUを吸収し、自ら内務人民委員部（NKVD）として国内保安から国外情報までの幅広い権能を保有し、第2次世界大戦前のスターリン独裁体制確立のための粛清工作を行った。その後も再編・統合を繰り返し、43年4月にNKVDは、NKVDとNKGBとスメルシの3つに分離し、NKVDは46年1月に内務省（MVD）となった。
⇒GPU、スメルシ

NOC（Non Official Cover）

　非公式のカバー（ノン・オフィシャルカバー）。外交官という一般的なカバー（保護）を受けずに活動する諜報員のこと。自由な活動が可能で、相手国との外交関係が断絶しても身分がばれない限り相手国

にとどまることができる。通常、外交官のカバーがあれば、諜報員であることが発覚してもペルソナ・ノン・グラータ（好ましからざる人物）に指定され、一般的には国外退去を命じられるだけで身分は保証されるが、ノン・オフィシャルカバーは活動が露見した際の身分保証がない。CIAでは「NOC」（ノック）と呼ばれ、政府の公的保護を受けない最も危険な職務とみなされている。
⇒カバー、CIA

NOSS（Naval Ocean Surveillance System：アメリカ）

　海軍広域海上監視システム。1970年代はじめから、アメリカ海軍のためにエリント活動を実施してきた1つあるいは複数のシギント偵察衛星システム。このシステムの存在および名称は公式には明らかにされておらず、NOSSは軍事ウォッチャーなどが便宜的に付けた通称の1つである。
⇒エリント、シギント

NSA（National Security Agency：アメリカ）

　国家安全保障局。アメリカ国防総省の傘下にある通信・電波情報収集機関。主な任務は政府や軍の任務を支援するため海外の通信電波情報の傍受、分析、暗号解読で、ほかに情報保証の任務を有している。内部組織にはシギント部、調査部、情報保証部、技術部などがある。
　2009年、サイバー軍が創設され、NSA長官はサイバー軍司令官も兼務。職員は2万～2万4,000人、予算は150億ドルと推定される。
　アメリカのインテリジェンス・コミュニティーの中でも最も秘密に包まれた組織の1つである。NSAの前身は1949年5月に統合参謀議長の下に新設された軍保安局（AFSA）。NSAは52年10月トルーマン大統領が機密の覚書で設立を指示し同年創設されたが、公式には57年までその創設すら明らかにされなかった。
⇒アメリカのインテリジェンス・コミュニティー、シギント

OC （Own Courses of action）

わが行動方針（軍事用語）。ある作戦目標を達成するための行動指針。
⇒EC

OIR （Other Intelligence Requirement）

その他の情報要求。EEI（情報主要素）ほど重要ではない情報要求。
⇒EEI

OODA （ウーダ）ループ

迅速な意思決定システム。観察（Observe）、状況判断（Orient）、
決心（Decide）、実行（Act）のサイクルにより迅速な意思決定を行
うもの。しばしば、これまでのPDCAサイクルと対比的に用いられ
る。米空軍のジョン・ボイド大佐により提唱され、本来は航空戦パ
イロットの意思決定を対象としていた。戦術・戦略レベルにも敷衍
され、さらにビジネスや政治など様々な分野でも導入され、あらゆ
る分野に適用できる一般理論として評価されつつある。「OODA」
へのAIへの利用も検討されており、インテリジェンス環境も変化し
ている。
⇒観察、AI

ORCON （Originator Controlled）

作成者が書類の配布などを管理すること。データの所有権を意味
し、ある機関が作成したインテリジェンスを指定されたメンバー以外
に配布したり別の書類に含めたりするには、作成した機関の許可を必
要とする。

OSS （Office of Strategic Services：アメリカ）

戦略諜報局。第2次世界大戦中のアメリカのインテリジェンス機
関で、のちのCIAの母体。1942年6月にルーズヴェルト大統領によ
り創設。統合参謀本部（JCS）の管理下に置かれた。長官はウィリア
ム・ドノヴァン。イギリスのSOE（Special Operations Executive：特

殊作戦執行部）と連携して、欧州における特殊作戦任務を遂行した。
⇒CIA、ドノヴァン,ウィリアム、SOE

PDB（President's Daily Brief, Presidential Daily Briefing）

大統領日報。大統領日々報告。アメリカ大統領および主要閣僚のために、国家安全保障に関わる事象についてオールソースで作成される情報・分析を要約した日報。機密度の高い情報が多く含まれている。2005年までは中央情報長官（兼CIA長官）、それ以降は国家情報長官（DNI）が作成・報告の責任を有する。

　1946年トルーマン大統領が日報（Daily Summary）という形で受け取って以降、PDBは形式を変えながらもインテリジェンス機関から大統領へ報告されている。トルーマン大統領の頃は、オールソースではなく国外の秘密情報に関する事項（foreign intelligence matters）のみだったが、各大統領の好みに合わせてより多くの情報が含まれるようになった。2014年には、オバマ大統領の要請により、印刷物から電子配信に変更された。

　PDBには、秘匿度の高い情報が含まれていることから、情報公開されていないが、ケネディ大統領やジョンソン政権時のものなど、機密指定が解除されて公開されているものもある。
⇒CIA、DNI

PEST（ペスト）

　情報分析に用いるフレームワークの1つ。Politics（政治）、Economy（経済）、Society（社会）、Technology（技術）の頭文字。
⇒フレームワーク

PFIAB（President's Foreign Intelligence Advisory Board：アメリカ）

　大統領対外情報諮問会議。1956年2月6日、アイゼンハワー大統領（E.O.10656）により創設された。当初は対外情報活動に関する大統領顧問委員会（PBCFIA：President's Board of Consultants on Foreign Intelligence Activities）と称されたが、ケネディ大統領の時に

対外情報諮問会議に変更された。その後、カーター大統領により廃止されたが、レーガン大統領時に復活。現行の組織はクリントン大統領が1993年に発出したE.O.12863により定められている。活動目的はインテリジェンスの収集、分析・評価、防諜、その他のインテリジェンス活動の質、量、妥当性の評価である。またインテリジェンス機関の運営、組織の充実などについて評価し、インテリジェンス機関のさまざまな活動の目的、行為、管理、調整について大統領に助言することである。

PMESII-PT

　情報分析に用いるフレームワークの1つ。Political（政治）、Military（軍事）、Economic（経済）、Social（社会）、Infrastructure （インフラ）、Information（情報）、さらにPhysical environment（物理的環境）、Time（時間）の頭文字。
⇒フレームワーク

PRISM（プリズム）

　アメリカの通信監視プロジェクトの名称。NSAの諜報活動についてリークしたエドワード・スノーデンが提供した資料により、その存在が判明した。PRISMの実態はスノーデンファイルに含まれていた資料で広く知られるようになった。そこにはアメリカの大手IT企業の協力のもと、サーバーに設けられたバックドアによって、メール、画像、動画、音声データが収集されたことが示されている。Microsoft、Google、SkypeなどPRISMに協力した具体的な企業名も記述されている。PRISMの目的として、テロ対策以外に海外の軍事、エネルギー産業、政治家など多様なアクターの情報収集活動が行われていたことがスノーデンファイルに挙げられている。アメリカ政府はPRISMの監視プロジェクトは、外国諜報監視裁判所（FISC）の監督で運用されていて、外国人に対する監視活動は違法ではないと主張。またスノーデンファイルで名指しされた企業も非合法的な情報提供は行っていないとしている。しかし、スノーデンは2008年に改正された外国諜報監視法

（FISA）702条を根拠にテロ対策を優先させる目的で、アメリカ人の通信も傍受していると主張している。

⇒スノーデン事件、外国諜報監視法

Qアノン（QAnon）

「アメリカの政財界はディープステート（deep state：闇の政府、影の国家）に牛耳られている」「世界は悪魔を崇拝する小児性愛者によって支配されている」といった陰謀論的主張を信じる人々。「Q」とは2017年インターネットの掲示板に投稿を始めた謎の人物が名乗った名前。「アノン」とは匿名を意味するアノニマス（anonymous）に由来する。その中でも、ドナルド・トランプ前米大統領はディープステートと戦う救世主とされる。2021年1月の米連邦議会議事堂への乱入事件でもQアノンのTシャツを着た暴徒たちが多く確認された。Qアノンの数は明確には分からないが、数十万人から数百万人とする報道が多い。

⇒アノニマス

RAT（Remote Access Tool）

コンピュータを遠隔操作でコントロールするために用いられるツール。RAT自体は必ずしも不正な目的に使用されるとは限らないものの、マルウェアとして使われると、第三者によって知らないうちにコンピュータ不正に使用されるか、情報を窃取されるといった被害がもたらされる。RATの中にはキーロガー、カメラによる盗撮、パスワード流出といった機能が含まれる。

⇒マルウェア、キーロガー

RC-135

アメリカ空軍の電子偵察機。電子機材の能力や性能向上に伴い、いくつかの派生型がある。ボーイングC-135は1950年代に開発された輸送機であるが、アメリカ空軍ではこの機体を改造して様々な用途に使用している。RC-135系の電子偵察機にはRC-135Sコブラボール、陸海空

の電波情報を傍受・分析して戦略情報を収集するRC-135Uコンバット
セント、世界各地の戦域で電子情報の収集・分析を行いアメリカ軍の
作戦行動に直接寄与するRC-135V/Wリベットジョイントなどがある。
RC-135Sコブラボールは、光学的および電子的に弾道ミサイルの情報
を収集するため迅速に展開されるアメリカ空軍の航空機である。同機
（3機）はネブラスカ州オファット空軍基地第55航空団に所属し、主
に弾道ミサイル発射の兆候があるエリアに展開している。北朝鮮のミ
サイル発射の際などにしばしば同機の存在が報道される。
⇒コブラボール、リベットジョイント

RIPA（Regulation of Investigatory Powers：イギリス）
⇒調査権限規制法

SD（ドイツ）

　親衛隊情報部。ナチス親衛隊（SS）の情報組織。1931年8月のSS
内部の情報組織IC部が前身。32年7月、同部がSDに発展。ラインハル
ト・ハイドリヒが初代長官に就任。33年1月にナチスが政権を掌握し
て以降、本格的な情報組織に発展した。主な任務は反ナチス派に対す
る調査・摘発。SSの隊員からなる軍事組織として武装SSが作られ、規
模を拡大して陸海空軍と並ぶ第4の軍隊となった。39年9月、ゲシュ
タポとSDが正式に統合され、親衛隊本部の1つであるRSHA（国家保
安本部）に改組。
⇒ゲシュタポ

Signature（シグネチャ）

　ネットワークやコンピュータへの不正な侵入を検知するために用い
られる電子的なパターン。コンピュータへの不正侵入には主体によっ
て使用する言語、コードの特性など一定のパターンが存在する。この
パターンを定義することで、どのような攻撃が不正な侵入であるかを
判別することが可能となる。

SIS（Secret Intelligence Service：イギリス）

　秘密情報部。通称MI6（エムアイシックス）。隠語では「サーカス」とも呼ばれる。細部はほとんど公にされていないが、各種資料から人員は3,000人以上、予算は約3億ポンドと推定される。

　SISは治安、国防、重大犯罪、外交・経済分野についてイギリスの死活的利益に関わる問題について国内外の秘密情報を収集することで、海外での任務、秘密の活動によりその目的を達成する。

　SISは、MI6（Military Intelligence section6）と同義語として使われているが、MI6は第2次大戦中にSISが保安情報を扱うMI5との組織的な連携が必要な時に便宜的に採用された呼称である。

　1909年、SISは秘密情報局（Secret Service Bureau）の外国課として創設され、その後「外国情報サービス」、「MI1（c）」、「シークレットサービス」、「特別情報サービス」、さらには「Cの組織」（リーダーのマンスフィールド・カミングに由来）など、様々な名前が付けられていたが、第1次世界大戦中に戦争省から外務省の管轄下に移され、20年頃SISとなり、それ以来公式にはその名称が使われている。MI6の名称は、公式にはすでに使用されていないが、報道などではいまだに使用されることが多い（図17参照）。

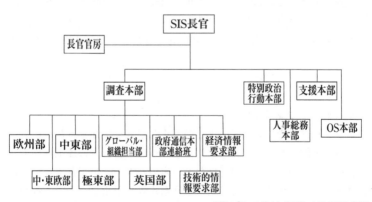

出典：『ワールドインテリジェンス Vol5』（1995
年当時のSISの編成）、SISのHPを参考に筆者作成

図17 SIS（MI6）組織図

⇒イギリスのインテリジェンス・コミュニティー、SS、MI5、007

S・K工作

ソ連居留民工作。海外に駐在する外交官を含むソ連人の信頼性を監視する工作活動。

SNS（Social Networking Service）

交友関係を構築するウェブサービスの1つ。誰でも参加できる一般的な掲示板やフォーラムとは異なり、サービスに参加しているユーザーの中から、主に自分が選択したユーザーとコミュニケーションする仕組み。Facebook、LINEなどが有名。Twitterも広義にはSNSに含まれるとみられる。SNS上でフェイク（虚偽）ニュースが広まるという社会問題が生起している。なお英語圏ではSNSという略語は使用されず、Social mediaが一般的。

⇒フェイクニュース

SOC（Security Operation Center)

情報システムへの脅威の動向や通信状況を監視し、一次対応を行う組織。ファイアウォールや検知システムといったセキュリティ機器やネットワークを監視し、あらかじめ想定されたリスクや指標に基づいて対応する。CSIRTがインシデント対応を主として行うのに対し、SOCはインシデントの検知に重点が置かれている。

⇒ファイアウォール、CSIRT

SOCMINT（ソクミント：Social Media Intelligence）

ソーシャルメディア・インテリジェンス。ソーシャルメディア（SNSなど）を活用した21世紀における新たな情報源であり、収集・分析手段。個人の分析、世論や発生する現象の理解に有用。テロ攻撃の防止や（著名ではない）個人の調査に極めて役立つ。従来の情報収集では不可能だった内容を収集し、より深い洞察を提供できる可能性がある。

SOE（Special Operations Executive：イギリス）

特殊作戦執行部。イギリスの特殊作戦部隊。1940年7月に創設。破壊・撹乱工作、謀略活動、ドイツ占領下のヨーロッパにおけるレジスタンス活動の支援などを実施。ヨーロッパではアメリカのOSSと密接に協力した。

⇒OSS

SOSUS（Sound Surveillance System：アメリカ）

音響監視システム。潜水艦の発見を目的とした海底に設置されたアメリカ軍の固定式のパッシブ型音響探知システム。第2次世界大戦中、アメリカ、イギリス、ソ連の海軍は、潜水艦からの脅威を提言するため音響アレイ（受波器を直線に配列した装置）を港の近くの海底に配置した。終戦後アメリカ海軍は、本格的な深海アレイの開発を始め、冷戦期、太平洋、大西洋だけでなくジブラルタル海峡などにもSOSUSを配置した。1960年代後半、マクナマラ国防長官が初めてその存在を公に認めた。冷戦終結後、一部のSOSUSは機能を停止すると共に、生物調査などに転用されたものもある。一方で、より深度で広域に探知できる改良されたシステムや危機の際に迅速に展開できるシステムも開発されている。

SR-71（ブラックバード：アメリカ）

U-2の後継機として開発された戦略偵察機。U-2撃墜事件を受け、高々度をマッハ3の超音速飛行することで地対空ミサイルの攻撃を回避することを目標に開発された。U-2が高々度を比較的低速（マッハ0.7）で飛行するのに対し、SR-71は高々度を超音速で飛行できるだけでなくレーダー反射断面も小さかったため発見が困難だった。

1966年からアメリカ空軍第9偵察航空団で運用が開始され、沖縄の嘉手納基地やイギリスの基地からも定期的に出撃した。軍のコスト削減の中、90年に全機が退役した。95年、議会はマッハ3の偵察能力を確保すべく3機のSR-71を復活配備するための予算を認可したが、98年、クリントン大統領によって拒否権が発動され、配備されることは

なかった。

⇒U-2撃墜事件

SS（Security Service：イギリス）

　保安部、通称MI5（エムアイファイブ）。人員は約4,000人と推定。SSは内相の管轄下で行動し、主要任務は国家保安に関わる業務である。特にイギリス国内におけるスパイ、テロリズム、外国の工作員による活動および政治的・暴力的手段による国家転覆または議会制民主主義を弱体化しようとする活動の監視と阻止、国外からの活動によるイギリスの経済的利益に対する脅威の排除、重大犯罪を阻止または予防するため警察や法執行機関に対する支援を行うことである。これらの目的を達成するため、調査、情報収集、分析、評価する。セキュリティ手段に関して政府やほかの組織を支援すると共に助言を行う。

　SSの業務は法執行機関と非常に近いが、スタッフには逮捕権や強制捜査権はない。起訴に至る可能性が高い場合には、それぞれの権限に基づいて必要な職務執行ができる警察、検察、移民局または税関などと密接に調整する。

　1915年末の戦争省の組織再編の際に、バーノン・ケル大尉の率いる国内情報部は、陸軍情報部第5課（Military Intelligence Section 5）

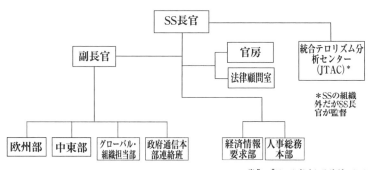

図18 SS（MI5）組織図

と改称され、MI5と呼称されるようになった。1931年にその業務が拡大し、国際的に活動する共産主義者による破壊活動の阻止やファシズムへの対抗も所掌に含め、イギリスの国家安全保障上の保安業務に関するほぼすべてに権限を与えられ、MI5からSSとなった。同時に国家安全保障に関する脅威の情報収集と分析の責任を与えられた。

　SSの役割は冷戦の終結やテロリズムの増加に伴い大きく変化した。2003年には、SS長官の下に統合テロ分析センター（JTAC）という他省庁の共同機関が設立された。SSの歴史もSIS同様に長いが、その役割は1989年の保安部法によって初めて法的に規定された（図18参照）。
⇒イギリスのインテリジェンス・コミュニティー、MI5、MI6、SIS

STEMPLES

　情報分析に用いるフレームワークの1つ。Social（社会）、Technological（技術）、Environmental（環境）、Military（軍事）、Political（政治）、Legal（法律）、Economy（経済）、Security（安全保障）の頭文字。

SVR（ロシア）

　対外諜報庁。ソ連のKGB時代に対外情報収集を担当した第1総局（FCD）がソ連崩壊後のロシアではSVRに継承。その役割は政治・経済・軍事戦略・科学技術・環境に関する情報収集・分析で、それを政策決定者に提供・助言することである。海外のエージェントの獲得、対情報活動、情報操作、破壊・秘密工作も行っている。KGB時代との大きな違いは、官僚的な事務手続きなどの負担が軽減され、活動が対外活動のみに集中し、外交政策に反映されているとされる。冷戦期と変わらず、多国間との兵器の売買もSVRの役割に含まれる。

　SVRの組織、活動の実態について詳細は明らかになっていないが、基本的にKGB第1総局と同様であると考えられている。組織構成は少なくとも4つの主要な局、3つの課からなる。S局：非合法エージェントの操作。T局：科学技術分野の諜報。K局：外国インテリジェンス機関などへの浸透および海外でのロシア国民の監視。部局不明：麻

薬などの密売取引の監視。A課：破壊工作の計画立案および実行。Ｉ課：評価・分析。R課：SVRのオペレーションを監督・監視。

さらに11方面に区分された世界の担当地域ごとの局があり、各国の在外レジデンス組織と工作組織が配置されている。レジデンスとは連邦政府が管理する連絡機関のことで、世界各国にある大使館・領事館・通商機関などを含み、それらを拠点に当該国で諜報活動を行う。

⇒ロシアのインテリジェンス・コミュニティー、KGB

SWOT分析（SWOT Analysis）

最良の戦略を検証する際に有効な分析手法。SWOTは、Strength（強み）、Weakness（弱み）、Opportunity（機会）、Threat（脅威）の頭文字から取ったもの。

その分析手法は1960年代後半、スタンフォード研究所による「企業の中長期計画失敗の研究」が基となり発展した。その後、中長期的なものを考える手法として多く使われ、いくつものバージョンが

		中国を取り巻く外部環境	
		O（機会） ●世界の多極化、無極化の進展 ●周辺環境（陸上）の安定 ●経済グローバルの進展 ●米国の世界的関心、影響力低下	T（脅威） ●米国のアジア重視(回帰)、日米同盟の深化 ●中国包囲網の形成(対中警戒論の拡大) ●国内における非伝統的安全保障問題の生起(テロ、少数民族、民主化問題)
中国の内部環境	S（強み） ●経済発展(GDP世界第2位、世界金融危機にもコロナにも対応) ●国防・軍建設の進展 ●外交における国際的発言力の増大 ●香港・マカオ・台湾工作の進展 ●膨大な消費人口	S×O ◆経済のグローバル化などを戦略的チャンスと捉え、自らの政治・経済の影響力増を強みに積極的な外交戦略を展開 ◆軍事力増を背景に陸上における周辺環境の安定を好機に捉え、海洋強国戦略を推進	S×T ◆中国包囲網形成を脅威と捉え、経済力・軍事力の発展を強みに「平和的発展」戦略を推進 ◆非伝統的安全保障の脅威に対し、軍事・外交力の強化により対応を推進
	W（弱み） ●農業基盤(体制・メカニズム)の脆弱性 ●経済発展の地域格差 ●共産主義の終焉と党の求心力低下 ●米国との軍事力格差	W×O ◆米国との軍事力格差は依然としてあるため、米国の世界的な関心、影響力の低下を好機と捉え、局地的な軍事力の増強や米国に対する非対称戦(三戦など)を追求	W×T ◆経済格差、体制メカニズムの障害などの弱みを克服し、国内の「安定成長」戦略(経済成長率の抑制)を推進することにより、非伝統的安全保障問題へ対応

図19 中国の中長期戦略に関するSWOT分析

生まれた。情報分析では、ある国の取り得る安全保障戦略などの考察に活用できる。手順の一例は次のとおり。

①目標（中国の中長期戦略の方向性）を明らかにする。

②目標達成に関連し内部環境的な強み（S）、弱み（W）、外部環境が影響を及ぼす機会（O）、脅威（T）を列挙する。

③それぞれ列挙したものを、戦略に及ぼす影響の大きいものに絞り込む。どれが大きいかについての判断は議論などで決める。

④内部環境と外部環境を組み合わせて目標達成の可能性のある戦略を案出する（それぞれを掛け合わせるためクロス分析ともいう）。（図19参照）

●強みを活かし機会を活用（S×O）、強みを活かし脅威に対抗（S×T）

●弱みを克服し脅威に対抗（W×T）、弱みを克服し機会を活用（W×O）

⑤上記の戦略を基に複数のシナリオを作り、シナリオ分析や競合仮説分析（ACH）などにつなげていくことができる。

⇒競合仮説分析（ACH）

TRT-2（Terrorism Response Team-Tactical Wing for Overseas：日本）

　国際テロリズム緊急展開班。2004年8月に発足。警察庁警備局外事情報部国際テロリズム対策課に属する。邦人の生命、財産ならびに日本の利益を害するおそれのあるテロ事案が発生した場合、国際的な捜査協力を必要とするテロが発生した場合、国際テロに関する捜査や鑑識、人質交渉などの専門性を有する警察職員を派遣し、情報収集、現地治安情報機関の捜査支援を行う。

　1996年に発生した在ペルー日本国大使公邸占拠事件の教訓を踏まえて98年に設置された「国際テロ緊急展開チーム（TRT：Terrorism Response Team）」を、2004年、より広範囲な支援活動を行う「国際テロリズム緊急展開班（TRT-2）」に改組した。

　2004年9月のインドネシア・ジャカルタでのオーストラリア大使館前爆弾テロ事件、同年10月のイラクでの邦人人質殺害事件、05年10月のインドネシア・バリ島での同時多発テロ事件、13年1月、アルジェリア・イナメナスでの襲撃テロ事件、16年7月、バングラデシュ・ダッカでの武装集団襲撃事件などにも派遣された。

⇒警察庁警備局

U-2撃墜事件

　1960年5月1日、アメリカのU-2偵察機がソ連防空軍の地対空ミサイルで撃墜された事件。当時、ソ連には高々度を飛行するU-2に対する迎撃能力はないと信じられていたが、新型のSA-2地対空ミサイルによって撃墜された。U-2のパイロットのフランシス・ゲイリー・パワーズ大尉は脱出し無事であったが、ソ連に捕虜として捕らえられ、公開裁判に付された。パワーズはスパイ飛行を認め有罪となるが、その後アメリカで逮捕されたKGBのルドルフ・アベル大佐との身柄交換により釈放された。

⇒アベル,ルドルフ、SR-71

UKUSA協定 （United Kingdom-United States of America Agreement）

　アメリカ、イギリス、カナダ、オーストラリア、ニュージーランド間の協定で、1954年にBRUSA協定からUKUSA（ウクサ、ユークーサ）協定に名称変更。5カ国の協力体制はファイブ・アイズ（Five Eyes）と呼ばれ、エシュロン（通信傍受システム）を用いて共同で国際的な通信傍受活動を実施している。

⇒BRUSA協定、ファイブ・アイズ、エシュロン

USCYBERCOM （United States Cyber Command：アメリカ）

　アメリカサイバー軍。2010年にアメリカ戦略軍（USSTRATCOM）隷下のサイバー戦を担当する組織として創設。NSA長官がサイバー軍司令官を兼務。本部はNSAが所在するメリーランド州フォート・ミード陸軍基地に置かれている。18年5月、サイバー軍は戦略軍から独立し、戦略軍と同様の統合軍に昇格した。

⇒NSA

【ア】

アイヴィー・ベル（Ivy Bells）作戦

　1970年代、NSA、CIA、アメリカ海軍が協力してオホーツク海に敷設されたソ連海軍の海底ケーブルを盗聴し、ウラジオストクのソ連太平洋艦隊本部とカムチャッカ半島のソ連海軍基地との間で交わされる通話内容を傍受する作戦。

　1971年10月、アメリカ海軍の原子力潜水艦ハリバットは、ソ連軍の厳しい警備の中、オホーツク海に侵入し、海底ケーブルの位置を探す調査を実施した。水深約120メートルの海底にソ連が使用している海底ケーブルを発見し、防水加工した盗聴器を海底ケーブルに設置。設置した盗聴器は、ソ連が修理などのため海底ケーブルを引き上げたとしても発見されないように海底に残る仕掛けが施されていたとされる。受信した通話内容は盗聴器に記録され、その後10年間、アメリカ海軍は毎月、盗聴器を回収していたが、81年、元NSA職員のロナルド・ペルトンが金銭を得る見返りにKGBにアイヴィー・ベル作戦に関する情報を漏洩した。ソ連海軍はペルトンの情報を元にオホーツク海を調査し海底から盗聴器を回収した。

　1985年8月、ソ連の外交官ヴィタリー・ユルチェンコがアメリカに亡命。ユルチェンコはペルトンがソ連のスパイであることをCIAに暴露し、ペルトンは逮捕され、終身刑の判決を受けたが、2015年に釈放された。一方、ユルチェンコは、CIAに誘拐されたと主張し、ソ連に帰国。実はソ連側の二重スパイだったともされる。

　ペルトンの漏洩によりアイヴィー・ベル作戦は終了したが、アメリカが仕掛けていた海底ケーブル盗聴作戦はそれだけではなく、アメリカ原子力潜水艦パーチーは、1971年にバレンツ海でソ連の海底ケーブルに盗聴器を仕掛け、それは92年まで見つかることなく正常に作動した。その後もアメリカ海軍はパーチーを使って海底ケーブル盗聴作戦の対象をソ連だけでなく、ヨーロッパから北アメリカにわたる広い海域で実施した。元NSA職員のエドワード・スノーデンが2013年に暴露した

極秘文書には、イギリスとアメリカのインテリジェンス機関が200本以上の海底ケーブルを盗聴していた事実やその方法が記載されていた。

⇒NSA、CIA、KGB、二重スパイ、スノーデン事件

アイスラー，ゲルハルト（Eisler, Gerhart 1897〜1968）

　東ドイツの切手にも肖像が使われた著名な共産主義者。ユダヤ系ドイツ人。父親は哲学教授ルドルフ・アイスラー、姉は1924年にドイツ共産党の指導者であったルート・フィシャー、弟は作曲家のハンス・アイスラー。最初の妻はヘード・マッシング。33年から36年までコミンテルン派遣のアメリカ共産党の担当代表となり、離婚したマッシングと協力してスパイ活動を行った。49年に東ドイツに帰国、政府情報局長、67年には放送委員会議長に就任した。

⇒フィシャー,ルート、マッシング,ヘード

青木宣純（あおき・のぶずみ 1859〜1924）

　陸軍軍人。最終階級は中将。清国において通算13年間、特務工作に従事。対中国特務機関の創始者。1884年、参謀本部付（中尉）から広州に派遣され支那問題に取り組む。87年、同期の柴五郎と共に北京に派遣されて北京付近の地図の作製任務に従事。91年、参謀本部第2局付に配属され、ベルギーに留学（大尉）。日清戦争に第1軍参謀として出征。1897年10月から1900年3月まで清国公使館付として袁世凱の顧問に就任。日露戦争の前年の03年、清国公使館付武官として赴任する。日露戦争時、満洲軍総司令部付として北京に駐在し、馬賊や特殊工作班を指揮して諜報・謀略工作に従事。以後、13年8月まで北京に滞在。日本の実質的な対中国特務工作は青木宣純に始まり、坂西利八郎に受け継がれ、土肥原賢二によって終わったといわれる。

⇒坂西利八郎、土肥原賢二

赤いオーケストラ（ローテ・カペレ）

　第2次世界大戦前から戦争中にかけてヨーロッパに展開されたソ連スパイ網。当時ソ連は諜報網の無線送信員を「ピアニスト」、通信機

を「ジュークボックス」と呼んでいた。これに対しナチスドイツの秘密警察ゲシュタポは、ソ連のために働くすべての組織を、その所属に関係なく「赤いオーケストラ」と呼んでいた。

⇒ピアニスト、ジュークボックス、ゲシュタポ、黒いオーケストラ

明石元二郎（あかし・もとじろう　1864〜1919）

　陸軍軍人。最終階級は大将。1904年の日露戦争開戦時、ロシア公使館付武官として諜報・謀略任務に従事。開戦によりストックホルムに移動し、任務を継続。参謀次長の児玉源太郎中将の「欧州のことは貴官に一任する」との命令により、現在の価値にして数百億円という巨額の工作資金を受領し、ロシア国内における撹乱工作などを開始。ロシアに反抗する諸政党の党首などと接触・協力し、反政府活動、反乱の蜂起を画策し、ロシアの対日戦争継続の意図を挫折させようとした。反抗諸勢力の活動は05年にかけて激化し、同年6月の黒海での戦艦ポチョムキンの反乱では指導者に資金援助。反乱将兵には武器、弾薬の補給輸送を試みた。ドイツ皇帝カイゼルが「明石の働きは満洲の日本軍20万人に匹敵する」と激賞したとの説がある。明石の活動の報告書（復命書『落花流水』）は陸軍中野学校における謀略の教範の手本とされた。

⇒陸軍中野学校、落花流水

秋草俊（あきくさ・しゅん　1894〜1949）

　陸軍軍人。陸軍中野学校（後方勤務要員養成所）創設の功労者の1人。中野学校の前身となった後方勤務要員養成所の所長。1926年4月に東京外国語学校（ロシア語）に派遣されるなど陸軍きってのロシア通。33年3月から3年半にわたりハルビン特務機関補佐官を務め、帰国後、36年6月に新設されたロシア課のロシア語班長兼文書諜報班長に就任。同年末に陸軍省兵務局付兼参謀本部付となり、岩畔豪雄、福本亀次と共に科学的防諜機関の創設に従事し、38年8月に後方勤務要員養成所の所長に就任。その後、関東軍に赴任し、終戦時は関東軍情報部長。ソ連軍によりシベリアに抑留され、49年にウラジミール監獄で獄死したとの情報もあるが、詳細は不明。

⇒陸軍中野学校、岩畔豪雄、福本亀次

アキント （ACINT：Acoustic Intelligence）

潜水艦や艦船などの音紋を探知して分析、分類・特定するなど、水中音響からの情報収集手段。
⇒SOSUS、音紋

アクアリウム （Aquarium）

ソ連軍参謀本部情報総局（GRU）本部を指す俗称。モスクワ郊外の9階建てのビルで、外壁のほとんどがガラス張りのためアクアリウム（水族館）の俗称が付けられている。
⇒GRU

アクセス・エージェント （access agent）

ターゲットに接触できる立場にありターゲットに誰かを紹介したり、必要な情報を提供したりできる人物。

アクティブ・ディフェンス （active defense）

サイバー攻撃の兆候を早期発見することで管理者に通報する機能を有するセキュリティ方式。サイバー攻撃や不正なアクセスに対しては従来からIDS（侵入検知システム）やファイアウォールなどの防護機能があったが、アクティブ・ディフェンスはサイバー攻撃の被害が明確化する前の段階で、収集データの分析からサイバー攻撃の兆候を割り出し、警報を発するのが特徴である。
⇒サイバー攻撃、ファイアウォール

アクティブ・メジャーズ （active measures）

積極工作。他国の政策に影響を与えることを目的として、伝統的外交活動と表裏一体で推進されている偽情報から暴力を伴う活動までの公然・非公然の諸工作。特にソ連（ロシア）で伝統的に行われている。
⇒レフチェンコ，スタニスラフ、ロシアゲート

悪魔の代弁者 (devil's advocate)

悪魔の弁護人、反対の主張ともいわれる。提示された分析の評価、計画、決心などに対してあえて反論する人を設け、検証する手法。

本来はキリスト教においてある故人を聖列に加える際に、誰かを「悪魔の代弁者」として指名し、あえて故人に対して疑念や欠点を指摘する。それでも個人が偉大な人物であることが証明されれば、晴れて聖人として認められるという審議に由来する。

アサシン (assassin)

暗殺者。敵対する勢力の指導者を殺害する中世のイスラム教の秘密結社「アサシン」派が語源。

アサンジ，ジュリアン (Assange, Julian Paul 1971〜)

匿名で機密情報などを公開する告発サイトを運営するウィキリークスの創業者で同サイトの編集長。オーストラリア国籍の元ハッカー。ハッキングなどコンピュータ関連の違法行為の疑いで、オーストラリア国内での逮捕歴がある。

2010年、イラク戦争やアフガニスタン戦争に関連する米機密文書をウィキリークスで大量公開した。その後、スウェーデンでの性犯罪をめぐりイギリスで逮捕されたが、保釈中の12年にロンドンのエクアドル大使館に駆け込み、7年近く大使館内で生活。19年4月、英当局に逮捕された。

2010年にウィキリークスがアフガニスタンやイラクにおける米軍の軍事行動に関する機密文書50万点を公開したことなどをめぐり、アメリカが身柄の引き渡しを求めている。イギリスの裁判所は21年1月4日には、アメリカ側への引き渡しは認めないとの判断を下すと共に、逃亡の恐れがあるとして1月6日、弁護士からの保釈の申請も退けた。
⇒ウィキリークス

アサンプション (assumption)

前提。想定。当然と考えられること、真実として受け入れられるこ

と、あるいは確かに起こると認められる事柄。
⇒KAC

アシュラフ，マルワン（Ashraf, Marwan 1944〜2007）

　ISIS（モサド）の元工作員。20世紀で最も重要な工作員とされる。元エジプト大統領ナセルの義理の息子で、1969年以降、ナセルの後継者アンワル・サダトの特別顧問を務めた。第4次中東戦争（ヨムキプール戦争）時にモサドのスパイとなり、73年10月5日「戦争が明日起こる」と警告。しかし、これは3回目の同様の情報であり、イスラエルは最初の2回の情報が間違いであったのでオオカミ少年症候群に陥った。マルワンが本当にイスラエル側のスパイだったのか、それともイスラエル側のスパイであることを偽装し（二重スパイ）てエジプトのために意図的に最初の2回の偽情報を流したのかは不明である。マルワンは2007年にロンドンの高級邸宅のバルコニーから転落死するが、死亡に関する詳細は不明。なおマルワン（コードネームはエンジェル）を題材とした書籍に『モサド最強のスパイ―エンジェルと呼ばれたエジプト高官　その謎の死を追う』、映画に『コードネーム　エンジェル』がある。
⇒ISIS、二重スパイ

アセスメント（assessment）

　評価。分析において極めて重要な部分で、主要な問題や事象についてその価値や意義、今後の動向についての可能性（蓋然性）の程度を考察して決めること。ジャッジメント（判断）、分析（アナリシス）とほぼ同じ意味で使用されることもある。通常は、分析プロダクトにおいて結論部分に評価を記述する。その際、今後の動向の可能性（蓋然性）の程度に、共通認識を持たせるために「○○が今後△△のようになる可能性は極めて高い」などの表現を用いる。英米豪などのインテリジェンス機関では可能性の程度に共通的な認識を持たせるため、その可能性を「パーセント」に対応した言葉で表している。
⇒蓋然性、ジャッジメント、分析

アセット（asset）

　資産。インテリジェンス機関が行う情報収集活動やその支援に使用できる個人、グループ、器材、施設、補給品など。秘密任務にあたる正規要員以外の個人、つまり部外の協力者を意味することもある。

後知恵バイアス（hindsight bias）

　特定の事象が起きた後、実はそれは予測可能だったと考える傾向。後知恵バイアスは、政治・ゲーム・医療などの様々な場面でもみられる。たとえばベルリンの壁の崩壊から冷戦終結に至る過程について、当時ほとんどの著名な学者が予測できなかったにもかかわらず、事象が起こった後で自分はその前から冷戦終結を予測していたなどと吹聴する場合などを指す。

アド・ホック（ad hoc）

　その場限りの特別の突発事項。国際情勢において、警告がないか、あるいは警告のレベルが低かったにもかかわらず発生する予期しない事態。

アトリビューション（attribution）

　本来、「所属」や「帰属」といった意味。行為の因果関係を明らかにすること。マーケティングでのアトリビューション分析とは、直接成果につながった流入経路や広告だけでなく、成果に至るまでのすべての接触履歴を解析し、成果への貢献度を測る分析手法。

　サイバーセキュリティの文脈では、誰がサイバー攻撃を行っているのかを特定すること。国家が関与するサイバー攻撃であれば、責任ある政府・組織まで遡るが、その過程で攻撃目的、動機、攻撃要領も明らかにする。

　サイバー攻撃は通常、何重もの踏み石と呼ばれる第三者のシステムを経由して攻撃してくるため、本当の攻撃者を特定することは容易ではない。そこで、さまざまなログを解析し、IPアドレスをたどり、その利用者を特定する技術的手法に加え、攻撃の意図や背景と

なる国際情勢などの政治分析手法（ポリティカル・アトリビューション）も重要であるとされる。

⇒サイバーセキュリティ、サイバー攻撃

アナロジー（analogy）

　類推、類比。過去またはほかの場所で同じような事象が発生したことがあるので、今回の事象も同様の経過をたどるであろうと考えること。事象などを分析する上で有効な思考法の1つになり得るが、今回も同じと安易に結論を出すなどバイアスに陥らないようにする。そのためには、過去やほかの地域との違いを明確にすることが重要。

アノニマス（Anonymous）

　インターネット掲示板を発祥とするサイバー攻撃を行う匿名のいわゆるハッカー集団。Anonymousとは英語で「匿名の」という意味の形容詞であるが、英語圏のインターネット掲示板で使われていたデフォルトネーム（投稿する際に名前欄に何も書かなかった場合に表示されるニックネーム）を由来としてこのように呼称されている。金銭目的でサイバー攻撃を行う一般的なサイバー犯罪者集団とは異なり、情報の自由といった政治的主張によりサイバー攻撃を行うハクティビスト（政治的ハッカー）の一種。ただし確固とした組織や指導者を持つわけではなく、インターネットを中心に連携する流動的な集団であり、誰がアノニマスであるのか正確に定義することは困難である。そのため、サイバー攻撃を行う際に使用される一種の「ブランド」とみなすことも可能である。

⇒ハクティビスト、Qアノン

アプヴェーア（Abwehr：ドイツ）

　国防軍情報部。1921年から44年まで存在したドイツ軍のインテリジェンス機関。21年のヴァイマル共和国軍の創設時、諜報活動は防御のみ行う前提で作られた。初代長官は、第1次世界大戦でドイツ帝国軍情報部長のヴァルター・ニコライ大佐の代理を務めたフリードリヒ・

ゲンプ少佐。28年に海軍情報部を吸収し、32年6月には海軍大佐コンラート・パッツィヒが長官に就任。パッツィヒはSSのハインリヒ・ヒムラーと対立し辞任。35年にカナリス少将が長官に就任して以降、対外インテリジェンス機関として拡大し、第2次世界大戦初期においては大きな成果を上げた。一方でドイツ全体のインテリジェンス機関を傘下に収めようとする親衛隊情報部（SD）と対立。44年、カナリスがヒトラーから罷免され、SDに吸収された。

⇒ヒムラー,ハインリヒ、SD

アブダクション（abduction）

　アメリカの哲学者チャールズ・パースが提唱した演繹法と帰納法に並ぶ第3の推論法。ある（驚くべき）事実に対し、その最もふさわしいと思われる説明（仮説）を見つける手法。仮説形成、仮説的推論などと訳されている。アブダクションの推論の形式は次のとおり。

①驚くべき事実が観察される。

②もし仮説が正しければ、驚くべき事実は当然の帰結である。

③よって仮説が真であると見なす理由がある。

例）ニュートンの万有引力の発見

①リンゴはいつも垂直に落ちる。（驚くべき事実）

②物体の中に引き合う力があれば（万有引力という仮説）、地球とリンゴが引き合うのは当然であろう。

③よって、万有引力があるのは真らしい。

　この仮説は「そのように考えるのが最も理にかなっている」、「そのように考えざるを得ない」と納得できる合理的な理由に基づいて提示されるが、驚くべき事実や仮説に何を当てはめるかは、推論者自身の閃きにかかっているため、論理的ではないとの指摘もある。

⇒演繹法、帰納法

アフメーロフ，イスハーク（Akhmerov, Isskhak 1901～1975）

　ソ連のスパイ。タタール系ロシア人。NKVDに所属し、二度にわたりアメリカに派遣され、ソ連スパイ網を統括した。1919年、ボリシェ

ヴィキに参加。30年、モスクワ大学国際関係学院卒業と同時にNKVD
に入り、32年から対外情報部員として勤務。トルコ大使館で情報官を
務めた後、34年に中国駐在の非公然工作員。34年から非合法手段によ
りアメリカに潜入。ビタリー・パブロフが明らかにした対日謀略工作
「スノー（雪）作戦」（「ハル・ノート」を書いたハリー・デクスタ
ー・ホワイトに影響を及ぼす作戦）は、アフメーロフのアイデア。妻
はアメリカ共産党党首アール・ブラウダーの姪のヘレン・ロウリー。
⇒NKVD、チェンバーズ,ウイタカー、ブラウダー,アール、ロウリー,ヘレン

アベル, ルドルフ・イヴァノヴィチ（Abel, Rudolf Ivanovich 1903～1971）

　ソ連KGB大佐。アメリカのスパイ網の統括責任者。ルドルフ・イヴ
ァノヴィチ・アベルは偽名であり、イギリスの資料では、本名はウィ
リアム・フィッシャーで、イギリス生まれ。電子工学技師、芸術家と
しての顔を持つ。英語をはじめ5カ国語を流暢に話したが、外見はや
せぎすで風采があがらず、目立たないスパイだった。

　1948年10月に国境を越えてアメリカに入国。のちにニューヨーク地
区のスパイ網を統括した。アベル（フィッシャー）の任務は、アメリ
カの原子力開発「マンハッタン計画」の全貌を解明することで、コー
ドネーム「マーク」として活動。当時、アメリカの原子力開発の現場
にはソ連スパイが多数潜入しており、彼らを監督するために派遣され
た。約9年間、アメリカで活動し、アメリカおよびカナダなどには複
数の部下がおり、ローゼンバーグ夫妻、ゴードン・ロンズデール、モ
ーリス・コーエンはいずれもアベルの指揮下にいた。

　1957年6月、FBIに逮捕され、禁固30年を宣告されるが、1962年2
月、U-2撃墜事件の米空軍パイロットのパワーズ大尉とスパイ交換に
より釈放され、帰国後レーニン勲章を授与された。
⇒KGB、NKVD、アベル,ルドルフ、ローゼンバーグ、ロンズデール,ゴードン、コ
ーエン,モーリス、U-2撃墜事件

甘粕正彦（あまかす・まさひこ 1891～1945）

　陸軍軍人。満鉄映画協会理事長。陸軍憲兵大尉時代の1923年9月16

日、アナキストの大杉栄と作家で内縁の妻、伊藤野枝、大杉の甥宗一（6歳）が、憲兵司令部で憲兵によって殺害され、遺体が井戸に遺棄されるという事件（甘粕事件、大杉事件）を起こした。短期の服役後、満洲に渡り、関東軍の特務工作に従事。終戦直後、服毒自殺。

甘粕は1926年10月に仮出獄し予備役となり、27年7月から30年まで陸軍の予算でフランスに留学した。服役刑も短期であり、すぐに陸軍の大きな支援を受けていることから、甘粕が大杉事件の首謀者であったことを疑問視する説もある。フランスから帰国後、すぐに満洲に渡り、南満洲鉄道（満鉄）東亜経済調査局の奉天主任となり、さらに奉天の関東軍特務機関長土肥原賢二大佐の指揮下で情報・謀略工作を行う。また大川周明を通じて、右翼組織「大雄峯会」に出入りし、メンバーの一部をスカウトして甘粕機関という民間の特務機関を設立した

甘粕機関は1931年9月の柳条湖事件、土肥原大佐の指揮下での清朝の第12代皇帝宣統帝の愛新覚羅溥儀の天津幽閉からの救出と満洲国皇帝への擁立工作などに従事したとされる。32年の満洲国建国後は、民政部警務司長（警察庁長官に相当）に大抜擢されるが、それは甘粕機関の活躍が認められたともいえよう。

甘粕機関は、満洲国政府に「専売局」を設置し、国策として麻薬の売買に手を染めたとされる。甘粕機関は、地元の販売組織から満洲国高官まで幅広い人脈と密接な結びつきを持っており、このことが麻薬の密売ルートを確保したとされる。

また甘粕の活動の背後には、1937年3月に関東軍参謀長に就任した東條英機がいるという説もある。甘粕は陸軍士官学校で東條から1年半指導を受けており、東條に気に入られていた。このように甘粕機関は民間機関の体裁をとっていたが、陸軍との関係が深く、陸軍の麻薬ビジネスの隠れ蓑になっていたとの指摘もある。

⇒土肥原賢二

アミット，メイヤー（Amit, Meir 1921～2009）

イスラエルの第3代モサド長官。イスラエル・インテリジェンス・ヘリテージ記念センターの創立者。イッサー・ハレルの辞任後の1963

年から68年までモサド長官。1963年にはIDI（アマン）長官も兼務。モサド長官を退任後、国会議員に当選し、運輸相として入閣。その後、民間企業の経営者となる。
⇒ハレル,イッサー、ISIS、IDI

アメリカのインテリジェンス・コミュニティー

　アメリカのインテリジェンス・コミュニティーは、次の18の組織で構成される。2つの独立した機関：国家情報長官室（ODNI）、中央情報局（CIA）。国防総省管轄の9機関：国防情報局（DIA）、国家安全保障局（NSA）、国家地理空間情報局（NGA）、国家偵察局（NRO）および各軍（陸軍、海軍、海兵隊、空軍、宇宙軍）の情報組織。ほかの7つの省庁のインテリジェンス機関：エネルギー省情報・防諜局、国土安全保障省情報分析室、沿岸警備隊情報局、連邦捜査局（FBI）情報部門、麻薬取締局国家安全保障情報室（ONSI）、国務省情報調査局（INR）、財務省情報分析室（図20参照）。

　世界最大級のインテリジェンス・コミュニティーで、国家情報長官（DNI）を長として人員約20万人、予算858億ドル（2020年）を有

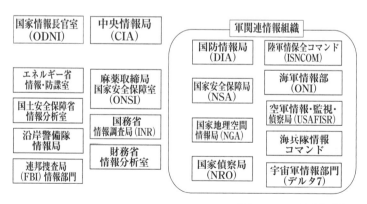

出典：ODNIのHPなどを基に筆者作成

図20 アメリカのインテリジェンス・コミュニティー

する。対外インテリジェンス機関としてのCIA、軍事情報を担任するDIA、世界的規模でシギントを担任するNSA、国内の防諜、対テロなどを担任するFBIなどの機能を網羅している。

⇒DNI、CIA、DIA、NSA

荒尾精（あらお・せい 1859〜1896）

　陸軍軍人。尾張藩士の長男として誕生。外国語学校でフランス語を修得しつつ漢籍も学ぶ。西南の役（1877年）に刺激されて、翌78年に陸軍教導団砲兵科、80年に陸軍士官学校に入学。85年、参謀本部支那部付となり、86年に念願かなって清国に赴任。

　清国で岸田吟香の協力を得て、書籍、薬、雑貨を扱う雑貨屋「漢口楽善堂」を営み、清国官憲の監視の目をかいくぐり、現地調査や諜報組織の設置・拡大に従事。1889年に帰国し、黒田清隆首相、松方正義大蔵大臣らの有力者に対して、「日清貿易研究所」の設立を要請、全国行脚して清国の事情について講演し、同研究所設立のための募金活動を行う。90年に職員と生徒あわせて200人程度からなる日清貿易研究所を上海に設立。92年、日清貿易株式会社の岡崎栄次郎の資金援助を得て『清国通称総覧』の編集に着手。96年、赴任先の台湾でペストに罹患、38歳で死亡。荒尾の死後、日清貿易研究所は東亜同文会会長・近衛篤麿とその親友である根津一らの手によって、東亜同文書院、のちに東亜同文書院大学に発展した。

⇒岸田吟香、根津一

アルゴリズム（algorithm）

　問題を解くための手順を定式化した形で表現したもの。ヒューリスティックに対応した言葉。

⇒ヒューリスティック

アンカー効果（anchoring effect）

　最初に考えたことがアンカー（錨）のようになってしまい、その後の判断に影響してしまう心理的効果のこと。分析においては、最初に

提示された仮説や意見が強い影響力を持ち、後から仮説を覆すような新たな情報が与えられても、最初に考えたことを基準にしか考えられなくなる場合などを指す。

アンクラ

Unclassifiedの略称。秘区分なしの情報。いずれの秘区分にも該当しないインフォメーションのこと。

アングルトン，ジェイムズ.ジーザス（Angleton, James. Jesus 1917〜1987）

CIAの防諜責任者。1937年イェール大学に入学、43年に陸軍に入隊し、戦略諜報局（OSS）に配属される。ロンドン駐在中にキム・フィルビーと知り合う。47年のCIA創設時から在籍、54年に防諜担当部長に就任。フィルビーの裏切りに屈辱を受けたアングルトンは75年12月にその職を解かれるまで、CIA内部に潜入したKGBのスパイ摘発にその全精力を注いだ。

1961年12月に亡命したKGB情報官のアナトリー・ゴリツィン大佐のCIAにソ連内通者が浸透しているとの証言に踊らされたアングルトンは異常なほどのスパイ摘発に駆られ、66年にはキム・フィルビーのスパイ容疑を固めたが、過激な「赤狩り」の悪影響を警戒したウィリアム・コルビーCIA長官によって退職に追い込まれた。

⇒CIA、フィルビー,キム、KGB、ゴリツィン,アナトリー、コルビー,ウィリアム

暗号文（cipher text）

暗号化された文章。

⇒平文

安全器

インテリジェンス機関もしくはスパイ網の仲介者の役割を果たす。要員同士の直接の接触を避けることで摘発の危険を低減。カットアウトともいう。

⇒カットアウト

【イ】

イギリスのインテリジェンス・コミュニティー

　対外情報を扱う秘密情報部（SIS）、シギントを扱う政府通信本部（GCHQ）、防諜組織である保安部（SS）、軍事情報を扱う国防情報部（DI）などから提供されるインテリジェンスは、中央情報機構によって取りまとめられ、首相や国家安全保障局へ提供される。この中央情報機構（合同情報委員会とそれを補佐する評価スタッフ）の存在が、情報を取りまとめるため国家情報長官を置くアメリカとは大きく異なる。SIS、SS、GCHQの３つの情報組織は、the Agenciesとも呼ばれている（図21参照）。
⇒SIS、GCHQ、SS、DI

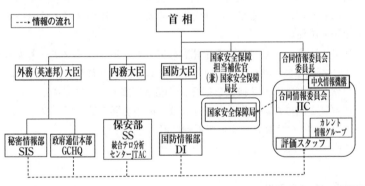

出典：National Intelligence Machinery 2010,「英国の情報体制—委員会による取り纏めが機能する条件」などを基に作成

図21 イギリスのインテリジェンス・コミュニティー

石光真清（いしみつ・まきよ 1868〜1942）

　陸軍軍人。最終階級は少佐。満洲・シベリアにおける諜報員。陸軍幼年学校を卒業し、陸軍中尉で日清戦争に出征するなど、順調に軍歴を歩み、1889年に陸軍士官学校を卒業。1901年、特別任務のために陸

軍を退職、民間人に変装し菊池正三の偽名で、満洲、シベリアに渡り、スパイ活動に従事。石光は花田仲之助の帰国後のシベリアにおける諜報活動に活躍する。日露戦争後は東京世田谷の三等郵便局長などを務めたが、17年のロシア革命後に再びシベリアに渡り、諜報活動に従事した。自伝的手記は『城下の人』など四部作として没後に遺族によってまとめられ出版された。

⇒花田仲之助

⇒花田仲之助

イスラエルのインテリジェンス・コミュニティー

　イスラエルではIDI（アマン）、ISA（シャバク）、ISIS（モサド）など、3つのインテリジェンス機関がインテリジェンス・コミュニティーの主要な構成組織である（図22参照）。

　各インテリジェンス機関は軍事情報部のシャイから派生した経緯があるため、現在でもそれを受け継ぐ軍事情報部のアマンに人員や予算が集中している。まずアマンに多くの情報要員が集められ、その後、モサドやシャバクに移っていくという人事制度が確立しているとみられる。これら3機関の人員の合計は約1万2,000〜1万5,000人と推察されるが、この数はイスラエルの人口（約700万人）の約0.2%にも上り

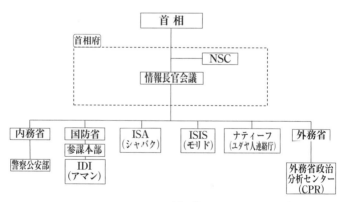

出典：『世界のインテリジェンス』、『モサド 暗躍と抗争の六十年史』、『イスラエル情報戦史』など参考に作成

図22 イスラエルのインテリジェンス・コミュニティー

かなりの規模である。仮に日本が同じ人口比でこれだけのコミュニティーを作ろうとすれば、20万人を超えるインテリジェンス組織の要員が必要となる。この数字からだけでもイスラエルがインテリジェンスに国家生命をかけているのが理解できる。

⇒IDI、ISA、ISIS

意図 （intention）

（相手が）考えていること。思惑。つもり。行おうと目指していること。またはその目的。脅威は意図と能力から成り立つ。

⇒脅威、能力

一次資料 （primary sources）

学術的な分野では、何らかの事項に関する資料のうち、独自性がある大本の資料や原典、元の文献そのものなどを指すが、インテリジェンスや報道の世界では、各収集源や個人が直接入手した観測データ、文書、インタビュー、目撃者の談話などを指す。

⇒二次資料

イベント・ツリー分析 （Event Tree Analysis）

安全性・信頼性を解析する分析手法の１つで、樹木が枝葉を伸ばしていく様子に喩えて「事象の木」解析とも呼ばれる。原子力発電所や宇宙ステーションなどの大規模かつ複雑なシステムを設計・建設・運転する際には、そのシステムの故障・事故がオペレーターや周辺環境に被害を与える恐れがないように、事前にリスクや事故時の対策について十分な検討・評価を実施することが要求される。システムのリスクを定量化し、リスクに対する安全対策の検討材料を提供する手段の１つとして開発された。

この手法を情勢分析にも適用し、ある事象が今後どのように推移するか、その際の兆候、指標は何かなどを考察するのに活用されている。たとえば、４年ごとに実施される台湾総統選挙後の中国の台湾への武力行使の可能性などを考察する場合、図23のように分析す

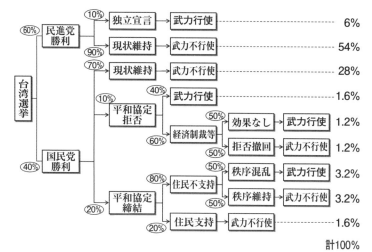

(60%) 民進党勝利	(10%) → 独立宣言	→ 武力行使		6%
	(90%) → 現状維持	→ 武力不行使		54%

(台湾選挙)

国民党勝利 (40%)

(70%) → 現状維持 → 武力不行使 …… 28%

平和協定拒否 (10%)
- (40%) 武力行使 …… 1.6%
- 経済制裁等 (60%)
  - (50%) 効果なし → 武力行使 1.2%
  - (50%) 拒否撤回 → 武力不行使 1.2%

平和協定締結 (20%)
- 住民不支持 (80%)
  - (50%) 秩序混乱 → 武力行使 3.2%
  - (50%) 秩序維持 → 武力不行使 3.2%
- 住民支持 (20%) → 武力不行使 …… 1.6%

計100%

出典：『戦略的インテリジェンス入門』

図23「イベント・ツリー分析」
（台湾選挙後の中国の台湾への武力行使の可能性）

る。なお上図の可能性（％）については、システムを分析するように定量化できないため主観的にならざるを得ない。
⇒ロジック・ツリー

イミント（IMINT：Imagery Intelligence）

　画像情報。偵察衛星、航空機などからの偵察写真を用いて情報を収集する手段、あるいは処理して得られたインテリジェンス。
⇒偵察衛星

イラク戦争（Iraq war）

　2003年3月20日、アメリカのジョージ・W・ブッシュ政権が、イラクが大量破壊兵器（WMD）を保持しているとして空爆を開始、地上軍の侵攻によりサダム・フセイン政権を倒壊させた戦争。アメリカはテロとの戦争の一環として、イギリスなどの有志連合により戦争を遂

行、5月1日には戦闘が終了した（ブッシュ大統領の戦闘終結宣言）。

[インテリジェンスの失敗]

アメリカにおいて、イラクを非難する一連の主張の拠り所となったのは、2002年に作成された国家情報見積り（NIE）である。その見積りにおいてWMDに関する情報源は、「カーブボール」というコードネームで呼ばれるイラク人、ラフィド・アハメド・アルワン・ジャナビだった。ジャナビは2000年にBND（ドイツ連邦情報局）に、フセイン政権が生物兵器を積んだトラックを保有しているとの情報を提供した。これは、不確かな情報にもかかわらずCIAに渡された。BNDの情報はやがてアメリカで一人歩きを始め、カーブボールの証言が非常に重要な証拠に変貌した。

さらに2002年末には、イラクがニジェールでウランを購入した証拠があるという情報が、イタリアの対外インテリジェンス機関（SISMI）から、イギリスのSIS（MI6）を経てCIAへと流された。この情報の確認のため、CIAはジョセフ・ウイルソン大使を現地に派遣し調査した。帰国後の調査報告書では疑惑は根拠がないとされていたにもかかわらず、いつの間にか「イギリス政府が把握している情報によると、サダム・フセイン政権は最近、アフリカから相当量のウラニウムを手に入れたようだ」とされ、03年1月のブッシュ大統領の一般教書演説、同年2月にはパウエル国務長官が国連安保理で力説し、3月にイラクの自由作戦が開始された。しかし、結局イラク国内にWMDがないことが判明した。そこでイラクのWMDに関する情報をめぐる米インテリジェンス機関の対応を調査するため、「大量破壊兵器に関するアメリカの情報能力委員会（The Commission on the Intelligence Capabilities of the United States Regarding Weapons of Mass Destruction）」（通称イラクWMD委員会）が設置された。05年3月31日大統領に提出された報告書は601ページに及んだ。主要な教訓は次のとおり。①重要な脅威に対する情報収集戦略が不十分、②分析能力が不十分、③オープンソースの重要性に関する認識不十分、④政治的背景の理解と想像力が欠如、⑤不十分な情報共有、⑥貧弱なヒューミント、⑦インテリジェンス・コミュニティーに対する強固な指導力の不足、

などである。

⇒インテリジェンスの失敗、NIE、BND、カーブボール、CIA、SIS

イラン革命（The Iranian Revolution, Iran's Islamic Revolution）

1979年1月、イランで暴動が発生し、パーレビ国王が国外に逃亡。代わって亡命先のパリから戻ったホメイニ師が2月11日、政権を掌握した一連の動き。

1953年、英米政府は石油利権を取り戻すため、CIAを通じて大量の資金を軍人・反政府活動家に投入し、政府転覆を目指す秘密工作を行った。同年8月、国王派のクーデターによりモサデクら国民戦線のメンバーは逮捕され、国王（シャー）が権力を取り戻した。パーレビ国王はアメリカの援助を受け、脱イスラム化と世俗主義による近代化政策を推し進めた。63年には農地改革、森林国有化、国営企業の民営化などを盛り込んだ西欧化政策、いわゆる「白色革命」を宣言し、近代改革を進めた。しかし、これらの政策は宗教勢力や保守勢力の反発を招き、イラン国民の中には政府をアメリカの傀儡政権であると考える者もいた。パーレビ国王は、自分の意向に反対する人々を秘密警察によって弾圧し、イスラム教勢力を排除していった。そのような流れの中で、78年1月、パーレビ国王によって国外追放を受けパリに亡命していた反体制派の指導者ホメイニ師を中傷する記事をめぐり、イラン国内で暴動が発生した。その暴動の犠牲者を弔う集会が拡大し、国内各地で反政府デモと暴動が多発する事態となった。収拾をつけられなくなったパーレビ国王は79年1月イランを離れ、代わって亡命先のパリから戻ったホメイニが政権を掌握した。

［インテリジェンスの失敗］

1978年、CIAは「イランにはいかなる革命的状況も、その前触れもない」との見通しをカーター大統領に報告していたが、79年1月、イラン革命によりパーレビ国王は国外へ逃亡した。歴代の米政府はパーレビ国王の感情を害さぬよう、インテリジェンス機関が反体制派と接触するのを制限してきた。インテリジェンス・コミュニティーは、このような制限を課せられていたにもかかわらず、この事件の結果につ

いて厳しく批判された。カーター大統領は、CIAはイランにおける政権転覆を予測できなかったと非難し、CIAは改編を余儀なくされた。

当時のターナーCIA長官は、人間による情報収集よりも機械による情報収集を重要視し、然るべき情報源から入手したプロフェッショナルの分析、評価すら信用しない状況も生じた。ターナー長官によるCIAの人員整理がなされ、最終的には1,000人以上の職員が退職した。

CIAの規模削減は情報収集能力の低下を招き、さらに急速な軍縮による軍事プレゼンスの低下のため、適切な情報収集や分析に基づいた政策や作戦が立案されず、その失敗がさらに目立つようになった。
⇒インテリジェンス・コミュニティー、CIA、インテリジェンスの失敗

イラン・コントラ事件（Iran-Contra Affair）

イランとの国交を断絶していたアメリカが、秘密裏にイランに武器を売却し、さらにその資金をニカラグアの反共ゲリラ組織「コントラ」へと供与していた事件。NSC（国家安全保障会議）、CIAなどの関与が明らかになった。この事件は、ウォーターゲート事件やイラン革命が生起する見通しの分析の失敗などで信頼をなくしたインテリジェンス機関の能力再構築や信頼回復のために、レーガン大統領が行ってきた努力を無にしてしまったと評価される。

1985年8月、アメリカ軍の兵士らが内戦中のレバノンで活動中、イスラム教シーア派系過激組織のヒズボラに拘束され人質となった。人質を救出するためにレーガン政権は、ヒズボラの後ろ盾であるイランと非公式ルートで接触し、見返りにイラン・イラク戦争中（1980～88年）のイランに対し、極秘裏に武器を輸出することを約束した。

当時のアメリカは、1979年のイラン米大使館人質事件によりイランとの国交を断絶していた。イランに対する武器輸出はもちろん、政治家や官僚、軍人による同国政府との公式な交渉すら禁じられていた。ところがレーガン大統領直々の承認を受け、NSCは極秘裏にイランに対して武器を輸出した。さらに国家安全保障担当補佐官のジョン・ポインデクスターと、NSC軍政部次長オリバー・ノース海兵隊中佐らは、イランへの武器売却による収益をニカラグアの反共ゲリラ「コン

トラ」に与えていた。このイランへの武器輸出と反共ゲリラへの資金流用が明るみに出て大きな問題となった。

対イラン・コントラ交渉の総責任者だったのがジョージ・H・W・ブッシュ副大統領であり、副大統領と連携したのがウィリアム・ケーシーCIA長官だった。そして、ブッシュ副大統領の指示を受けてコントラ援助を目的として設置された秘密のネットワークの運営責任者がノース中佐だった。

1986年、イラン・コントラ事件に対する秘密軍事支援に対する調査が開始され、11月21日、ケーシーCIA長官は議会上下両院の情報委員会でイラン・コントラ事件について非公開で証言した。その後も議会証言などが続いた長官は、12月15日、執務室において脳卒中で倒れ、CIAの庁舎には二度と戻れなかった。87年1月、ケーシー長官は辞任し、ロバート・ゲーツ副長官が長官代行を務めた。その後、大統領によってゲーツ代行が長官に指名されたが、イラン・コントラ事件に関与した疑惑で上院が承認しない姿勢を示したため、指名は撤回された。結局5月26日、FBI長官だったウィリアム・ウェブスターがCIA長官に就任した。
⇒CIA、イラン革命

イリーガル（illegal）

非合法スパイ。通常、大使館員以外の身分に偽装して相手国に潜入するスパイ。NOC（ノン・オフィシャルカバー）ともいう。
⇒NOC

岩畔豪雄（いわくろ・ひでお 1897～1970）

陸軍軍人。最終階級は陸軍少将。「謀略の岩畔」との異名を持つ諜報・謀略のスペシャリスト。秋草俊らと共に後方勤務要員養成所（陸軍中野学校の前身）の創立に尽力する。太平洋戦争開始前に陸軍の代表として訪米し、日米和解交渉に従事。1942年にはインド独立義勇軍工作を担当した光機関（岩畔機関）の機関長として活躍。65年、京都産業大学初代理事、同大世界問題研究所長となる。

⇒秋草俊、陸軍中野学校

インシデント（incident）

　事件や出来事を意味するが、サイバー用語ではサイバー攻撃や事故など、運用者にとってセキュリティ上望ましくない結果を引き起こす事象。人為的、自然現象によるセキュリティ上の問題として捉えられる事象は広義ではすべてインシデントとなるが、その中でもサイバー攻撃による情報漏洩やシステムの停止など、明確な被害が出た事象をインシデントと呼ぶケースが多い。

インターネット安全法（網絡安全法：中国）

　国家安全法のインターネットに関する事項を具現化させた中国の法律。2017年6月1日施行。インターネット関連商品およびインターネットサービスを中国の基準に適合させること、中国で得たデータを中国国内で管理すること、海外に持ち出す際には当局による審査を受けることなどを義務付けている。

インターネット・リサーチ・エージェンシー（IRA：Internet Research Agency）

　ロシアのインターネット関連企業。略称IRA。ロシア政府に近いとされ、SNSを用いた世論操作を行ったトロールファームとしても知られる。2013年7月にロシアで企業登録。IRAの創業者兼CEOは元警察大佐のミハイル・ビストロフだが、組織を支えたのは、「プーチンのシェフ」の異名を持つエフゲニー・プリゴジンであるとされる。IRAは、サンクトペテルブルクに拠点を持ち、テクニカルエキスパートなど数百人を雇用している。インターネット上に架空の人物を作り出し、各人がそれぞれ多数のアカウントを持ち、SNSに大量の投稿、コメントを書くなどの工作を行う。16年の米大統領選挙ではIRAが中心となり、ヒラリー・クリントン候補を貶めるフェイクニュースをSNS上に拡散したとされる（ロシアゲート）。
⇒トロール、フェイクニュース、プリゴジン.エフゲニー、ロシアゲート

インテリジェンス（intelligence）

　日本語訳では「知性」、「情報」が一般的だが、インテリジェンス機関では多くの解釈がある。共通する定義はインフォメーションを処理・分析して得られた決心・行動するために必要な「知識」とされる。ほかに次のような意味でも使われる。①国家安全保障にとって重要なある種のインフォメーションが要求・収集・分析され、政策立案者などに提供されるプロセス、②プロセスの結果としてのプロダクト（作成・成果物）、③インテリジェンス・プロセスおよびインフォメーションをカウンター・インテリジェンスによって守ること、④合法的権限に基づく要求により工作活動を遂行すること、⑤必要な知識を獲得するための人間集団ないし組織そのものを指す。

　したがってインテリジェンスに情報収集・分析、情報活動、諜報などの日本語訳をあてる場合もある。一般に定着はしていないものの軍事用語事典ではインフォメーションを「情報資料」、インテリジェンスを「情報」として区別しているものもある。イギリスでは、インテリジェンスは間接的、もしくは秘密裏にスパイなどによって得られた特定の情報という意味合いが強い。

⇒情報、インフォメーション、戦略インテリジェンス、戦術インテリジェンス、戦闘インテリジェンス、作戦インテリジェンス、脅威インテリジェンス、国内インテリジェンス、国外インテリジェンス、カウンター・インテリジェンス、インテリジェンス・リテラシー

インテリジェンス・インフォメーション（intelligence information）

　秘密裏に得られたインフォメーション。「インテリジェンス」の意味をどのように捉えるかで、日本語に訳するのは困難だが、米軍（統合用語集）などでは、特にヒューミントで秘密裏に得られたインフォメーションに使用されるとされている。

⇒ヒューミント

インテリジェンス・オフィサー（intelligence officer）

　情報将校。インテリジェンス機関に所属する要員。専門の情報訓練を受けた軍人または文民。インテリジェンス・オフィサーは、情報を収

集する人、情報を分析する人に大別されるが、インテリジェンス・オフィサー（情報将校）というと極秘に情報を収集する意味合いが強い。

インテリジェンス・ギャップ（intelligence gap）

　必要なインフォメーションが欠如していることなどにより、相違がでたインテリジェンスのこと。特にその分析や結論。

インテリジェンス・コミュニティー（intelligence community）

　国家およびその政府のインテリジェンス機能を果たす全組織の総称。各国においてインテリジェンス・サイクル（プロセス）に関与しているインテリジェンス機関の集合体。

インテリジェンス・サイクル（intelligence cycle）

　ある種のインフォメーションが要求・収集・分析されて、政策立案者に提供される一連のプロセスを指し、インテリジェンス・プロセスともいう。プロセスの結果として、何らかのプロダクト（作成・成果物）が政策決定者に提出されることになるが、そこでさらに新たなインフォメーションの要求が発生し、このプロセスが何度も繰り返されることを「サイクル」と表している。

　一般的に次の5つからなる。①計画・指示（Planning & Direction）、②（インフォメーションの）収集（Collection）、③（インフォメーションの）処理・活用（Processing）、④分析・生成（Analysis & Production）、⑤（インテリジェンスの）配布（Dissemination）。再び⑤から①に戻り、このサイクルが繰り返される。

インテリジェンスの誤り（intelligence error）

　インフォメーションの不足または欠落により分析が不正確になること。

インテリジェンスの失敗（intelligence failure）

　インテリジェンス・サイクル（プロセス）の1つまたは複数の部分が機能せず、タイムリーで正確なインテリジェンスを作成できないこ

とに起因する失敗。

⇒イラク戦争、イラン革命

インテリジェンスの政治化 （politicization of intelligence）
⇒情報の政治化

インテリジェンス・プロダクト （intelligence products）

　生成物、成果物。情報（インフォメーション）が収集、処理、分析されてインテリジェンスに変換され、何らかの形になったもの。情報要求に応じて、口頭や文章の形で報告・提出される。

　すぐれたインテリジェンス・プロダクトの条件は、①プロダクトの発出がタイムリーであること、②プロダクトの内容がニーズに合っていること、③プロダクトの内容や表現が理解しやすいこと、④プロダクトの内容において、それまでにわかっていることと不明なことが明確に区別されていること。

インテリジェンス・リテラシー （intelligence literacy）

　インテリジェンスを使いこなせる能力。大量のインフォメーションの中から必要なものを収集・分析して、インテリジェンスを生成し、それを活用するための知識や技能のこと。

⇒情報リテラシー（information literacy）

インテリペディア （intellipedia）

　アメリカの情報関係部門において用いられる情報共有システム。2006年頃から運用。情報部門関係者は誰でもウィキペディアのようにアクセスでき、適切な知識を追加・修正できる。08年の報道では、3万7,000人のCIA、FBI、NSA、その他の連邦政府のインテリジェンス機関の職員が情報を共有し、パスワードで保護されたウェブ上で互いのトップシークレットの情報の確度の格付けまで行っているとされる。

⇒CIA、FBI、NSA

インフォデミック（infodemic）

　世界保健機関（WHO）が2020年2月2日、新型コロナウイルスの感染拡大と共に世界に警戒を呼びかけたのがインフォデミック（infodemic）である。「情報（Information）」と、感染症の広がりを意味する「エピデミック（Epidemic）」を組み合わせた造語。03年にSARS（重症急性呼吸器症候群）が流行した際に一部の専門家の間で使われ始めた。その意味は、正しい情報と不確かな情報が混じり合い、人々の不安や恐怖をあおる形で増幅・拡散され、信頼すべき情報が見つけにくくなる、ある種の混乱状態を指す。

インフォーマー（informer）

　密告者。金銭的な報酬を目的として、積極的に情報を相手国のインテリジェンス機関に提供する人物。

インフォーマント（informant）

　情報提供者。意識的、無意識的であるにかかわらず、エージェントかインテリジェンス機関に情報を提供する人物。なお不用意、無意識に情報を漏洩する人物をインシデンタル・インフォーマントという。

インフォメーション（information）

　情報。知らせ。情報資料。生資料。生情報。データ。インテリジェンスを作成する材料（素材）などと表現される。要は各種情報源から得られた知り得ることのすべて。

　ニーズに基づきインフォメーションを収集し、処理、分析されて生成されたものがインテリジェンスとなる。インテリジェンスは、インフォメーションという広いカテゴリーの部分集合である。したがってすべてのインテリジェンスはインフォメーションであるが、インフォメーションのすべてがインテリジェンスになるわけではない。

⇒インテリジェンス、情報

インフルエンサー（influencer）

　世間に大きな影響を与える人物、ブログやSNSなどインターネットにおける発信が盛んになって以降は、インターネットを用いて消費者の購買意思決定に大きな影響を与える人物のことを特定して指すようにもなっている。

⇒SNS

インフルエンス・オペレーション（Influence Operation：IO）

　情報を使って政治や社会に影響を与える活動。影響（力）工作、印象操作、誘導工作（飯塚恵子『ドキュメント誘導工作』）などと訳される。情報活動には情報を収集する活動の延長上に情報を使って国外の政治、経済、あるいは軍事情勢に影響を及ぼすための国家的活動がある。このような活動をアメリカではコバート・アクション（covert action、秘密工作活動）と呼称している。誘導工作、秘密工作活動および情報操作などは情報を使用して影響を与える活動であるが、これらを明確に区分するのは困難である。

　近年では、誘導工作はインターネット空間でフェイクニュースなどを使った情報操作、世論操作、選挙への影響画策、国家の分断・弱体・不安定化を企図する活動として注目を集めている。また誘導工作は軍で使用されることが多いとされる。ランド研究所は米陸軍向けの資料で「平時、危機、紛争中、紛争後に、狙った外国の相手の態度や決断について、アメリカの国益と目的を促進する方向に醸成するため、外交、情報、軍事、経済、そして他の能力を調整、統合、同期させて適用すること」と定義している。

　誘導工作は2016年の米大統領選挙やイギリスのＥＵ離脱を問う国民投票で注目され、その後、主要国では外国からの誘導工作についての調査や検討が行われるようになった。とくにアメリカ国内では中国による誘導工作の浸透・拡大が問題視されている。中国の人民解放軍が提起した三戦（心理戦、輿論戦、法律戦）は誘導工作と密接な関係があるとされる。ただし、誘導工作は人民解放軍のみではなく、政府の各機関が連携して挙国一致で行っているとされる。

2019年の米国防省の『中国軍事力報告』では「中国は自らの安全保障上および軍事戦略上の目標にとって好ましい結果を達成するべく、アメリカ、その他の国々および国際機関のメディア・文化・ビジネス・学術・政策コミュニティーに対し、誘導工作を実施している。中国共産党は「一帯一路」や南シナ海における領土上および海洋上の主張といった、自らの優先事項をめぐる中国の物語（narrative）を受け入れるよう、国外および多国間の政治的支配層（political establishments）や世論を条件付けようと努めている」などと記載されている。

⇒三戦、孔子学院、コバート・アクション、フェイクニュース

インプレイス（Inplace）

　我の情報員などが適切な位置、すなわち相手国の機密などを知る適切な立場にいること。または適切な地位にいる人物。スパイ活動の目標とすべき人物を探して、接近して獲得するやり方。

【ウ】

ヴァルキューレ作戦（Operation Walküre）

　ヴァルキューレは本来、ドイツ国防軍が第2次世界大戦中に立案した国内予備軍の動員に関する命令である。ヴァルキューレ作戦は1941年冬に国内予備軍を動員する方法として立案された。国内予備軍とは前線へ送る将兵の訓練を行い、また新たな部隊を編成するための組織である。その国内予備軍を沿岸防衛や敵部隊の着上陸阻止などの任務に動員するための作戦がヴァルキューレ作戦だった。

　このヴァルキューレ作戦をヒトラー暗殺後のクーデターに利用できると考えた反ヒトラー派は、この作戦を内乱鎮圧用の作戦にするため、適時計画を修正していった。1943年7月31日、反ヒトラー派のメンバーで国内予備軍一般軍務局長のフリードリヒ・オルブリヒト中将は「国内暴動」が発生した場合、国内予備軍と訓練部隊の一部を動員して

新たな戦闘部隊を編成するという修正を加えた。そして、この作戦は、44年7月20日のヒトラー暗殺未遂事件の際に起こったクラウス・フォン・シュタウフェンベルク大佐らによるクーデターに利用された。

⇒7.20事件

ウィキリークス（WikiLeaks）

　政府、企業、宗教など各種団体の機密情報を匿名で公開する告発サイトおよび同サイトを運営するNPOの名称。使用するコンテンツ管理システムWikiWiki（ハワイの言葉で速いという意味）と、漏洩を意味するリークス（leaks）を組み合わせた造語。2006年、オーストラリア国籍の元ハッカー、ジュリアン・ポール・アサンジが欧米やアジアのジャーナリストらと創設。

　2010年4月、米軍のヘリコプターがイラクの首都バグダッドで市民を銃撃・殺傷した事件（2007年発生）の映像を公開し、世界中に衝撃を与えた。10年7月にアフガニスタン戦争の米軍機密文書約9万点、10月にイラク戦争の機密文書約40万点を公開、12月には外交公電を含むアメリカの外交機密文書約25万点の公開を始めた。外交公電には各国要人のスキャンダラスな発言も含まれており、国際的な信頼関係を損なうおそれが指摘された。

　2016年のアメリカ大統領選挙中には、ロシアのインテリジェンス機関がヒラリー・クリントン陣営や民主党にサイバー攻撃をして取得した大量メールをウィキリークスに暴露し、ドナルド・トランプ候補に有利になるよう世論操作していたとして、アメリカのオバマ大統領はロシアへの制裁措置をとった。

　2017年、ウィキリークスはCIAがサイバー攻撃ソフトを開発したと暴露した。また日本に関係する事例としては、2011年に在日アメリカ海兵隊のグアム移転の費用に関するアメリカ政府公電情報を暴露。15年にアメリカのNSAが日本の政府機関や企業の通信を傍受していたとする文書を公開した。

　ウィキリークスの活動については、言論の自由の観点から擁護する意見と、情報の背後にある複雑な現実への分析を欠く情報の垂れ流し

とする否定的な意見の賛否両論がある。

⇒アサンジ,ジュリアン、イラク戦争、CIA、サイバー攻撃

ウイルス （virus）

　コンピュータウイルスの略称。広義では、自己伝染機能を有する不正プログラムを意味する。また不正プログラムの総称として使用されることもある。一般的なメディアではこの広義の意味におけるウイルスであることが多い。一方、狭義では、不正プログラムであるマルウェアの中で、ほかのプログラムを媒介として感染・増殖する種類のみを意味する。セキュリティの専門用語では、悪意のあるプログラムの総称としてマルウェアを用いるため、ウイルスは基本的に狭義の意味で使われる。狭義の意味におけるウイルスの特徴は、「.exe」ファイルなどの正規に利用されるプログラムに感染し、ユーザーがそのプログラムを実行することで、ウイルス本体が起動するものである。一方、ほかのプログラムを媒介せず、単体で自己複製するマルウェアはウイルスとは区別され、「ワーム」と呼ばれる。

⇒マルウェア、ワーム

ウイルス定義ファイル （virus definition file）

　アンチウイルスソフトが、マルウェアを検出するために用いる定義ファイル。パターンファイルともいわれる。マルウェアはコンピュータプログラムの一種であるため、その機能を定義するソースコードを内包している。このソースコードをセキュリティ会社が解析し、その特徴をデータベース化することで、ほかの正規のプログラムと区別して、マルウェアのみを検出して脅威を除去することができる。そのため、ウイルス定義ファイルに記録されていない新種のマルウェアや亜種などは、アンチウイルスソフトでも検出できない場合がある。

⇒ウイルス、マルウェア

ウィロビー，チャールズ （Willoughby, Charles 1892〜1972）

　アメリカ陸軍軍人。最終階級は少将。ドイツ系アメリカ人。ダグラ

ス・マッカーサー陸軍大将の下で参謀部第2部（G-2）のトップとして勤務。戦後も日本に滞在し、連合国軍最高司令官総司令部（GHQ）参謀部第2部長（少将）として勤務。日本への共産主義の波及阻止に力を注いだ。占領政策に必要な情報収集のためジャック・キャノン少佐を長とする組織（キャノン機関）を秘密裏に組織した。
⇒G-2、キャノン機関

ウ

ウェイク，ナンシー（Wake, Nancy 1912〜2011）

イギリス特殊作戦執行部（SOE）所属の女性工作員。第2次世界大戦時、ドイツ占領下のフランスにおけるレジスタンス組織「マキ」のリーダー的存在として活動し、連合国から多くの勲章を授与される。戦後はオーストラリアに帰国して政治活動に従事。連邦選挙で立候補するが、議席を得るには至らなかった。その後、イギリスに渡り、インテリジェンス・オフィサーとして勤務したのち、1957年に退職、60年初めオーストラリアに移住し、その後、2001年ロンドンに移住。
⇒SOE、インテリジェンス・オフィサー

ウエット・アフェアーズ（wet affairs）

濡れごと。濡れ仕事。暗殺のこと。

ウエット・オペーレーション（wet operation）

暗殺計画（作戦）。

ヴェノナ（VENONA）

1940年から44年にかけソ連が発信していた暗号化された通信を、アメリカ陸軍の陸軍保安局（現・NSA）とイギリスのGCHQが協力して傍受、解読した秘密裏のプロジェクト。『ヴェノナ（VENONA）』により解読されたこの一連の文書をヴェノナ文書と呼び、95年7月11日、アメリカの国家安全保障局（NSA）、連邦捜査局（FBI）、中央情報局（CIA）が、情報公開法に基づいて一斉公開した。
⇒NSA、GCHQ、FBI、CIA

ウェリントン・ハウス（Wellington House）

　第1次世界大戦時におけるイギリスの戦争宣伝局の別称。チャールズ・マスターマンによって組織され、国内の著名な芸術家や文筆家などを協力者として集め、イギリスの戦意高揚のためのプロパガンダ工作を実施した。ベルギー侵攻におけるドイツの残虐行為の報告をもとに高度に脚色された映画『The Battle of the Somme（ソンムの戦い）』などを制作して対独戦意を高揚させた。

ウォーク・イン（walk in）

　予約（アポ）なしの飛び込み。インテリジェンスの世界では、在外公館などを突然訪ねて自発的に情報を提供する者を指す。

ウォルシンガム, サー・フランシス（Walsingham,Sir.Francis 1532〜1590）

　イギリスのインテリジェンス機関の創始者。国王秘書長官。エリザベス1世女王とイギリスを守るため、近代的な情報組織を創設し、組織的な情報活動により、カトリック勢力による国家転覆の陰謀を阻止。女王の保護と国家防衛に個人財産をすべて投げ打って情報活動に尽力した。

ヴォルコフ, コンスタンチン（Volkov, Konstatin 〜1945）

　NKVDの情報官。1945年、在トルコソ連大使館の副領事として勤務時、イギリス大使館に接触。報酬と亡命を条件にイギリス政府内部にいるソ連のスパイの存在を教えると持ちかけた。ヴォルコフの情報により、キム・フィルビーらが二重スパイであることが発覚したが、ヴォルコフの行動を探知したソ連のインテリジェンス機関は彼が亡命する前に身柄を確保して、抹殺したとされる。
⇒NKVD、フィルビー,キム、二重スパイ

ヴォルフ, マルクス（Wolf, Markus 1923〜2006）

　ドイツ国家保安省（シュタージ）の副長官兼同省の対外諜報担当のHVA（「A」総局）長官。ドイツ生まれ。東ドイツの伝説的なスパイマスター。父親は著名なドイツ共産党員。

1933年のナチス政権成立後、ヴォルフ一家は国外逃亡し、34年にモスクワに亡命。42年、マルクスはドイツ共産党入党。戦後、宣伝放送局の記者、モスクワの東ドイツ大使館の1等書記官などの経歴を経て、52年に東ドイツ外務省の外交政策諜報機関（APN、のちのHAV）長官。56年にHVA長官となる。

長い間、西側のインテリジェンス機関はHVA長官が誰か不明で、ヴォルフは「顔のない男」とされていたが、1979年1月、HVA職員のヴェルナー・シュティラーが西ドイツに亡命したことで、顔写真の確認によりヴォルフの顔が特定された。ドイツ統一後、CIA、モサドなど外国諜報機関から顧問として招聘されたが、固辞した。
⇒HVA、スパイマスター、シュティラー,ヴェルナー

馬の法律論争（アメリカ）

インターネット利用者が急激に増大した1990年代、アメリカの法律専門家の間で生じた激しい論争。インターネット上のサイバー空間という新領域における法秩序実現のため、規制・統制する新たな法規範が必要かどうかが論争の焦点。

1996年、フランク・イースターブルック裁判官は「サイバースペースと馬の法律」という論文を発表した。法律家は馬の取引を理解するにあたり、何を学ぶべきかは、馬に蹴られた場合の不法行為責任や馬の売買に関する法律ではなく、不法行為法や財産権などに関する一般原則のはずである。つまり法学者は新技術に関してあれこれ新知識を仕入れても役立つことはなく、その前にすべきことが多くあるという主旨である。99年、これに対して著名な憲法学者ローレンス・レッシグが「馬の法律だって、サイバー法が教えてくれるかも」という論文を提示してこの論争に割り込んできた。彼は、実空間とサイバースペースにおいて、同じ法律や規範を設けることはできないと主張した。たとえば未成年者のポルノへのアクセスを禁止しようとすると、実空間では本人の容貌を見れば認証できる。だがサイバースペースではこれはできない。これを実現するには、サイバースペースを構成するソフトウェアとハードウェアの持っている拘束力に頼らなければならな

い。このソフトウェアとハードウェアとがサイバースペース上にある
アプリケーションを規制できるからである。レッシグはこのようなソ
フトウェアとハードウェアの体系を「コード」と呼び、このコードが
法律の役割を果たすと主張した。

ウリツキー，セミョーン（Uritski, Semyon 1895～1938）

ソ連の軍インテリジェンス機関GRUの長官。1917年のロシア革命で
活躍し、21年のクロンシュタットの反乱では蜂起した水兵の鎮圧を指
揮した。ヤン・ベルジンの後任として、35年4月から37年6月まで
GRU長官に就任する。37年11月、権力奪取の試みとアメリカのための
スパイ行為の嫌疑で逮捕され、38年8月に銃殺された。
⇒GRU、ベルジン,ヤン

ウルトラ（Ultra）

第2次世界大戦中にアメリカとイギリスが入手した秘密の通信情
報全般を指す。特にイギリス諜報機関内で、ドイツのエニグマ暗号の
解読作業を実施したグループ（ウルトラ解読班）による解読情報をウ
ルトラという。
⇒エニグマ

【エ】

影響大／可能性小分析（High Impact/Low Probability Analysis）

可能性（蓋然性）が小さい（低い）にもかかわらず、それが生起し
た時には影響が大きい事象について、注意喚起するために用いられる
手法。たとえば1989年のベルリンの壁崩壊や91年のソ連崩壊などは、
当時その可能性はほとんどないか、極めて小さいと見られていたが、
実際に起こった。日頃から考えられないことを考えておくことはイン
テリジェンスの重要な役割である。

このようなありえない事態が現実に起こった場合の影響・重大性、
またどのようにしてそれらの事態が起こり得るかについてあらかじめ

考えておくことは、アナリストにとって有益であり、場合によっては政策決定者に注意喚起する必要もある。

　アナリストは、この手法を用いることで、状況の変化を早期に感知するために、どのような兆候に注目すべきかがわかる。また定期的にこれらの兆候を見直すことで「このような事態はまず起こらない」との思考に陥ることを防ぐことができる。

　ある事象が発生する可能性は小さいと考えられている通説を疑うことが、この手法の第一歩である。その手順は次のとおり。

①ある事象が起きることで大きな影響が出る点を書き出す。

②事象発生のきっかけとなる出来事（トリガー）や発生を早めるかもしれない出来事（例：自然災害、独裁者の死、クーデターなど）にはどのようなものがあるかも①に付け加える。

③ある事象が発生するシナリオについてブレインストーミングなどにより検討する。

④そのシナリオが現実となるためには、どのような兆候があるかを洗い出して兆候リストを作成する。

⇒ブレインストーミング

衛星攻撃兵器／キラー衛星 （ASAT：Anti Satellite Weapon）

　地球軌道上の人工衛星を攻撃する兵器。対衛星兵器と呼ぶこともある。1950年代に初期の写真偵察衛星が実用化されるとすぐに敵側の軍事衛星を攻撃する手段である衛星攻撃兵器の開発が始まった。アメリカでは地上から発射したミサイルで人工衛星を撃破する直接上昇方式（direct ascent）の兵器が主に開発され、ソ連では地上から打ち上げたロケットで誘導体を目標の人工衛星と同じ軌道に遷移させ、接近させて自爆し、破片によって目標を破壊する共通軌道方式（co-orbital）の兵器（キラー衛星）が研究された。核弾頭による衛星破壊も考案されたが、67年の宇宙条約において、大気圏外における核兵器利用が制限されたため、核による衛星攻撃兵器の開発は放棄された。

　冷戦期は偵察衛星が主攻撃目標とされたが、現在の衛星攻撃兵器の目標は敵側の人工衛星全般である。現在、人工衛星の役割は偵察・通

信のみならず多岐にわたり、衛星誘導装置や全地球測位システム（GPS）などもあるためである。2007年、中国がASAT発射実験を行い、宇宙空間にスペースデブリ（宇宙ゴミ）を放出させ、国際的に批判された。2021年11月には、ロシアがミサイルにより自国の偵察衛星の破壊実験を実施した。そのため多くのスペースデブリが発生して、国際宇宙ステーション（ISS）に接近したため、滞在中の宇宙飛行士が退避行動を余儀なくされた。

エイチンゴン，ナウム（Eitingon, Nahum 1899〜1981）

ソ連の情報将校。トロツキー暗殺の指揮者。『KGB衝撃の秘密工作』（パヴェル・スドプラトフ他著）によれば、アメリカでのちにゾルゲ事件に関与する宮城与徳をエージェントとして獲得した。

1930年代、アメリカのユダヤ人社会を中心にスパイ網を構築。40年代にはロスアラモス研究所、その他に科学者や民間人からなる40人ほどのエージェントを指揮下に置いた。

戦後はルドルフ・イヴァノヴィチ・アベルの出国準備を指揮。1951年10月、「シオニスト陰謀事件」（高級政治幹部の毒殺事件）で逮捕。スターリンの死後に釈放されるが、フルシチョフ時代の57年からウラジミール刑務所に収監。フルシチョフの失脚（1964年）により釈放。
⇒アベル,ルドルフ・イヴァノヴィチ、チェーカー、NKVD、OGPU

エイムズ，オルドリッチ（Ames, Aldrich 1941〜）

CIA防諜担当官。ソ連のためにスパイ活動を行った。対ソ連防諜部長という立場を利用し、1985年、金銭的理由からソ連のためのスパイ活動を自ら志願（ウォーク・イン）。その後、逮捕されるまでの9年間、100件以上の秘密作戦の情報を流し、西側インテリジェンス機関の下で働く30人以上のスパイの氏名を暴露した。その結果、少なくとも10人のロシア人および東欧出身者がソ連において処刑された。その中には、20年近くにわたってアメリカに情報を流し続けたGRUのディミトリー・ポリアコフ少将なども含まれていた。94年エイムズはFBIに逮捕され終身刑で服役中。エイムズは逮捕された際、CIA史上

最も大きな国家安全保障上の被害をもたらした人物と評された。

　米上院情報特別委員会は報告書の中で、エイムズの活動により「冷戦の最盛期にソ連に注ぎ込まれたCIAの情報資源（アセット）が、ほぼ完全に失われる結果を招いた」としている。また、エイムズはしばしば酒を飲んで出勤するなど勤務態度は不良で、7万ドル弱の年収で54万ドルの住宅を購入し、4万ドルの高級車を乗り回すなど年収に見合わない優雅な生活をしていたが、CIA内部で摘発できなかったことも問題視された。エイムズ事件は、CIAを大きく揺さぶり、ジェイムズ・ウールジーCIA長官の辞任とCIA高官数名の早期退職につながった。
⇒CIA、ウォーク・イン、アセット

エスクロー勘定（Escrow Account）

　条件が満たされるまで銀行などの第三者が口座に入金された資金を管理しておくこと。スパイ活動を支援する国家などは、スパイが個人消費を突然増加させてスパイとして発覚することを防止するため、スパイ活動終了後、数年間経過するまで、スパイの報酬を調査あるいはアクセスされないようエスクロー勘定を活用することもある。

エクスプロイテーション（exploitation）

　搾取。出所を問わず手当たり次第に情報を入手すること。

エクスプロイト（exploit）

　コンピュータシステムの脆弱性を利用した悪意のある攻撃、またはそのために作成されたコンピュータプログラム。コンピュータにはソフトウェアまたはハードウェア上の脆弱性が存在するが、悪意のある攻撃を行う者は日常的に脆弱性を探知しており、それを利用したプログラムはエクスプロイトコードと呼ばれる。

エグゼクティブ・アクション（executive action）

　執行活動。CIAが外国指導者の暗殺計画に用いた暗殺の婉曲的な表現。

エコーチェンバー（echo chamber）現象

閉ざされた環境の中で、似た者同士がフィードバックしあうことで、信念や態度や意見が強化される現象のこと。

エコーチェンバーとは音楽を録音するための特別な部屋（反響室）のことで、いったん音が発せられるといつまでも音の反響（エコー）が続き、最初に発せられた音が長時間残る。これと同様に、ネットの中で発せられた極端な意見や誤情報がいつまでも残り、強化される様子を表現したもの。

エージェント（agent）

現地での協力者または諜報員。ケース・オフィサーに雇われ、その指示に従い、現場でのスパイ活動にあたる。最も危険で逮捕されやすい存在。

⇒ケース・オフィサー

エージェント・オブ・インフルエンス（agent of influence）

自らの地位や名声を利用して影響力を行使できる工作員。インテリジェンス機関に協力して、諸外国の政府高官、世論形成に影響を及ぼすジャーナリスト、学者、各種圧力団体に影響力を行使できる人物。

⇒インフルエンサー

エージェント・オブ・プロボカトール（agent of provocateur）

挑発工作員。ロシアにおいて発足した制度。相手国のインテリジェンス機関内に入り込んで、その機関の活動を妨害・撹乱する工作員。コンフュージョン・エージェントともいう。

⇒コンフュージョン・エージェント

エシュロン（echelon）

フランス語で「はしご」の意味。アメリカのほか、イギリス、カナダ、オーストラリア、ニュージーランドといった英連邦諸国を中心として構築された国際的な通信傍受システム。

エシュロンに関する公的な文書としては、2001年に欧州議会で発表された最終報告書が存在する。この報告書によればUKUSA協定の下で運用される通信傍受システムの存在は確実であり、傍受対象は軍事通信だけではなく、個人および商用通信も含まれる。ただし、一部のマスコミが推測するほど技術的に広範な能力を有するわけではないと結論づけている。エシュロンに使用されている具体的な傍受施設も明記されており、日本では米軍三沢基地が挙げられている。また13年に元NSA職員エドワード・スノーデンによって暴露された「スノーデンファイル」ではエシュロンについて、アメリカ政府が所有している施設に備えられたアンテナなどを利用した無線通信の傍受だけでなく、PRISMと呼ばれる通信監視プログラムによって海底ケーブルなどの有線通信の盗聴も行われていると指摘している。

⇒UKUSA、スノーデン事件、PRISM、ファイブ・アイズ

エジョフ，ニコライ（Yezhov, Nikolai 1895〜1940）

NKVD（内務人民委員部）長官。ロシア人。ヤゴーダの後任のNKVD長官（1936〜38年）としてスターリンによる大粛清の実行責任者となる。その残虐性から「エジョフ・ナチ」という言葉まで生まれた。身長が150センチメートル足らずで「血まみれの小人」と恐れられた。

1917年に共産党入党、スターリンに注目され、党の要職を歴任し、36年にNKVD長官に就任、37年に政治局員候補に任命される。37年3月、NKVD前長官のゲンリフ・ヤゴーダを反革命的陰謀の関与で逮捕し、彼の支持者を対象とする大量逮捕・処刑を行う。NKVD職員のうち、ヤゴーダ失脚時に自殺しなかった3,000人以上が逮捕された。ソ連国外に居住する共産党員を暗殺すべく「移動部隊」を組織した。

スターリンが粛清を自制し始めたことでエジョフの権力は縮小され、1938年12月、ラヴレンチー・ベリヤが後任の長官に就任。39年2月以降、エジョフは行方不明になるが、ベリヤにより精神病院に収容され、まもなく死亡したとされる。

⇒NKVD、ヤゴーダ,ゲンリフ、ベリヤ,ラヴレンチー

エスピオナージ (espionage)

スパイ活動。諜報活動。専門の組織によって諸外国の活動を非公然に観察して情報を獲得すること。

エニグマ (Enigma)

ローター方式の電動式サイファー暗号機。1923年にドイツ人技師によって開発された。暗号方式は換字式（平文を別文字に変換）で反転性があり、暗号文を同じ鍵で再暗号化すると平文が得られる。企業による秘密通信を想定して作られた。25年にドイツ軍が正式に採用を開始し、続いてドイツ政府や国営鉄道なども採用を始め、3万台以上が販売されたとされる。

1939年に始まった第2次世界大戦中もエニグマ暗号機は使用された。これに対して連合軍側のエニグマ暗号の解読も必死に続けられた。

第2次世界大戦以前の1930年代から、ドイツに脅威を持っていたポーランドは32年頃にエニグマ初期型の解読に成功した。しかし、ドイツはエニグマを複雑化し、ポーランドの解読作業を担う人員が不足したため、ポーランド軍はイギリス政府へ暗号解読の情報を渡した。その後、数学の天才アラン・チューリングがエニグマを解読する上で先導的役割を果たした。

第2次世界大戦中、チューリングはイギリスの政府暗号学校（ブレッチリー・パーク）で働くことになり、そこで世界初の電子計算機「コロッサス」の礎を築き、イギリスの暗号解読者はこのコンピュータの恩恵を受けた。エニグマ解読の中心となったイギリス諜報機関内のグループはウルトラ（Ultra）解読班と呼ばれ、解読情報はウルトラ情報と呼ばれていた。

ドイツにおけるエニグマ暗号機もたびたび改良が加えられ、より難解な暗号を編み出したが、連合軍側は捕虜や回収文書などから研究を続け、かなりの確率でエニグマの解読に成功していた。これらのことは大戦中、徹底して極秘にされ、結果ドイツ軍は終戦までエニグマ暗号を使い続け、これが連合軍側の勝因の1つとなった。

戦後もウルトラ情報は極秘扱いとされ、1974年にその内実を記した

書籍『ブラック・チェンバー』が出版されるまで世間に知られることはなかった。

　なお、第2次世界大戦の開戦前後のアメリカによる日本の秘密暗号電報の解読をパープル解読といった。そしてパープル解読によって得られた情報をアメリカ政府はマジック（Magic）と呼称した。
⇒サイファー、ウルトラ、チューリング,アラン、パープル、マジック

エビデンス（evidence）

　証拠。論拠。根拠。特定の評価を裏づける重要な情報（インフォメーション）のこと。あるインフォメーションをエビデンスとして使用する際には、それが事実であること、複数の情報源で確認されていることが必要とされる。

エムス電報（Ems Dispatch）事件

　ビスマルクが情報操作によってドイツ・フランスの世論を刺激し、ナポレオン3世を戦争に踏み切らせた事件。普仏戦争の直接的契機となる。ビスマルクの「謀略心理戦」の事例として知られる。当時フランスとプロシアはスペイン王位継承問題をめぐり対立。ビスマルクは南ドイツ諸国がプロイセンと団結してフランスに対抗することを画策した。

　1870年7月13日、同王位継承問題をめぐって行われたヴィルヘルム1世とフランス大使の会談内容は、ただちにベルリンのビスマルクに打電された。それは単に会談の内容を報告するものに過ぎなかったが、ビスマルクは好機到来と見て、フランス大使がプロイセン国王に対して無理な要求を非礼的態度で行い、国王が逆に大使の要求を傲然と拒否して、大使を侮辱したような印象を与える文面に改竄した。ビスマルクは、この文面をドイツ諸邦の駐在公使に打電すると共に新聞を通じて公表した。これがドイツ・フランスの国民世論を激高させ、ナポレオン3世がフランス世論の支持を確保して自らの王朝を維持していくには、もはやプロイセンに対し強硬に打って出る以外に選択肢はなくなった。

エームズベリー殺人事件 （Amesbury Novichok Poisoning）

2018年6月30日、イギリス南部エームズベリーで毒物により男女2人が意識不明となった。7月8日、女性は死亡。入院中の男性は意識が回復し、同20日退院した。当初、2人は薬物中毒かと疑われたが、未確認の毒性物質にさらされた疑いが浮上したため、イギリス警察は物質のサンプルを軍の化学兵器研究所に送り毒物を特定した。イギリス警察は2人が同年3月の元ロシアスパイ（スクリパリ元大佐）暗殺未遂事件に使われたのと同じ種類の毒物「ノビチョク」に接触していたと発表した。

エームズベリーは、スクリパリ事件のあったソールズベリーから北へ10キロメートルのイギリス南部の田舎町である。意識不明となった男女は事件の前日、元大佐らが倒れた現場から数百メートル離れたクイーンエリザベス公園などを訪れたこと、事件当日は香水に偽装された毒物に触れたことがわかっているが、両事件の関係については明らかにされていない。

⇒スクリパリ暗殺未遂事件、ノビチョク

エモテット （Emotet）

メールに添付されたファイルやリンクを開かせることでPCをマルウェアに感染させ情報を窃取すると共に、システムに連接するほかのPCに感染を拡大させるプログラム。2014年に発見された当初はオンラインバンキングの認証情報を盗むことを目的とした非常に高い感染力・拡散力を持つマルウェアだったが、その後は「正規のメールへの返信を装う手口」などにより感染力を拡大させている。

⇒マルウェア

エリント （ELINT：Electronic Intelligence）

電子情報。シギントの一種。レーダー、ビーコン（無線標識）、ジャマー（妨害電波）、テレメトリーなどの非通信用電波からの情報収集手段、あるいは処理して得られたインテリジェンス。

⇒コミント、シギント、テリント

演繹法（Deductive reasoning）

　一般的原理から論理的推論により結論を導く方法。代表的な手法に大前提・小前提・結論による三段論法があり、以下の例がよく知られる。

大前提：すべての人間は死ぬ。

小前提：ソクラテスは人間である。

結　論：ゆえにソクラテスは死ぬ。

⇒帰納法、アブダクション

エンティティリスト（Entity List：アメリカ）

　米国にとって貿易を行うには好ましくない相手と判断された個人・団体などが登録されたリスト。米国務省産業安全保障局（BIS）が発行。1997年2月、大量破壊兵器の拡散懸念から最初のエンティティリストが公開された。以来、登録の対象は米国の国家安全保障・外交政策上の利益に反する行為などにも拡大。2019年には、中国企業のファーウェイ（華為技術）がリストに追加されたことが話題になった。新疆ウイグル自治区における人権抑圧への加担を理由に、中国公安部及び中国企業などもエンティティリストに追加されるなど、リストは随時更新されている。米国のエンティティリストに対抗して、中国は「信頼できないテンティティリスト」を発表するなど、両国の貿易制裁の応酬が続いている。

【オ】

汪養然事件

　香港在住の中国人貿易商、汪養然（おおようねん）が中国インテリジェンス機関から命じられ、日本で情報収集活動を行っていたスパイ事件。上海生まれの汪は香港に渡って貿易商を始め、事件当時は貿易商社3社を経営し、手広く中国貿易を行っていた。1971年頃、中国インテリジェンス機関は「中国と取引する中国人業者は祖国の建設と祖国防衛に協力する義務がある」と汪に迫り、貿易取引を継続する見返りとして、日本におけるスパイ活動を指示。

その後、汪は貿易業者を装って頻繁に来日し、内妻宅をアジトに日本人エージェント数人を利用しながら、中ソ国境地図などのソ連関連情報、外国の航空機エンジンなどの軍事情報を収集し、わが国の政治・経済・産業技術に関するスパイ活動を実施。石川島播磨重工（現・IHI）がイギリスのロールスロイス社から技術導入していた航空自衛隊の超音速高等練習機T-2のジェットエンジンに関する秘密資料の入手を試みるも失敗。1976年1月26日警視庁に検挙された。外国為替および外国貿易管理法違反で罰金20万円の判決を受けた。

大島浩（おおしまひろし 1886〜1975）

　陸軍軍人、外交官。最終階級は陸軍中将。第2次世界大戦前から戦中にかけて駐ドイツ特命全権大使を務め、日独伊三国同盟締結の立役者としても知られる。終戦後の極東国際軍事裁判ではA級戦犯として終身刑の判決を受けた。

　1921年、駐在武官補として初めてドイツに赴任、ナチス党との間に強い個人的関係を築くようになった。33年以降、ドイツの政権を掌握していたナチス党上層部との接触を深めていった。34年には大佐で陸軍武官であったが、38年に中将に昇進し大使に就任した。この異例の昇任は、大島のベルリンでの人脈形成と参謀本部の親枢軸派の支援があったとみられる。36年11月に日独防共協定が締結されて以降、日本は情報提携協定を締結し、参謀本部第2部は在ポーランド駐在武官のソ連情報よりも、大島駐在武官のソ連情報を重視した。

　大島大使は、日独伊三国同盟（1940年9月に調印）を強力に支持した。他方、日本は大島とヒトラーとの親密関係を信頼するあまりに情勢判断を誤った。39年8月23日にドイツはソ連と不可侵条約を締結したが、大島大使がヒトラーから、この条約締結を伝えられたのはわずか3日前（8月20日）だった。これは平沼騏一郎内閣にとって驚天動地の出来事であり、平沼はこれを理由に「欧州の天地は複雑怪奇なり」との有名な言葉を残して、内閣を総辞職した。日本は1936年の日独防共協定の「締約国は相互の同意なくしてソ連との間に本協定の精神と両立しない一切の政治的条約は締結しない」（第二条）との規定

を信じており、大島から関連情報がないことに安心していた。

　前述のように独ソ不可侵条約の情報が得られなかったことで大島は信用を失い、リッベントロップ外相の大島大使留任工作にもかかわらず、大島は1939年末に帰国させられた。帰国後、大島は親枢軸派と連携し、親独政策の継続を主張した。これが日独伊三国同盟の締結につながった。1940年12月、大島はドイツ大使に再任され、41年2月にベルリンに赴任した。以後、大島はヒトラーの信頼を得て、暗号電報（パープル暗号）でドイツ情報を東京に送ったが、連合国に盗聴され続けた。大島のベルリンから東京に向けた外交電報が連合国に盗聴されたことが、ドイツの敗北を早めたとされる。

⇒パープル暗号

大和田通信所（旧日本軍）

　1941年に設置された日本海軍初の通信所。ワシントン会議（1921〜22年）で日本は米英による軍縮の要求を結果的に受け入れた。これは日本の暗号通信が、アメリカに解読されていたためだということが31年に明らかになった。海軍は諜報・謀略戦の分野における組織、活動、要員育成が立ち遅れているとの認識に至り、軍令部第四課に別室を設けた。この一部が日中関係の悪化に伴い、33年に上海に進出し「X機関」となった。37年に支那事変が勃発すると、アジア太平洋地域の無線を傍受することを目的とする基地の建設に着手し、大和田（現・埼玉県新座市と東京都清瀬市にまたがる地域）通信所が開設された。

緒方竹虎（おがた・たけとら 1888〜1956）

　日本のジャーナリスト、政治家。ジャーナリストとして朝日新聞社副社長・主筆、政治家として自由党総裁、国務大臣、情報局総裁、内閣書記官長、内閣官房長官、副総理などを歴任。1952年4月、官房長官・副総理職にあった緒方竹虎は、吉田茂や村井順と共にアメリカのCIA、イギリスのMI5およびMI6などを参考にして、内閣総理大臣官房調査室というインテリジェンス機関（内調）を設立。これが現在の内閣情報調査室の源流となった。緒方は中央情報長官と中央情報組

織を中核とするインテリジェンス・コミュニティー、いわゆる日本版CIAを設立する構想を持っていたが、これは国会や外務省、世論の激しい批判を浴びて実現しなかった。

⇒村井順、CIA、MI5、MI6、内閣官房内閣情報調査室、日本のインテリジェンス・コミュニティー

沖禎介（おき・ていすけ 1874〜1904）

大陸浪人、日露戦争時の特別諜報員。長崎県・平戸生まれ。第五高等中学校卒業。東京専門学校中退。内田良平と関係を持ち、黒竜会に出入りする。1901年大陸へ渡り、北京で東文学社教師を務める。03年文明学社を設立。日露戦争勃発後、横川省三らと諜報活動に従事。チチハルに潜入し、04年4月東清鉄道の橋梁爆破直前にロシア軍に捕まり、横川省三と共に銃殺される。

⇒横川省三

オゴロドニコワ，スヴェトラナ（Ogorodonikova, Svetlana 1951〜）

ロシア人の女性スパイ。KGB少佐。アメリカでスパイ活動に従事。1973年、夫のニコライ・ウォルフソンと共に移民に偽装してロサンゼルスへ潜入。看護師として働く一方で、83年にFBIの防諜担当官リチャード・ミラーに接触する。性的交渉とソ連情報をエサにミラーからFBI内部資料の入手を試みた。ミラーはFBIの内部資料をオドロニコワに渡し、5万ドル相当の金（ゴールド）と現金1万5,000ドルを要求。2人の接触が頻繁だったため、ほかのFBI捜査員が怪しみ、84年にオドロニコワ夫妻とミラーは逮捕された。夫妻のアパートを捜索した結果、暗号解読表やマイクロフィルムなどが発見された。

⇒KGB、FBI

尾崎秀実（おざき・ほつみ 1901〜1941）

リヒャルト・ゾルゲの協力者。1927年に大阪朝日新聞社記者として上海に赴任し、ゾルゲおよびアグネス・スメドレーと知り合う。33年にゾルゲが来日して以降、ゾルゲのスパイ活動に協力。36年、カリフ

ォルニアで開催された太平洋問題調査の会議に日本代表のメンバーとして参加。37年、近衛文麿内閣のブレーンとなる。41年10月に逮捕され、43年11月にゾルゲと共に絞首刑に処せられた。

⇒ゾルゲ,リヒャルト、スメドレー,アグネス

おしゃべり （chatter）

テロに関するインテリジェンスを表現する際、既知のテロリストなどの通信（のパターン）に関する隠語。テロ攻撃に関する直接の言及はなくても、より多くのメッセージがやり取りされる場合など、「おしゃべり」が増えたり、突然それがなくなれば、テロ攻撃に関する緊急性が感じられる。差し迫ったテロ活動とは別の理由でテロリストの通信が減少する可能性もある。そのため、これらはあくまで兆候のようなもので、インテリジェンスというには不正確である。

オシント （OSINT：Open-Source Intelligence）

オープンソース（公開された情報源）から得られた情報に基づき作成されたインテリジェンス。

⇒オープンソース、オープンソース・インフォメーション

オーセンティケーター （Authenticator）

偽造専門家。文書の変造、偽造などが任務。

⇒インテリジェンス・オフィサー

小野田寛郎 （おのだ・ひろお 1922〜2014）

陸軍軍人。最終階級は少尉。遊撃戦（ゲリラ戦）を教育する陸軍中野学校の二俣分校の第1期生。同校卒業後、情報将校として太平洋戦争に従軍し、遊撃戦に従事。第2次世界大戦終結から29年後の1974年にフィリピン・ルバング島から日本へ帰還を果たした。帰国後は実業家として活躍。

小野寺信（おのでら・まこと 1897〜1987）

　陸軍軍人で情報将校。最終階級は少将。1935年から２年間ラトビアなどの駐在武官を歴任して、41年１月にスウェーデン公使館付武官としてストックホルムに着任、同地で太平洋戦争開戦を迎えた。大戦最末期に「ヤルタの密約に基づき、ドイツ降伏から約３カ月後にはソ連が日ソ中立条約を破棄して対日参戦する」旨の情報を日本に打電したが、陸軍中枢はその情報を無視して、対米和平の仲介をソ連に期待し続けたとされる。85年、妻の小野寺百合子著『バルト海のほとりにて』が出版され、同年末のテレビ番組『NHK特集 日米開戦不可ナリ―ストックホルム・小野寺大佐発至急電―』の放映により小野寺の大戦中の活動に光が当てられた。

オバート・オペレーション（overt operation）

　観察、聞き取りなどを通じて、合法的かつ公然と行う情報収集活動。
⇒コバート・オペレーション

オフィシャルカバー（official cover）

　インテリジェンス機関の要員が外交官やその他の政府関係者の肩書で公式な外交保護を受けて活動すること。通常受け入れ国のインテリジェンス機関の監視下に置かれるが、活動が露見しても、外交特権で身柄拘束や刑事訴追を免れる。わが国でスパイ活動を行ったソ連大使館勤務のコズロフ大佐、ボガチェンコフ大佐はいずれも外交特権を行使して帰国。
⇒NOC

オフラナ（ロシア）

　1881年から1917年にかけて存在したロシア帝国の政治秘密警察。17年にチェーカーに発展。19世紀後半から革命家の活動が過激化し、ロシアから海外に亡命して反体制活動を行った。このためオフラナも、パリなどの海外にも保安拠点を持っていた。
⇒チェーカー

オープンソース（open source）

　公刊資料、新聞、文献、テレビ、ラジオ、インターネット、SNSなど誰でも観察または購入などにより合法的に入手可能な公開された情報源。公開はされていないが、特に秘密ではなく部内者であれば容易に入手できる情報（灰色文書など）も含まれる。

　従来からある新聞などをオールドメディア、SNSなどをニューメディアといい、ニューメディアは新たな情報源として情報分析においても重要になっている。IT用語では、ソフトウェアのソースコード（プログラミング言語で記述された文字列）を無償で公開し、誰でも自由に改良・再配布ができるようにしたソフトウェアのこと。
⇒オシント、オープンソース・インフォメーション、オールドメディアとニューメディア、灰色文書

オープンソース・インフォメーション（open source information）

　公開情報、公刊情報。オープンソースから手に入れた情報のこと。イギリスの歴史家アラン・J・P・テイラー（1906〜90）は、インテリジェンス機関が使用するインフォメーションの90パーセントはオープンソースから入手できるとした。しかし、インターネットなどの発達により入手できる情報量が爆発的に増加した現在は、その比率はさらに増加したと考えられる。

　公開情報が90パーセント以上入手できるのであれば、「秘密情報」はそれほど必要ないのではないかと考えられるが、公開情報には多くの偽情報や誤情報、さらには不確かな情報が含まれている。分析する際に使用する情報によっては、相反する解釈やシナリオが作成できる。そのため正確性の高い秘密情報が得られれば、公開情報の信頼性を判断し、それを分析に役立てることができる。

　たとえば「ある国が○○記念日に弾道ミサイルを発射するかもしれない」との推測記事が流れ、それを肯定または否定する公開情報が多く出てきた場合、ミサイル発射台へのミサイル設置の有無が秘密情報（イミントやヒューミントなど）で確認できれば、発射の可否が的確に判断でき、それを裏付ける公開情報の信頼性も高くなり、より正し

い分析に活用できる。

⇒オシント、オープンソース、イミント、ヒューミント

オープンデータ（open data）

　国や地方公共団体および事業者が保有するデータのうち、国民の誰もがインターネットなどを通じて容易に利用（加工、編集、再配布など）できるよう、次のいずれの項目にも該当する形で公開されたデータのこと。

1）営利目的、非営利目的を問わず二次利用可能なルールが適用されたもの

2）機械判読*に適したもの

3）無償で利用できるもの

*機械判読とは、コンピュータプログラムが自動的にデータを加工、編集などできること。（オープンデータ基本指針〔平成29年5月30日高度情報通信ネットワーク社会推進戦略本部・官民データ活用推進戦略会議決定《令和3年改正》〕を参考）

オペレーションズ・オフィサー（operations officer）

　工作官。ケース・オフィサーと同義。

⇒ケース・オフィサー

オリンピック・ゲームズ作戦（Operation Olympic Games）

　アメリカが主導し、イスラエルが協力したイランへのサイバー攻撃の作戦名。ジョージ・W・ブッシュ政権期の2006年に策定され、当初の目的は、核開発を進めるイランのナタンズにあるウラン濃縮施設とその制御システムのデジタルマップを解読することだった。数カ月かけてアメリカは同施設内にあるすべてのネットワーク接続の解読に成功。

　ブッシュ政権内では、イランが核兵器製造に足る濃縮ウランを獲得する前に、ナタンズへの軍事攻撃案があったが、中東の混乱に拍車がかかることを懸念し、同案は採用されなかった。代わりに「スタックスネット」というマルウェアをナタンズのウラン濃縮施設に侵入さ

せ、遠心分離機を制御不能にするサイバー攻撃案が採用された。同方針はオバマ政権でも継続された。

ウラン濃縮施設のコンピュータシステムがインターネットから切り離されていたこともあり、同施設へのマルウェア導入については、ナタンズ外部からのサイバー攻撃ではなく、USBメモリが使用された。これには二重スパイ（ダブル・エージェント）が活躍したとみられている。オリンピック・ゲームズ作戦により、2009年から10年にかけて、ナタンズの約8400台の遠心分離機のうち、約1000台が稼働不能に陥り、操業が一時停止する事態となった。

⇒スタックスネット、マルウェア、二重スパイ

オルゴール

無線通信機。ソ連のスパイ用語。ミュージック・ボックスともいう。

オールソース分析（all source analysis）

総合的分析。オシント、ヒューミント、テキントを含むすべての入手可能なインフォメーションに基づく分析。2008年2月14日、わが国の情報機能強化検討会議が発行した「官邸における情報機能の強化方針」でもその重要性が強調されている。

⇒オシント、ヒューミント、テキント、収集手段

オールドメディアとニューメディア（old media, new media）

新聞、テレビ、ラジオなどの既存のメディアをオールド・メディア（またはトラディショナル・メディア）と呼ぶのに対し、通信・情報・電子技術によって生み出されたSNSなどの新しいメディアや情報伝達システムを総称してニューメディアという。

オーロラ作戦（Operation Aurora）

2010年にGoogleが公表した中国の人権活動家のメールアカウントへの不正アクセスなどが行われたサイバー攻撃の通称。インターネットブラウザであるInternet Explorerの脆弱性を利用した攻撃であり、特

オ

定のウェブサイトを閲覧することで「トロイの木馬」がインストール
され、バックドアが設けられることで、情報が外部に送信されるもの
だった。この事件は、中国の検閲制度とGoogleの見解の相違など、ほ
かの問題とも関連して、Googleの中国本土からの撤退につながった。
⇒トロイの木馬

オン・ザ・ルーフ・ギャング（On-the-roof Gang）

　第2次世界大戦前、無線交信分析と暗号解読の訓練を受けたアメリ
カ海軍および海兵隊の要員を指す俗語。その名称は、当時の海軍省庁
舎の屋上に建てられた小さな訓練施設に由来している。

音紋（おんもん）

　艦船の航行時にスクリュー・エンジン・船体の振動などで発せられ
る各艦船独特の音響。艦船などのスクリュー音は、その形状などから
ある程度は予測が可能だが、人間の「指紋」と同じように各艦船固有
の特徴がある。型式が同一でも完全に同じ音はないとされ、各国海軍
は艦船識別用の音紋データベースを作成している。音紋のデータはソナ
ーによる艦船の探知や音響機雷の敵味方識別などに利用されている。特
に秘密裡に行動する潜水艦の特定には音紋データは欠かせない。
⇒アキント

オンライン攻撃とオフライン攻撃（online attack, offline attack）

　オンライン攻撃とは、実際に動作しているサーバーにIDとパスワー
ドを送って認証に成功するかどうかを調べる手法。またサーバー以外で
も動作中のサービスに認証情報を送って調査する手法はオンライン攻撃
にあたる。これに対してオフライン攻撃は、パスワード・ファイル、あ
るいはパスワードがかけられているファイルを入手して、攻撃者のコン
ピュータにそのファイルを移して「パスワード破り」を試みる手法。

【カ】

海軍乙事件

　1944年3月、連合艦隊司令長官古賀峯一海軍大将搭乗機（1番機）が南洋諸島で行方不明となり、連合艦隊参謀長福留繁中将搭乗の2番機が不時着してフィリピンのゲリラの捕虜となった事件。山本五十六長官搭乗機が撃墜された事件（1943年4月18日）を海軍甲事件と呼ぶことから、本事件は「海軍乙事件」と呼ばれた。

　3月31日夕刻、古賀長官ら司令部要員がパラオからミンダナオ島のダバオへ二式大艇（飛行艇）2機で移動中、低気圧に遭遇。長官の乗る1番機は行方不明となり、残骸などは発見されなかったが、古賀長官以下乗員は全員死亡と判断された（古賀長官の死はすぐに国民には知らされず、同年の5月5日に発表）。

　一方、2番機はセブ島沖に不時着し、搭乗していた連合艦隊参謀長福留中将以下9人は泳いで上陸したが、現地ゲリラの捕虜となった。その際、乗員は3月8日に作成されたばかりの新Z号作戦計画書、司令部用信号書、暗号書といった機密文書の入った鞄を携行していた。暗号書などは水で消えるインクなどで印刷されていたため、書類も鞄も水に投げ込まれたものの、ゲリラにより回収された。ゲリラ側は、日本軍守備隊（独立混成31旅団）に「ゲリラへの攻撃中止を条件に海軍軍人を引き渡す」と伝え、交渉の結果、参謀長らは解放された。

　参謀長は、機密文書はゲリラからアメリカ軍に渡る心配はないと話していたが、実際は機密文書は豪ブリスベーン郊外の連合国軍翻訳通訳部で英訳され、暗号書もアメリカ軍の手に渡った。日本軍は本事件後、機密文書の紛失について詳しく調査することなく、また暗号書を変更する対策もとらなかった。

⇒海軍甲事件

海軍甲事件

　1943年4月18日に、前線を視察中の連合艦隊司令長官山本五十六海

軍大将の搭乗機が、ブーゲンビル島（パプアニューギニア）上空でアメリカ軍戦闘機に撃墜され戦死した事件。この事実が明らかになると将兵、国民の士気に関わるとして箝口令が敷かれ、長官戦死の公表は5月21日まで伏せられた。

　日本海軍は1943年4月7日から「い号」作戦を発動し、ソロモン諸島、ニューギニア方面の敵連合軍の艦隊に攻撃を加え、この作戦は成功を収め、16日に終了した。長官による前線航空基地視察のため、ラバウルからブーゲンビル島のブイン基地を経て、ショートランド島の近くにあるバラレ島基地に赴く予定が立てられた。その前線視察計画は、連合艦隊司令部から関係方面に打電されたが、暗号電文はアメリカ軍にも傍受・解読され、視察経路と予定時刻はアメリカ軍の知るところとなった。

　チェスター・ニミッツ太平洋艦隊司令長官は、南太平洋方面軍司令官ウィリアム・ハルゼーに山本長官の襲撃計画作成を命じた。ハルゼーは、山本長官が時間に厳格で今回も予定どおりに行動することを前提にガダルカナルにいるP-38戦闘機ならば、経路の途中で撃墜が可能と考え、日本海軍の暗号を解読したことが悟られないような計画を立案した。日本海軍は事件の2週間前に暗号表（乱数表）を更新したばかりで「アメリカに暗号を解読されている」と予見することができず、その後の日本海軍の連敗へとつながったという説もある。ただし機密解除された米軍側史料によれば、この視察計画は、更新前の古い乱数表を使って長官の視察予定を細かく送信していたという資料が2008年9月、日本の戦史研究家により発見されている。

外交行囊 （外交封印袋、パウチ）

　機内持ち込み可能な外交文書を入れた鞄や袋のこと。搬送業務にあたっては厳重に封印が施され、外交特権の一種として、行囊の内容物に関しては税関などで確認を行わないことが認められている。

⇒クーリエ

外交部（中国）

　外交担当の省庁で日本の外務省に相当。外交部は1949年10月、中華人民共和国建国と同時に設置。アジア司、アフリカ司、領事司、香港マカオ事務弁公室、台湾事務弁公室など30前後の司・局で構成される。中国外交部は世界百カ国以上に在外中国大使館を置いている。外国の外務機関が在外公館を拠点として情報活動を行うことはいわば常識である。初代の外交部長である周恩来をはじめ姫鵬飛など、インテリジェンス専門家が歴代の外交部長に就任してきたことは、中国における外交活動と国外における情報活動が密接不可分の関係にあることを示している。

外国諜報監視裁判所　（FISC：Foreign Intelligence Surveillance Court：アメリカ）

　アメリカ国内で他国のために諜報活動している容疑者に対する電子的監視を行う際に、同監視を実行するインテリジェンス機関に許可（令状）を与えるアメリカの裁判所。外国諜報監視法（FISA）により設置。監視が承認されるためには、インテリジェンス機関の職員が事前に申請することが求められる。この際、司法長官から申請にあたっての要件を満たしているとの承認を得る必要がある。

　FISCへの申請の際に求められる内容は、①申請を行う連邦政府職員の身元、②可能であれば、電子的監視対象者の身元、③対象者が外国勢力であることや対象となる施設が外国勢力によって使用中である、または使用される可能性があること、④求められる情報の性質や対象者の通信や活動形態についての説明、⑤求められている情報が対外諜報情報であること、電子的監視の目的が対外諜報情報収集に関連があること、当該情報が通常の操作方法では手に入らないこと、⑥電子的監視の実施方法の説明、⑦以前の申請と、それらの申請についてしられた行動についての説明、⑧電子的監視に要する期間などである。

⇒外国諜報監視法

外国諜報監視法（FISA：The Foreign Intelligence Surveillance Act of 1978：アメリカ）

　インテリジェンス機関の調査権限に対する規制を定めたアメリカの

法律。1978年10月25日、ジミー・カーター大統領が法案に署名し成立。同法成立以前はCIA（中央情報局）やNSA（国家安全保障局）の調査権限に対する規制がほとんどなかったが、これらの組織の権限濫用に対して、フランク・チャーチ議員率いる上院特別委員会（チャーチ委員会）が設置され、調査報告書が出たことが契機となり成立した。

同法の最大の特徴は、インテリジェンス機関の調査活動にも事前の許可を必要とする点である。CIAやNSAが外国のために情報収集をしている疑いのある者を監視する際には、外国諜報監視裁判所（FISC）に令状を申請し、それに基づいて情報収集活動を実施しなければならないが、FISCが令状発行を拒否した例はないに等しい。1981年12月、レーガン大統領は大統領令第12333号に署名し、諜報活動の目的、諜報諸機関の責務、諜報活動の実施が包括的に定められた。

⇒CIA、NSA、FISC、外国諜報監視裁判所

改正軍機保護法（戦前日本）

軍事上の秘密を保護することを目的とした法律。正式には軍機保護法（1937年10月10日施行）。1899年7月15日施行の軍機保護法（旧軍機保護法）を全面改訂して、より適用範囲が広くなった。軍人だけでなく民間人も対象とし、軍事施設などの写生・写真撮影・立ち入りなども規制された。最高刑は死刑。1945年に廃止。旧軍機保護法はわずか8カ条であったが、条文も21カ条に増えている。改正前の本法では「軍事上ノ秘密」の定義が曖昧だったため、改正に伴い第1条で「軍事上ノ秘密」を「作戦、用兵、動員、出師（注：出兵のこと）その他軍事上秘密を要する事項又は図書物件」と定義し、「前項の事項又は図書物件の種類範囲は陸軍大臣又は海軍大臣命令を以って之を定む」と規定した。また軍事上の秘密事項で陸軍大臣および海軍大臣が定めたものすべてを保護の対象としたため、言論統制にも使用された。

軍事秘密（軍機）はその重要度により5段階に区分され、上から「軍機」「軍極秘」「極秘」「秘」「部外秘」に分かれていた。最高刑は死刑。ちなみにリヒャルト・ゾルゲは軍機保護法、国防保安法などの違反で死刑になった。同法案は貴族院に提出されてわずか3カ月で

公布されるという異例のスピード審議となった。満洲事変、1937年7月7日の盧溝橋事件と日中戦争が泥沼化しようとするなか、本法案を早急に成立させる必要があったためとみられた。

⇒ゾルゲ,リヒャルト、国防保安法

蓋然性（probability）

あることが実際に起こるか否かの確実さの度合い、確率。インテリジェンス・プロダクト（作成・成果物）の評価（結論）においては、関係者の認識の統一を図るため、天気予報の降水確率のように「今後○○が起こる可能性（蓋然性）は極めて高い（○〜○％）」といった表現が求められる。アメリカやイギリスのインテリジェンス・コミュニティーでは、起こりそうなことの確率を示すための共通的な用語が規定されているが、日本のインテリジェンス・コミュニティーにおいては、そのような規定は見当たらない（図24参照）。

⇒アメリカのインテリジェンス・コミュニティー、イギリスのインテリジェンス・コミュニティー

almost no chance	very unlikely	unlikely	roughly even chance	likely	very likely	almost certain(ly)
remote	highly Improbable	improbable (improbably)	roughly even odds	probable (probably)	highly probable	nearly certain
ほとんどない	ほとんどありそうにない	ありそうにない	ほぼ五分五分	恐らくありそうな	十分ありそうな	ほぼ確実
1〜5%	5〜20%	20〜45%	45〜55%	55〜80%	80〜95%	95〜99%

出典：米情報コミュニティー指令203（2015年1月2日）

図24 蓋然性を示す表現の一例

解像度（衛星）

偵察衛星や地球観測衛星に載せられたセンサーが、地上の物体をどれくらいの大きさまで判別できるかを表す言葉。分解能、空間分解能もほぼ同義語として使われる。解像度が高いほど、地上の細かい様子を観測するのに優れている。解像度は、mやcmで表され、解像度10mで大きな建物の検出がどうにかでき、1mで建物の種類と車の存在の判別、50cmになると車種をどうにか識別できるとされている。偵察衛星の黎明期は、解像度は10m前後とされていたが、技術の進歩に伴い

解像度は大幅に向上している。

⇒偵察衛星

外務省行政文書管理規則（日本）

特定秘密以外の公表しないこととされている情報が記録された行政文書のうち、秘密保全を要する行政文書の管理のための規則。秘密文書は次の種類に区分し指定。（平成23年4月1日外務省訓令第3号）

①極秘文書：秘密保全の必要が高くその漏洩が国の安全、利益に損害を与えるおそれのある情報を含む行政文書。

②秘密文書：極秘文書のうち、秘密保全の必要が極めて高く、その漏洩が国の安全、利益に著しい損害を与えるおそれのある情報を含む行政文書を機密文書に指定することができる。

③秘文書：極秘文書に次ぐ程度の秘密であって、関係者以外には知らせてはならない情報を含む極秘文書以外の行政文書。

外務省国際情報統括官組織（日本）

外務省の中でもインテリジェンス活動専門の組織で、外務省のインテリジェンス活動についての総合的な計画を全省的、中長期的観点で作成・実施する。外務省の各地域局（アジア、大洋州、北米、中南米、欧州、中東アフリカ）と機能局（経済、国際協力、国際法、領事）も担当分野に関する情報の収集・分析にあたっているが、国際情報統括官組織は、これらの局とは異なる視点で、中長期的または横断的に情報を分析し、総合的な情勢判断を行っている。

国際情報統括官組織は局長級の国際情報統括官の下に参事官、課長級の4人の国際情報官および事務官、専門分析員など約80人で構成。

同組織は4つの国際情報官室に分かれている。第1国際情報官室は情報の収集に関する総括を行うほか、シギントなどの技術情報収集、国際機関に関する情報収集、第2国際情報官室は情報の分析に関する総括および国際テロ、大量破壊兵器の拡散問題などの安全保障問題、第3国際情報官室は東アジア、東南アジア、大洋州、南西アジア、第4国際情報官室は欧州、中央アジア・コーカサス、米州、中東、アフ

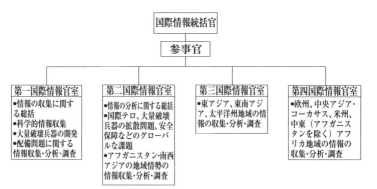

出典:「日本のインテリジェンス体制 変革へのロードマップ」、
2021年の外務省HPでは各室の業務区分は示されていない。

図25 外務省国際情報統括官組織

リカ地域に関する情報の収集・分析・調査を行っている (図25参照)。

2015年12月8日、海外で国際テロリズム関連の情報を収集する外務省の「国際テロ情報収集ユニット」が発足した。同ユニットは総合外交政策局内に設置されたが、情報統括官組織との違いなどは明確にはされていない。

⇒シギント

海陸軍刑律 (戦前日本)

海陸軍に関わる固有の軍事犯罪とその刑罰について規定した法令。1871年制定。第70条において日本で最初に軍事秘密の保護について規定された。第70条「軍機を漏泄 (洩) し、軍情を発露する者、又記号暗号の類を開示し、機密の図書を伝播する者」などは「謀反を以て論す」と規定。その適用範囲は海陸軍の軍人・軍属のみに適用し、国民一般を対象とするものではなかった。

カウンター・インテリジェンス (CI : Counter Intelligence)

国外からのインテリジェンス活動による自国に対する脅威を把握して対策をとること。防諜、対情報の日本語訳をあてることもあるが、

防御的な対策だけでなく、攻撃的な対策も含む。

　秘密情報を管理する、不審者を重要な秘密施設に近づけないなどの受動的活動に加え、ポリグラフなどを用いて相手側スパイを摘発する、我がスパイを相手側に浸透させて敵のスパイ網の実態を解明する、敵側のスパイから寝返った「二重スパイ」を通じて偽情報などを流し、相手側の情報活動を無力化するなどの積極的な活動がある。

　マーク・ローエンタールは、カウンター・インテリジェンスを3つのタイプに区分している。①収集：自国に向けられている敵の情報収集能力に関する情報収集。②防御：自国の機関に侵入しようとする敵のインテリジェンス機関による取り組みの阻止。③攻撃：自国の機関やシステムに対する敵の取り組みを特定した後、敵の工作員を二重スパイに変えたり、あるいは本国に報告する敵の工作員に偽情報を提供したりすることにより、これらの敵の攻撃を操作する努力。

⇒ポリグラフ検査、二重スパイ、ローエンタール,マーク

確証バイアス（confirmation bias）

　個人の先入観に基づいて他者を観察し、自分に都合のいい情報（インフォメーション）だけを集めて、それにより自己の先入観を補強する傾向。分析する際に、自分が信じている仮説に都合のいい情報だけを集め、それを否定するような情報を排除してしまう場合があるため、注意が必要である。バイアスを低減させる1つの方法として分析手法を活用する。

確度、確信（confidence）

　分析の評価を裏付ける情報（インフォメーション）の質や量の程度を表す際、米インテリジェンス機関で使用。高い（high）確度、中程度の（moderate）確度、低い（low）確度に区分して表現される。

●高い確度（確信）：信頼性の高い十分な情報に基づいて出された評価。ただし確度が高いからといって、必ずしも評価が（100％）確実であることを意味するわけではない。

●中程度の確度（確信）：情報が信頼でき妥当だが、裏付けが不十分

な場合。利用可能な情報に複数の解釈が可能な場合につける。

●低い確度（確信）：情報が断片化され、情報源の信頼性が疑わしい条件下での評価を意味する。

　たとえば、2016年の米大統領選挙へのロシアの介入に関する情報評価書（2017.1.6）では「我々は、プーチンとロシア政府はクリントン長官の信用を失墜させ、彼女を不利にすることにより、可能であればトランプ大統領候補の当選チャンスを支援することを熱望していると評価している。この評価に対しCIAとFBIは高い確度を持ち、NSAは中程度の確度を持っている」などである。

　しかし、このような確度付けに関する表現は、分析の評価の解釈に混乱を招く恐れもある。そのためイギリスのインテリジェンス機関などではあえてこの表現を採用しないとされている。

⇒評価、信頼性

隠れ家（セーフハウス：safe house）

　敵の諜報組織や防諜組織に知られておらず、秘密の会合を開いても安全と考えられる家やアパート。連絡場所。アジト。

過剰機密削減法（Reducing Over-Classification Act：アメリカ）

　過剰な機密指定と不適切な情報共有が原因となり、2001年の9.11同時多発テロの情報を掴みながらテロを防げなかったという反省から、過剰な機密をなくすことを目的としてアメリカで制定。2010年10月7日、オバマ大統領が法案に署名し成立。

過小評価／過大評価

　バイアスの1つで、相手をその実力よりも過小または過大に評価すること。2001年の9.11同時多発テロでは、テロリストの能力を過小評価し、アメリカ本土への攻撃を予想できなかった。この過小評価の反動として2003年のイラク戦争では、イラク政府のWMD（大量破壊兵器）の生産能力を過大評価し、のちにカーブボールとして知られる信頼性の低いヒューミントをイラクがWMDの製造を継続しているエビ

デンス（証拠）に使用してしまった。

⇒イラク戦争、カーブボール、ヒューミント、エビデンス

カスタマー（customer）

　顧客。インフォメーションを要求する人。コンシューマー（消費者）またはユーザー（使用者）もほぼ同義語として使用される。

⇒コンシューマー、ユーザー

仮説（hypothesis）

　ある現象を合理的に説明するため、仮に立てる説。それが実験や観察などにより検証されれば、仮説は新たな法則、理論、定説となる。

カットアウト（cutout）

　中間連絡員。組織要員間の接触を秘匿するために使われる第三者。一般的に本人はスパイ活動を行わず、スパイとスパイとの間の連絡を行う要員を指す。安全器ともいう。

⇒安全器

カナリス, ヴィルヘルム・フランツ（Canaris, Wilhelm. Franz 1887〜1945）

　ドイツ海軍軍人。最終階級は大将。アプヴェーア長官（1935〜44年）。第1次世界大戦からドイツ海軍情報部に所属し、ナチス政権時代には新たなインテリジェンス機関であるアプヴェーアの長官として情報活動を指揮した。カナリスが指揮した作戦には、IRA（アイルランド共和軍）の対英テロ、フランシスコ・フランコ将軍（のちのスペイン独裁者）のクーデター、アラブの民族主義者による反英運動の支援などがある。また駐独大使の大島浩と共に日独防共協定を締結に導いた。カナリスとその部下たちは「黒いオーケストラ」呼ばれるドイツ国防軍将校を中心とする反ナチスグループと関わりを持っていた。カナリスは、ユダヤ人の亡命幇助、ドイツの情報を連合国側に流すなどの二重スパイ的な行為をしていた。1945年に反逆の証拠を発見され、絞首刑に処された。

⇒アプヴェーア、大島浩、黒いオーケストラ、二重スパイ

可能性 (possibility)

あることが実現される条件がそれを妨げる条件よりも優勢であると確認されていること。事象が起こるか起こらないかについて表現する場合、たとえばその可能性が1％であっても99％であっても「可能性がある」と表現できる。そのため分析の評価の際には、単に可能性が「ある・なし」ではなく、可能性または蓋然性がどの程度高いか低いかを表すことが求められる。
⇒アセスメント、蓋然性

カバー (cover)

遮蔽。身分欺騙。保護。秘密工作などの情報活動を容易に行うために別の身分になりすますこと。カバーには「オフシャルカバー」と「ノン・オフィシャルカバー（NOC）」の2つがある。ソ連のスパイ用語ではルーフ（屋根）という。
⇒オフィシャルカバー、NOC（ノン・オフィシャルカバー）

カバーストーリー (cover story)

非合法工作員が全く別人に成り代わるために与えられる偽の経歴。外国で怪しまれず生活するために用意される。

カーブボール (Curve Ball)

イラク人亡命者ラフィド・アフメド・アルワンのコードネーム。イラクが大量破壊兵器（WMD）を所有しているというBND（ドイツ連邦情報局）での証言が、のちに国連安全保障理事会においてパウエル米国務長官の演説に用いられた。

BNDの尋問でイラクの秘密兵器の製造工程を語ったされるカーブボールの証言はBNDに実証されないままCIAに渡り、2001年9月11日の同時多発テロ事件以降、その証言は非常に重要なものに変貌し、アメリカのイラク攻撃につながった。

⇒BND、CIA、イラク戦争

カミング、サー・マンスフィールド（Cumming,Sir Mansfield 1859～1923）

イギリス秘密情報部MI6（SIS）の初代長官。1909年、MI6は秘密情報局（Secret Service Bureau）の外国課として創設され、その長として、マンスフィールド・カミング海軍中佐が任命された。カミングは書類の最後に「C」と緑のインクで署名するのが常で、以降、歴代長官も「C」の署名を踏襲している。

1914年10月、カミングは息子と共にフランスで自動車事故に巻き込まれた。カミングの負傷はひどく（足の骨折と足の喪失）、息子は致命的な頭部外傷を負った。しかし、カミングはその後もMI6の長官を務めた。1923年初め病気のため退任、ナイトの称号を授与されたが、数カ月後に死去。

⇒MI6、SIS

カーリー，ロークリン（Currie, Lauchlin 1902～1993）

アメリカの経済学者、高級官僚。カナダ生まれ。第2次世界大戦時のソ連のスパイ。1925年、経済学を通じてハリー・デクスター・ホワイトと知り合い、友人関係になる。ロンドン大学留学後、ハーバード大学で経済学博士号を取得。34年にアメリカ市民権を取得。

モーゲンソー財務長官に招かれて財務省上級分析官に就任。1941年、ルーズヴェルト大統領の経済問題補佐官になると共に中国支援の責任者となる。1941～43年、大統領特使として中国を2回訪問し、蔣介石らと会談。

1949年、エリザベス・ベントリーから告発され、スパイ容疑で米下院非米活動委員会から召喚される。公聴会でソ連スパイ容疑を否定したが、疑惑が深まるなか南米コロンビアへ出国。54年にアメリカ市民権を失い、コロンビア国民として死亡する。95年に公開された「ヴェノナ」文書でソ連のスパイであることが確認された。

⇒ホワイト,ハリー・デクスター、ベントリー,エリザベス、ヴェノナ、非米活動委員会

ガルボ (Garbo 1912〜1988)

本名はファン・プオル・ガルシア。スペイン人。第2次世界大戦で最も活躍したとされる二重スパイ。イギリスの20委員会の下で、ドイツに偽情報を流し続けた。

ガルボは、スペインの独裁者フランコ失脚のため、当初イギリスのインテリジェンス機関に協力することを申し出るが断られ、ドイツのアプヴェーアに雇われ、イギリスに派遣された。ドイツから信用を得るため、架空のスパイ網を作り上げ、偽情報を流し続けた。この一部の偽情報はベルリンの日本大使館武官経由で日本にも流れた。

⇒二重スパイ、20委員会、アプヴェーア

ガルボ，グレタ (Garbo, Greta 1905〜1990)

スウェーデン生まれのハリウッド映画女優。1920年代から30年代末にかけて多くの映画に出演する。『マタ・ハリ』も彼女が主演した映画の1つ。第2次世界大戦時の1941年、人気絶頂期にあった彼女は36歳の若さで銀幕を去り、84歳で死去するまで、謎に包まれた後半生を送った。女性スパイとしてのガルボは、ウィリアム・スティーヴンスンのエージェントとして、原爆開発の理論根拠となる原子構造の研究者であるボーア博士をナチスの手に渡さないよう、デンマークからイギリスに脱出させる作戦に加わった。美術品コレクターとしても知られ、死去した時の総資産額は数百万ドルといわれている。

⇒スティーヴンスン,ウィリアム

カレ，マチルド (Carre, Mathilde 1910〜2007)

フランス、ドイツ、イギリスのために働いた三重スパイ。別名「シロ猫」。第2次世界大戦時、ドイツ占領下のフランスで連合軍のためのスパイ活動に従事。その後ドイツ軍のアプヴェーアに勧誘されて、ドイツのスパイになる。さらにイギリスの特殊作戦執行部隊（SOE）のエージェントに転向し、ドイツ軍の情報を提供する。第2次世界大戦後、カレはイギリスからフランス当局に引き渡され、裁判にかけられ死刑を宣告されたが、その後、終身刑に減刑され、1954年に出所。

⇒アプヴェーア、SOE

カレント分析 (current analysis)

　最近の出来事に関する情報要約および分析。速やかに報告すること
を重視するため、「とりあえず知らせする」といったニュアンスが強
く、見通しは短期的。第一段階の情報分析であり、事態が進展したり
情報が集まるにつれて、より詳細で中長期的な見通しが求められる。

⇒動態分析、トレンド分析

川合貞吉 (かわい・ていきち 1910～1981)

　ゾルゲ諜報団の一員。1928年に上海に渡り、31年春、尾崎秀実と出
会う。その後、リヒャルト・ゾルゲとも知り合い、コミンテルン活動
に従事。41年のゾルゲ事件の検挙では、懲役10年に処せられるが、45
年10月にGHQの特赦により釈放。その後、著述活動を行う一方、GHQ
の参謀第2部（G-2）のエージェントになる。

⇒尾崎秀実、ゾルゲ,リヒャルト、G-2

川上操六 (かわかみ・そうろく 1848～1899)

　明治期の陸軍軍人。薩摩藩出身。「参謀本部創設の父」と呼ば
れ、参謀本部の設立・発展に多大な貢献。日本の情報体制を構築し
た最大の功労者。

　川上は1870年の普仏戦争に桂太郎と共に観戦武官として派遣され
る。84年、川上は桂と共に大山巌陸軍卿（大臣）に伴って欧州に視
察旅行に赴く。陸軍を建設・近代化するには、長州の桂と薩摩の川
上の両大佐が必要であると大山が主張し、大抜擢されたといわれ、
この時、2人は「軍政の桂」「軍令の川上」*になることを誓ったと
される。

　川上は1885年1月にドイツから帰国し、山県有朋参謀本部長の下
で参謀次長（少将）に就任。桂、児玉源太郎と共に、85年にドイツ
から陸軍大学に招聘されたメッケル少佐を顧問にしてドイツ式の兵
制導入に尽力した。

1887年、川上は再びドイツに留学し、乃木希典と共にモルトケに師事。ここで留学中の森林太郎（鴎外）に面会して、クラウゼヴィッツの『戦争論』の翻訳と、その内容を田村怡与造に講義するよう依頼した。88年に帰国し、再び参謀次長に就任。90年に陸軍中将に昇任して日清戦争の開戦に大きく関わった。

　1898年1月、川上（中将）は参謀総長に就任し、第一部長（作戦）に田村怡与造（当時は大佐、のち中将）、第二部長（情報）に福島安正（当時は大佐、のち大将）をあて、近代的な参謀部の組織改革を推進。その一方で、川上は大陸に花田仲之助、石光真清などの諜報員を放った。98年9月、川上は大将に昇任し、日本の軍令を司った。日露戦争開始前の99年5月に激務がたたって死去。

＊軍政：軍隊の編制・維持・管理・教育などに関する軍事行政のこと。明治憲法下では、内閣の省である陸・海軍省が担任した。軍令：軍の命令。軍隊の軍事行動における指揮・統率ないし作戦・用兵のこと。これを統帥ともいう。明治憲法下では、陸・海軍のそれぞれの軍令事項を担任するため、（陸軍）参謀本部と（海軍）軍令部が設けられた。

⇒福島安正、花田仲之助、石光真清

川島浪速（かわしま・なにわ 1866〜1949）

　満蒙独立運動の先駆者。女性スパイとして有名な川島芳子の養父。信濃国（現・長野県）松本生まれ。日清戦争では陸軍通訳として従軍。日露戦争後、北京警務学堂の総監督に就任し、粛親王・善耆（芳子の実父）と親交を深めた。1912年初め、日本の租借地の旅順において、関東都督府より旧ロシア軍官舎の提供を受けて、粛親王および顯㺭（芳子）を数年間にわたり庇護する。こうした縁で、顯㺭は川島の幼女となって川島芳子を名乗るようになった。

⇒川島芳子

川島芳子（かわしま・よしこ 1907〜1948）

　清朝の皇族・第10代善耆の第14王女。本名は愛新覺羅顯㺭。「東洋のマタ・ハリ」「満蒙のジャンヌダルク」の異名で知られる。1915

年、8歳の時に川島浪速の養女となり、日本で教育を受けた。17歳で断髪、男装を始めたところ、奇矯な振る舞いが注目を浴びた。芳子を主人公にした小説『男装の麗人』で有名になった。

　1927年、蒙古族のカンジュルジャップと結婚するが、3年ほどで離婚し、上海へ渡った。同地の駐在武官だった田中隆吉の愛人となり、日本軍スパイとして諜報活動を開始。31年末、関東軍の依頼で溥儀の夫人の婉容（えんよう）を天津から脱出させる工作に関与した。日本敗戦後の45年、国民党政府軍によって北京で捕えられ、売国奴の「漢奸」（かんかん）として、国民党により銃殺刑に処せられた。芳子が銃殺刑に処せられるほどのスパイ活動を行っていたかについては疑問がある。

⇒川島浪速

河原操子（かわはら・みさこ 1875～1945）

　日露戦争時、内蒙古カラチンの宮廷において日本軍の特務活動を支援。1899年に長野県立高等女学校教諭になるも、清国の女子教育を希望し、1900年9月に横浜の在日清国人教育機関「大同学校」の教師となる。02年、上海の務本女学堂（ウーペン）に赴任したのち、カラチンに新設された毓正女学堂（いくせい）の教師として赴任。こうした教育活動とは別にカラチン王府内の親露勢力の動向を探るスパイとしての使命を帯びていた。

監査総監法（Inspector General Act：アメリカ）

　アメリカ連邦政府の主要省庁に監査総監を設置することを定めた法律。1978年制定。監査総監の役割は独立かつ客観的な会計監査、調査、検査で、無駄、不正、濫用の防止、経済性、効果および効率を高めることを目的とする。成立過程の法案や規制を検討し、省庁の長や議会に対し、正確かつ新しい情報を提供する。

監視（surveillance）

　対象の状態や状況の変化を逐次に知るために行う受動的な情報収集活動。多くの場合、監視は長期にわたる。

⇒偵察、観測

観測 (observation)

事象、対象を注意深く見て、変化や成り行きを予測すること。

⇒監視、偵察

間諜

敵を不利に導き、味方を有利にすべく隠密行動を行う者。敵情を探り、依頼主に報告する者。スパイ。『孫子』は間諜を「因間」「内間」「反間」「死間」「生間」に分類している。

⇒五間

力

関連樹木法 (relevant tree method)

1つの目的あるいは理想を達成するために複数の方法が考えられる場合、それらに関連性を持たせて樹木図のように配置し、太い幹から大枝、中枝、小枝、葉へと端末に広がるイメージで分析・評価する手法。アメリカのハウネル社が使用し、巨大技術を基礎から最先端に至るまで細かく体系化するのに優れた手法だったことからアメリカ軍に導入された。一例として、関連樹木法を企業における新型コロナウイルス患者との接触者を削減するための対策を案出するために活用すると図26-1のようになる。

この関連樹木法を活用して、たとえば中国の戦略的意図を樹木を

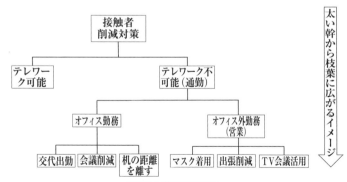

図26-1 樹木関連法
（コロナ禍における企業の接触者削減対策）

図26-2 樹木関連図

出典：『戦略的イン
テリジェンス入門』

模して描くと、図26-2のようになる。大きな幹に中国の国家戦略の目
的を「中華民族の偉大なる復興」とする。その根っこには、中国が
その目的を追求する上で影響・関連性のある原理・原則（安定、不
安定の根）を記述する。そしてそれを支える土壌として関連性のあ
る地理・民族・歴史などの特徴を記述。幹から出ている大きな枝に
は国家戦略の目的を支える目標（政権の強化、社会の安定など）
を、さらに小さい枝には顕在化している中国の動向などを相互の関
連性を考察しながら当てはめていく。

【キ】

議会監督委員会（Parlamentarisches Kontrollgremium：ドイツ）

連邦軍事防諜庁（BAMAD）、連邦憲法擁護庁（BfV）、連邦情報庁
（BND）などのインテリジェンス機関に対し情報開示を求める権
限、インテリジェンス機関職員に事情聴取を行う権限、インテリジ
ェンス機関の事務所への立ち入り権限を有する委員会。調査の対象

や内容は非公開で、委員には秘密保持義務が課される。

⇒BAMAD、BfV、BND、MAD

議会情報安全保障委員会（The Intelligence and Security Committee of Parliament：イギリス）

イギリスで政府の情報や安全保障問題に関する活動を精査または監視することを目的に、1994年、インテリジェンス機関法第10条に基づき設置。対象機関に対して情報開示を強制する権限が与えられている。

キークエスチョン（key question）

インテリジェンス・プロダクト（成果物）を作成する際に立案する最重要の問い。カスタマー（顧客）の要求は「○○について知りたい。△△はどうなっているか？」といった大まかなことが多いが、要求に的確に応えるには、カスタマーが本当は何を知りたいかを察知することが重要である。プロダクト作成にあたって情報分析官は、カスタマーの意図を確認（または推測）し、キークエスチョンを立案しなければ適切にニーズに応えることはできない。

⇒カスタマー

岸田吟香（きしだ・ぎんこう 1833〜1905）

新聞記者。教育家。美作国（現・岡山県）に岸田家の長男として生まれる。17歳で江戸の林図書頭の塾に入塾し、師の代講で水戸藩主、秋田藩主に進講し、藤田東湖や大橋訥庵とも知己を得た。その後、西洋文明を知るために英語を学び、西洋の新聞の翻訳などを行った。

1866年9月、ヘボン博士と共に上海に赴いて在留2年、海外の事情に通暁。74年に発刊された東京日々新聞社に入社して主筆となる。77年に同社を退社。銀座に薬屋楽善堂を開き、78年上海に支店を設け、薬の販売と書籍の出版に従事する。当時、西欧諸国が清国の利権を求め策謀するのを見て、清国で活躍する青年を育成しようと志す。荒尾清が渡航したのを機にその活動を後援した。

⇒荒尾清

ギゼヴィウス, ハンス・ベルント（Gisevius, Hans Bernd 1904〜1974）

ドイツ人外交官。アレン・ダレスが最も信頼したエージェント。第2次世界大戦中、カナリスの指示を受け、スイスでヒトラーの動向に関する情報をダレスに提供。ヒトラー暗殺のためドイツに帰国するが、1944年7月のヒトラー暗殺未遂事件に関与してゲシュタポに追跡されるも、ダレスの助けによりスイスに脱出。ダレスの愛人であるメアリー・バンクロフトとも交際する。

⇒カナリス、ダレス,アレン,バンクロフト,メアリー

基礎的インテリジェンス（basic intelligence）

インテリジェンス機関が分析を行う上で基本的かつ定期的に収集し、まとめておくべき情報。インテリジェンス機関によって作成される外国についての地理、政治、経済、外交、軍事、文化などについて基礎的な事項を取りまとめた百科事典的な参照文献（文書）そのものを指す場合もある。アメリカのインテリジェンス・コミュニティーでは、CIAのワールドファクトブックがよく知られている。

⇒アメリカのインテリジェンス・コミュニティー、ワールドファクトブック

北朝鮮のインテリジェンス機関

北朝鮮のインテリジェンス機関は、朝鮮労働党中央委員会隷下の組織と国務委員会隷下の組織に分かれている。中央委員会隷下のインテリジェンス機関は統一戦線部のみであり、海外の朝鮮人同胞（朝鮮総連、在中総連など）および韓国左翼勢力の指導などを担当していると見られる。国務委員会の隷下には、人民武力部省、人民保安省（警察）、国家安全保衛衛省（秘密警察）の3つの主要組織がある。人民武力省は朝鮮人民軍の指導組織であり、隷下には総政治局、総参謀部、偵察総局があり、それぞれ関連の情報工作を指導している。形式上は人民武力部が各部および各局の上位に位置しているが、総政治局長や総参謀部長の序列の方が人民武力部長よりも上位であり、実質的には人民武力省が総政治局などを指導・監督しているわけではない。

朝鮮戦争後、北朝鮮インテリジェンス機関は対南工作の準備および

軍事科学技術の獲得などを目的に情報工作を展開した。その中で朝鮮労働党と朝鮮人民軍、国家秘密警察にそれぞれ隷属するインテリジェンス機関が発達した。2009年以前は朝鮮労働党の隷下には、作戦部、対外連絡部、35号室および統一戦線部という4つのインテリジェンス機関があった。しかし、09年以降、作戦部は軍の参謀部偵察局と統合され、人民武力省隷下の偵察総局に発展解消したとみられる。

キドン（バヨネット）

イスラエルのISIS（モサド）の暗殺専門部隊。組織の詳細は不明。キドンは「槍」という意味。
⇒ISIS

帰納法（inductive reasoning）

様々な事実や類似の事例を基に一般的法則や原理を導き出す推論法。演繹法の対義語で、帰納的推論ともいう。重要なのは多くの事例に共通するものをまとめることで、聞く者を論理的に納得させること。
⇒アブダクション、演繹法

機微な情報（SCI：Sensitive Compartmented Information）

個人の思想・信条や国家機密などきわめて慎重に取り使うべき情報。また情報の入手方法などが通常とは異なり、情報源の秘匿など、特に取り扱いに注意が必要な場合、この表現を用いることがある。

ギブアンドテイク（give & take）

対等な交換条件。インテリジェンス機関が互いに重要な情報を交換する際の原則。

欺瞞、欺騙（deception）

事実を操作し、歪め、あるいは偽造することで敵に誤った認識を抱かせる手法。欺瞞も欺騙も明確な意味の違いはないが、欺瞞の方が一般的な場面で幅広く使用され、欺騙は軍事作戦おいて敵側に誤った認

識を与えるという場面で使用されることが多い。
⇒欺瞞行動

欺瞞行動

　真の作戦を容易にするため、自らの行動、配置、能力などを誤認させて敵を陥れる作戦行動。欺瞞行動の手段には、陽動、通信・電子欺騙、偽情報、奇計などがある。

機密区画情報施設（SCIF：Sensitive Compartmented Information Facilities）

　秘匿性の高い機微な取り扱いを要する資料が保管・使用されている建物、施設。またそれらの一部の立ち入り制限区域。

　アメリカでは、SCIF（スキッフ）には窓がなく、壁、床、天井は特殊な素材でできており、隣接する建物に設置された盗聴器による傍受も妨げる構造になっている。

機密区分（アメリカ）

　アメリカにおける機密区分は、機密（top secret）、極秘（secret）、秘（confidential）の３段階で、それぞれのレベルに応じた機密保全対策がとられている。この区分は1950年２月にトルーマン大統領による行政命令10104号により定められ、現在も使われている。

　「機密」は国家安全保障に極めて重大な損害をもたらす恐れがあるもの。「極秘」は国家安全保障に重大な損害をもたらす恐れがあるもの。「秘」は国家安全保障に損害をもたらす恐れがあるものとされている。機密に指定された文書は指定された期日が来た時や公開の条件が揃った時は自動機密解除の制度が設けられている。基本的には10年未満、10年、25年以下に区分されている。国益を守る観点から例外として解除されない場合もある。

機密情報保護に関する大統領令（Executive Order 13587：アメリカ）

　正式名称は「機密ネットワークの安全および機密情報の責任ある共有・防護の改善のための構造改革」大統領令第13587号。2011年10月

7日成立。10年のウィキリークスへの機密情報流失事件に対する再発防止策であり、全7条で構成されている。
⇒ウィキリークス

金賢姫（キム・ヒョンヒ 1963〜）

朝鮮労働党中央委員会調査部に所属した女性スパイ。1987年10月、蜂谷真由美の偽名で、金勝一（日本名：蜂谷真一）と共に大韓航空機爆破テロを起こす。平壌外国語大学日本語科に在籍中にスパイ（工作員）として徴募される。李恩恵と呼ばれる日本人拉致被害者の田口八重子から日本語や日本文化の教育を受けた。テロ事件後、韓国に移送、死刑判決を下されたが、政治的配慮から特赦される。97年に韓国の国家安全企画部（現・国家情報院）部員と結婚し、その後、出産。現在は韓国に在住。91年に自伝『いま、女として─金賢姫全告白（上下）』を発表。2010年に来日。
⇒国家安全企画部

逆流（情報の逆流）

二次情報の正確性や信憑性などを検証するため、その元となった人的情報源に確認すること。情報の出所を確認することは、情報業務上、極めて重要であるが、情報源が人である場合は慎重を要する。情報源である人物を危険に陥れたり、信頼関係が壊れたりして、以降の情報提供に支障をきたす恐れがある。したがって通常、逆流行為はせず、別の情報源によってクロスチェックする。
⇒クロスチェック

キャッチャー（catcher）

捕手。支援（バックストッピング）を意味する。職員やエージェントが行動中に身許証明を求められるような場合に備えて、あらかじめ用意しておく証明書類や身分偽装用の物品など。CIA用語。
⇒スパイ・キャッチャー

キャノン機関 (Canon Unit)

第2次世界大戦後の1949年、GHQの情報部門「G-2」のトップであるチャールズ・ウィロビー米陸軍少将がジャック・キャノン少佐を長として組織した秘密情報組織。本郷の旧岩崎邸に本部を構えたことから、岩崎機関、本郷機関、Z機関とも呼称される。二世将校16人を含む計26人が正式の機関員であったとの情報もある。当時、朝鮮半島の緊張が高まり、主に日本の共産主義勢力の弱体化、中国共産党やソ連共産党に対する諜報および防諜活動を目的としたとされる。

1951年11月、プロレタリア小説家の鹿地亘（かじわたる）が米軍兵士数人に拉致され、尋問を受け、アメリカのスパイになることを強要された（鹿地事件）。しかし、52年4月にサンフランシスコ講和条約が発効したことなどを受け、同年12月、鹿地は解放された。鹿地は自分を拘束した米軍の機関がキャノン機関であることを告発し、拘束の状況について語った。作家の松本清張は、国鉄総裁だった下山定則の不審死（下山事件）など、多くの事件がキャノン機関と関係があったと書いているが、詳細は不明。キャノン機関は52年1月に本郷ハウスを撤収し、その極秘活動はCIAに引き継がれたとの情報もある。

ジャック・キャノンはアメリカに帰国後、一時CIAに身を置いた。キャノン機関の副機関長であった二世将校のビクター松井はCIAの正式職員となり、世界各地のCIA支局長を歴任した。

⇒G-2、CIA

キューバ危機 (Cuban Crisis, Cuban Missile Crisis)

1962年10月22日、ケネディ米大統領は、キューバでソ連がミサイル基地を建設し、核ミサイルを配備しようとしているとして海上封鎖を発表、両国が直接衝突する危険が高まったが、直前に回避された一連の事案。

1962年10月14日、アメリカ空軍のU-2偵察機がキューバ上空で撮影（この任務のコードネームは「ブルームーン」）した写真により、ソ連によるミサイル基地が建設進行中であることが判明した。これが完成すれば核兵器によるアメリカ本土攻撃が可能となる。ケネディ大

統領は22日夜、テレビ演説を行い、攻撃的兵器がキューバに運び込まれるのを防ぐため、キューバ周辺海域を海上封鎖すると宣言した。ソ連はすでに機材と武器を積んだ艦船をキューバに向かわせていたので、アメリカの海上封鎖を突破しようとすれば米ソ間の直接衝突となり、それがエスカレートして核戦争となる危機が迫った。両国首脳は水面下で交渉を重ね、ソ連のフルシチョフ首相は、アメリカがキューバに侵攻しないことを条件にミサイル基地を撤去すると伝え、10月27日に合意が成立。ソ連艦隊は引き返し、危機は回避された。

　一般にキューバ危機はその対応が成功した事例として語られることが多いが、インテリジェンスの観点からは失敗と成功の両面がある。当時、ジョン・マコーンCIA長官を除く、すべての分析担当者は、フルシチョフ首相がキューバにミサイルを配備するほど大胆かつ軽率ではないと主張していた。さらに現地のソ連軍司令官はモスクワに照会することなく核兵器を使用する権限を与えられていないと分析していた。しかし、ソ連崩壊後、これらの分析が間違っていたことがソ連時代の記録文書の開示によって明らかになった。

　成功例としては、アメリカのスパイであったGRU（ソ連軍参謀本部情報総局）のオレグ・ペンコフスキー大佐がもたらした情報とU-2偵察機による画像情報をうまく統合できたことである。それによりアメリカのインテリジェンス機関はキューバ国内でミサイル基地が完成する前に発見でき、ケネディ大統領にソ連の戦略的兵器と通常兵器の能力に関する正確な評価を提供したことで、大統領が困難な決断を下せたとされる。

⇒CIA、OSS、GRU、ペンコフスキー,オレグ

脅威（threat）

　（威力・実力などで）脅かされること、それによって感じる心理状態。安全保障および軍事上の観点から「敵および潜在的な敵」という意味もあり、侵略行動を行う国家（客体）の存在などを意識した概念。脅威は一般的に意図と能力から構成される。

⇒意図、能力

脅威インテリジェンス（threat intelligence）

狭義にはマルウェアの分析などを通じて攻撃の類似性から攻撃者グループを特定する活動。広義には攻撃者の意図や能力、情勢を分析して、起こりうるサイバー攻撃を予測し、先行した対策を行うための情報活動およびこれら情報活動から蓄積された情報。

⇒インテリジェンス

共通鍵暗号（common key cryptosystem）

暗号化する際の鍵と、復号化する際の鍵が同一の暗号。平文から暗号文にする際に使用する暗号鍵と、暗号文から平文にする際に使用する復号鍵を同一のものにするのが共通鍵暗号である。共通鍵暗号は処理が比較的単純で、公開鍵と比較して高速で暗号化と復号化ができることが特徴。一方で共通鍵を第三者が入手した場合、容易に復号化できてしまう欠点もある。

⇒平文、暗号文

極東商会等ココム違反事件

株式会社極東商会が中国儀機進出公司等とココム規制対象品であるサンプリング・オシロスコープの輸出契約を行った事件。1985年6月頃から86年11月までに8回、通商産業大臣の承認と税関長の許可なく、旅客機で出国する社員の託送品として、規制対象品を中国に不正輸出した事件。

⇒東芝機械ココム事件

居住工作員

対象国内に職業をもって定住し、情報収集その他、各種任務を遂行する工作員の総称。

競合仮説分析（ACH：Analysis of Competing Hypotheses）

情報分析の手法の1つ。競合する仮説を立て、入手したエビデンス（証拠）と突き合わせて、各仮説との整合性を検討する。エビデンス

と整合しないものが多い仮説を減らし、整合しないものが少ない仮説に絞り込む。この分析手法は、バイアスを軽減することを最大の目的としている。一般的には次の8つの手順からなる。

①仮説を列挙：グループによるブレインストーミングなどにより、考えられる仮説を漏れなく列挙する。次に分析を複雑にしないため、結論が異なると思われる特徴的な3～4つの仮説に絞り込む。

②重要なエビデンスのリストを作成：各仮説を評価できるような関連性のある重要なエビデンスのリストを作成する。

③仮説の判定に影響するエビデンスを評価：仮説（横軸に記入）とエビデンス（縦軸に記入）からなるマトリックスを作成。各エビデンスをそれぞれの仮説に照らして、評価結果を記入していく。

④マトリックスを精査：仮説を整理・統合したり、別の仮説を付加したりして再検討する。すべての仮説に整合する、または整合しないエビデンスは削除する。

⑤暫定的結論を案出：精査したマトリックスに基づいて、現時点での「暫定的な結論」を出す。エビデンスが整合しない数が最も少ないものが「最もありそうな仮説」である（図27参照）。

⑥最もありそうなエビデンスを再検討する：「暫定的な結論」が依拠している「最もありそうなエビデンス」を明らかにし、それを「偽情

	仮説1	仮説2	仮説3	仮説4	備　考
証拠1	I	I	C	C	
証拠2	I	C	C	I	
証拠3	+	+	+	+	削　除
証拠4	I	C	N	C	
証拠5	C	I	I	C	
証拠6	C	C	C	C	削　除
証拠7	N	I	C	C	
証拠8	C	I	C	I	
Iの数	3	4	1	2	仮説3が暫定的結論

整合：C（Consistent）、不整合：I（Inconsistent）、いずれとも言えない：N（Neutral）

図27 競合仮説分析（ACH）

報や誤情報ではないか？」「異なる解釈ができないか？」などの観点から再検討する。もし仮説を変更する必要があれば、最初に戻って考え直す。

⑦結論を報告：検討したすべての仮説について報告する。この時、最もありそうな仮説だけでなく、相対的にありそうな仮説、ありそうにはないが起こった時に影響が大きい仮説なども報告する。

⑧将来の観測のための指標・兆候を特定：観測に必要な指標・兆候を特定し、リストを作成する。

⇒エビデンス、ブレインストーミング、マトリックス分析

ギヨーム，ギュンター（Guillaume, Gunter 1927～1995）

　東西冷戦期に西ドイツで活動した東ドイツのスパイ。東ドイツ国家保安省（MfS）大尉。西ドイツのブラント首相補佐官となり、西ドイツの東方政策の意図などを東ドイツに報告していた。

　1956年、東ドイツの政治亡命者として西ドイツに偽装亡命。以後フランクフルトの社会民主党（SPD）に入党する。真面目な働きぶりが認められてSPD支部役員、次いで議員秘書、西ドイツ総理府勤務、SPD政権の官房長などを歴任。72年にブラント首相の個人秘書となり、74年、正式に首相補佐官に就任する。

　この間、NATO関係の機密など多数の情報を入手。1973年頃から西ドイツ防諜機関はギヨームに疑惑を持ち始め、同年11月、ブラント首相が休暇でギヨームを含む3人の個人秘書夫妻と共にコートジボアール滞在時にフランス防諜機関の国土監視局（DST）に監視を依頼。74年4月、西ドイツ連邦検察局は彼と妻クリステルを逮捕。ブラント首相は責任をとって辞任。ギヨームは国家反逆罪で禁固13年、妻のクリステルも禁固8年の実刑判決を受けた。

⇒MfS

キーラー，クリスティーン（Keeler, Christine 1942～2017）

　イギリスのヌードモデルおよびコールガール。ハロルド・マクミラン政権のジョン・プロヒューモ陸軍大臣と性的関係を結ぶ一方で、駐

英ソ連海軍武官のイワノフとも性的関係を結んでいた。イギリスの重要な情報が彼女を通じてソ連側に漏洩したとされる事件に発展し、マクミラン首相の引責辞任につながった（プロヒューモ事件）。

ギル，イェフダ（Gil, Yehuda）

モサド（イスラエル）の工作員。1930年代にリビアで生まれ、スペイン語、イタリア語、フランス語、アラビア語など複数の言語に通じ、70年、モサドに採用される。その語学力を活かしてスパイとなり「千の顔を持つ男」と呼ばれた。

1972年のミュンヘン・オリンピックにおけるテログループ「ブラックセプテンバー」のメンバーを追い詰めて処刑した工作員の1人。81年にイスラエル空軍によって破壊されたイラクの核施設に関する情報も収集した。さらにスーダンにインテリジェンス・ネットワークの基盤を築き、7,000人のエチオピアのユダヤ人をイスラエルに移送した84～85年の「モーセ作戦（Operation Moses）」でも重要な役割を果たした。

1996年9月1日早朝、イスラエル国防軍は、シリアのハーフィズ・アサド大統領がイスラエルに奇襲攻撃を企図しているとする最高機密の情報に基づき、シリア国境に軍を移動させた。ギルによれば情報提供者は、シリア最高軍事評議会の中心にいるコードネーム「レッド・ファルコン」という将軍だとされた。しかし、ギルは20年以上もアラブ側と緊密なパイプを維持しているように装っていただけで、その報告も虚偽であることが発覚。イスラエルを戦争の危機に陥れようとしたとして逮捕された。99年3月24日、ギルは秘密裁判により有罪となったものの刑期は短縮され、2000年12月に釈放された。
⇒ISIS

キーロガー（keylogger）

コンピュータで使われるキーボードの入力履歴を記録または外部に送信するコンピュータプログラム。キーロガー自体は不正なプログラムではなく、ユーザーが自分自身のキー入力履歴を参照するため自ら導入する場合には問題にならない。だが、その特性からコンピュータ

のキー情報を不正入手する手段として使用されることも多い。

キーロガーはコンピュータへのキー入力を記録するため、パスワードや個人情報の流出につながる恐れがある。情報窃取のためのキーロガーはマルウェアと見なされるが、正規のソフトウェアと抱き合わせで導入されることもあり、ユーザーの意図に反してキーロガーがインストールされる恐れがある。

⇒RAT、マルウェア

キーワード分析（Keyword analysis）

対象とする文書や会話など「言語データ」に含まれるキーワードの頻出回数を定量化し分析する手法。キーワードとは、特定の文章における単語の中から一般的な語彙リストと比較した際に全体の文脈から特に重要な意味を持っていると判断され、かつ使用頻度が多い単語をいう。分析対象の傾向や発言者の意図を把握する際に用いられる。

金盾工程（きんじゅんこうてい）

中国本土で稼働している中国政府が運営するインターネット検閲システム。グレートファイアウォール（great firewall）とも呼ばれる国家規模のファイアウォールシステム。中国国内および国外とのインターネット通信を監視し、特定の用語を用いた検索の制限や、中国政府が禁止する海外のウェブサイトとの接続を禁止する機能を有する。

⇒ファイアウォール

【ク】

クーシネン，アイノ （Kuusinen, Aino 1886〜1970）

　ソ連GRUに所属した女性スパイ。フィンランド生まれ。1919年に
コミンテルン幹部のオットー・クーシネンとの結婚により共産主義
活動に参加。第2次世界大戦前に2度来日し、親日家のスウェーデ
ン貴族の著述家に扮し、「エリザベート・ハンソン」の偽名で、日本
の上流社会に溶け込んだ。秩父宮殿下とも何度か会い、皇室の園遊会
にも参加して、皇室情報を入手した。リヒャルト・ゾルゲと特別の関
係にあったといわれている。戦後、モスクワへ戻って逮捕され、強制
労働収容所収監と釈放を繰り返した。スターリンの死去（53年3月）
後、55年に名誉回復がなされ、65年にフィンランドへ帰国。
⇒GRU、ゾルゲ,リヒャルト

グーゼンコ、イーゴリ・セルゲイヴィッチ （Gouzenko,Igor.Sergeievitch 1919〜1982）

　駐カナダソ連大使館の暗号通信員。1945年9月にカナダへ亡命（当
時GRU中尉）。この亡命事件により、「マンハッタン計画」に関わるソ
連のスパイ活動の全貌が明らかになった。グーゼンコは亡命の際にソ
連の内部情報をコピーしてカナダ政府に提供。その中にはアメリカ、
イギリス、カナダの政府高官にソ連のスパイがいることや、アメリカ
の原子力開発の秘密情報をソ連のインテリジェンス機関が収集してい
た事実などが含まれていた。グーゼンコの証言からイギリスの核物理
学者クラウス・フィクスとアラン・ナン・メイがソ連側のスパイであ
ったことが判明した。46年3月、カナダ政府が亡命の事実を公表。
⇒GRU

クチンスキー，ウルスラ （Kuczynski, Ursula 1907〜2000）

　第2次世界大戦中、最も成功したとされるソ連の女性スパイ。ユダ
ヤ系ドイツ人。筆名ルース・ヴェルナーの作家としても知られる。兄
は共産主義者のユルゲン・クチンスキー。1926年に18歳で共産党に入

党。29年、ソ連赤軍参謀本部情報局のルドルフ・ハンブルガーと結婚。30年代、上海ではリヒャルト・ゾルゲの助手として、スパイ活動の基礎を学ぶ。コードネーム「ソニア」もゾルゲが与えた。

1938年、「赤いオーケストラ」の一員として、スイスに派遣され、ここでアラン・フート、のちに夫となるイギリス人のレン・ブリュアなどを率いて、ナチスに関する情報収集に従事。40年2月、ルドルフ・ハンブルガーと離婚して、ブリュアと結婚してスイスからロンドンに移住。イギリスでは「マンハッタン計画」に参加するクラウス・フックスを運用し、原爆に関する情報を入手。戦後は東ドイツに移住して作家として過ごした。

⇒クチンスキー,ユルゲン、ゾルゲ,リヒャルト、赤いオーケストラ、フックス,クラウス

クチンスキー, ユルゲン（Kuczynski, Jurgen 1904〜1997）

イギリスで活動したソ連スパイ。ウルスラ・クチンスキーの実兄。1930年に共産党に入党。その後、GRUに勧誘されスパイになる。第2次世界大戦前に難民としてイギリスに移住し、イギリス共産党との関係を築く。妹のウルスラ・クチンスキーにクラウス・フックスを紹介した。

⇒クチンスキー,ウルスラ、GRU、フックス,クラウス

クッキー（cookie）

ウェブサイトを閲覧した際にブラウザにおいて保存されるユーザーのアクセス情報。クッキーは一度閲覧したサイトの入力情報などを記憶して再度そのサイトを開いた際には自動的にIDやパスワードを入力するといった機能を持つ。クッキーを利用することで、ウェブサイトを開く時間や入力を短縮することができるが、セキュリティに関わる情報がクッキーに含まれることも意味する。何らかの悪意のある攻撃によって本来他者が参照できないはずのクッキーが流出することも考えられるため、定期的にクッキーを削除するか、場合によってはクッキーの保存を拒否する設定を行う必要もある。

クッキング（cooking）

特定の政治的な見方や政治的目的のために情報分析をねじ曲げて利用すること。1990年代初期にスパイ用語として使われ、もともとの意味は「帳簿をごまかす（cooking the books）」こと。

クラウゼヴィッツ，カール・フォン（Carl,von, Clausewitz 1780～1831）

プロイセン王国の軍人で軍事学者。最終階級は少将。ナポレオン軍との戦いにプロイセン軍の将校として参加し、シャルンホルスト将軍およびグナイゼナウ将軍に師事。戦後は研究と著述に専念。『戦争論』は1832年、彼の死後に発表された。

クラウゼヴィッツの思想は後世に大きな影響を与えた。日本には、プロシアに留学した参謀本部将校がヘルムート・フォン・モルトケから直接、または陸軍大学校で教鞭をとったメッケル少佐を通じて、その思想が流入した。

日清日露戦争を主導した川上操六や田村怡与造はドイツでクラウゼヴィッツの思想を学んだ。日露戦争で作戦指揮をとった児玉源太郎は陸軍大学の校長でありながら、メッケルの授業に参加した。クラウゼヴィッツの『戦争論』は日本が日露戦争で勝利できた要因の1つとみられる。

『孫子』は情報を肯定的に捉えているが、『戦争論』は情報の価値を否定的にとらえていたとの指摘がある。これは、クラウゼヴィッツによる「戦争で入手される情報、その多くの部分は誤っている」、「人間の恐怖心が虚偽の助長に新たな力を貸す」などの発言が根拠になっている。

ただし、上記のクラウゼヴィッツが述べる情報は、戦場における作戦インテリジェスに関するものである。作戦や戦闘場面では戦況は目まぐるしく推移し、十分かつ正確な情報を獲得できない場合が多々ある。この意味でクラウゼヴィッツの指摘は正しい。つまり、作戦インテリジェンスが不十分であっても、戦機を逃すことなく作戦、戦術を決定することは合理的である。これは、決して情報を否定しているわけではない。

他方、『戦争論』では「戦争とは他の手段をもって行う政治の継続である。戦争は政治の表現である。政治が軍事よりも優先し、政治を軍事に従属させるのは不合理である。政治は知性であり、戦争はその手段である。戦争の大綱は常に政府によって、軍事機構によるのではなく決定されるべきである」と述べている。つまり、軍事や戦争を政治的な大局から、知性でもってみることを主張している。戦略インテリジェンスとは、軍事や戦争の実行の可否を大局的な知性から判断するという意味もあり、むしろクラウゼヴィッツは戦略レベルのインテリジェンスを肯定的に捉えていると解釈できる。

⇒孫子、川上操六、

クラウゼン，マックス（Klausen, Max 1899〜1979）

ドイツのスパイ。ソ連赤軍第4部所属。1935年にゾルゲ・スパイグループに加わるために来日。東京都内で青写真複写機製造会社を経営しながら、モスクワへの無線通信を担当。41年10月に終身刑を受けるも、45年10月に釈放。

⇒ゾルゲ,リヒャルト

クラウドコンピューティング（cloud computing）

「インターネット上の仮想基盤」を意味する言葉。データを蓄積・保存・運用などするためにパソコンやスマホなどの端末ではなく、インターネット上に存在する仮想空間（サーバー）を利用すること。組織のデータを利用して分析し、傾向や情報を取得する、予測の立案や改善をするなどができる。

クラッキング（cracking）

不正な手段でコンピュータシステムへの侵入やデータの改竄、または破壊する行為。語源はセキュリティを「割って（crack）入る」に由来する。一般的には「ハッキング」がこのような意味で使われることが多いが、ハッキングには本来悪意のある行為という意味はなく、悪意のある行為にはこのクラッキングが該当する。

⇒ハッキング

クリヴィツキー，ウォルター（Krivitsky, Walter 1899〜1941）

ソ連の上級情報官として初めて西側に亡命した人物。イグナス・ライスの親友で同僚。ポーランド生まれ。1920年からソ連赤軍情報部に勤務しソ連・フィンランド戦争に従軍。23年頃から、スパイ活動に従事。34年にNKVDに移籍するが、引き続き海外における軍事情報収集を継続。35年からハーグ機関長として対ドイツ情報活動に従事。37年5月にモスクワに帰国後、再びハーグ戻ったところ、同年9月のイグナス・ライスの暗殺とモスクワ召喚に危険を察知し、亡命を決断。パリに脱出し、38年11月にアメリカに亡命後、英米のインテリジェンス機関に協力。1939年には週刊誌『サタデー・イブニング・ポスト』に回想録を連載し、スターリン粛清の内実を告発。39年に訪英し、イギリス政府にソ連の内通者が浸透していることを証言した。この証言を精査するとキム・フィルビーにつながった可能性があるが、当時、フィルビーの正体が突き止められることはなかった。

1941年2月、ワシントンのホテルの部屋で射殺されているのが発見された。3通の遺書が残されており、警察は自殺と断定したが、ソ連による暗殺が濃厚とみられる。
⇒NKVD、フィルビー,キム、ライス,イグナス

クリティカルインテリジェンス（critical intelligence）

重大な情報。通常の系統ではなく国家の意思決定者に直接かつ高い優先順位で伝えられるような安全保障に関して緊急を要し重要度の高い情報。たとえばアメリカでは次のようなものが含まれるとされる。敵対行為勃発の強い兆候（敵の攻撃の予告など）、友好国に対するあらゆる攻撃、核・生物・化学兵器の使用およびその兆候、敵対国において核使用の計画に変更をもたらすような重大事件など。

クライアンティズム（cliantism）

顧客一体化。相手方過信症。長期間、分析官が分析対象国などの研

155

究や分析に没頭し過ぎると、対象国に愛着や同情が生まれ、批判的・客観的視点で問題を捉えられなくなる傾向。

クーリエ (courier)

「外交伝書使」が転じてスパイ用語では連絡員のこと。本国と現地スパイ網の間を往復して指令や文書などを運ぶことが任務。スパイの活動内容は連絡員のレベルなどに応じて知らされない場合と知らされる場合がある。

外交伝書使とは、外交官業務の一環で、外交文書を本国と在外大使館・公使館などの間、あるいは大使館・公使館相互間などで運搬する業務およびその従事者。外交文書には機密文書も多く含まれることから、運搬業務にあたっては厳重に封印が施され、「DIPLOMAT（外交官）」の文字が印刷された機内持ち込み可能な「外交行嚢」を用いる。
⇒外交行嚢

グレー・プロパガンダ (gray propaganda)

灰色宣伝。情報の正確さが不確かな宣伝。一般的には、情報の発信元は公然かつ明確であるが、一定の宣伝目的を達成するように情報の不都合な部分を隠して都合のいい部分のみを拡散させる手法をいう。
⇒ブラック・プロパガンダ、ホワイト・プロパガンダ

黒いオーケストラ (Schwarze Kapelle)

ドイツ国防軍将校を中心とする反ナチスグループ。「赤いオーケストラ」に対し、ゲシュタポや親衛隊情報部（SS）が反ナチスグループのことをそう呼んだ。同グループはヒトラーを排除してナチス体制を打倒し、英米連合軍との和平によりドイツを破壊から救おうとしたが、英米側は本気では相手にしなかった。ドイツのアプヴェーア長官のカナリスはそのメンバーの一員とみられていた。
⇒赤いオーケストラ、ゲシュタポ、アプヴェーア、カナリス,ヴィルヘルム・フランツ

クロスインパクト・マトリックス（cross impact matrix）

　特定の分析に関係する変数の一覧表を作成し、それらがどのように相互に影響し合うかを評価する手法。プロダクト作成の初期段階で、複雑な状況を理解する際に有益である。

　クロスインパクト・マトリックスの原型はクロスインパクト分析にある。クロスインパクト分析は1960年代にセオドア・ゴードンとオラフ・ヘルマーによって開発された未来予測分析法の一種。様々な事象間の関係がその結果としての事象や事案にどのように影響するかを考察し、将来の不確実性を低減させるのに役立つ。

　CIAは1960年代後半から70年代初頭にかけてこの分析方法を用いて、様々な変数が将来の決定にどのように影響するかを予測した。その手順は次のとおり。

①情勢に影響を及ぼしそうな変数を書き出す。変数とはそれが変更された時に情勢に何らかの影響を与える要因、事象、活動、力、環境、政治的状況などを含む。

②マトリックスを作成する。行列の左側の列および上部に変数を記入する（図28参照）。

③左側の列の上部にある変数と上部の行の各変数とを比較し、変数のペアごとに「列の変数の変更が行の変数にどの程度影響するか」を考え、ボックス内に一方の変数が他方にどの程度影響するかを書き留める。

	変数1	変数2	変数3	変数4	変数5
変数1		+	**+**	**—**	
変数2	+		–	–	+
変数3	**+**	–		+	
変数4	**—**		+		
変数5		+			

凡例		
+	強い影響
+	影響あり
	中立
–	影響なし
—	全く影響なし

図28 クロスインパクト・マトリックス

④このプロセスを繰り返し、行列の各ボックスにプラスまたはマイナ
スを入力する。「強い影響」（太字の＋）、「影響あり」（＋）、「中
立」は空白、「影響なし」（−）、「全く影響なし」（太字の−）を入
力する。
⑤クロスインパクト・マトリックスを参照しながら、すべての変数間
の因果関係と、それらがシステム全体としてどのように相互作用する
かを判断し、変数が将来の結果にどのように影響するかを考察する。
⑥上記の考察を基にシナリオ分析などにつなげていく。
⇒CIA、シナリオ分析

クロスチェック（cross check）

　ある情報源から何らかのインフォメーションが得られた場合、その
正確性を検証するため、ほかの情報源からのインフォメーションによ
り裏付けをとること。
⇒逆流

クロノロジー（chronology）分析

　生起した事象を時系列的に並べてクロノロジー（年表、年代順配
列）を作成し、そこから相関関係や因果関係を探るもの。
⇒タイムライン分析

軍機保護法（日本）
⇒改正軍機保護法

軍事施設保護法（軍事設施保護法：中国）

　軍事施設の安全保護、施設の使用効果と軍事活動の正常な遂行の保
証、国防近代化の推進を目的とする中国の法律。1990年制定。内外情
勢の変化、軍備および軍事活動における情報化など、軍事施設をめぐ
る環境の変化に適応するため、2014年６月に改正。軍事施設保護区域
として、「軍事禁区」、「軍事管理区」、その他の軍事施設を定義して
いる。改正された法律は14年８月１日施行された。

軍事禁区：重要軍事施設が設置され、または軍事施設に重大な危険要素があり、国が特別の措置により重点的に保護すべき軍事区域

軍事管理区：比較的重要な軍事施設が設置され、または軍事施設に比較的大きな危険要素があり、国が特別の措置により保護すべき軍事区域（同法第8条）

軍事情報局（台湾）

　台湾のインテリジェンス機関。編制上は国防部に所属するが、実態は独立した組織であり、対中国情報戦を集中的に担っている。中国をはじめアジア各国にスパイを派遣しているとされる。軍事情報局の人員は2,000人程度と推定。

軍事情報包括保護協定（GSOMIA: General Security of Military Information Agreement）

　安全保障に関する情報を共有・保護するための協定。GSOMIA（ジーソミア）と呼ばれる。防衛当局が保有する映像や文書、技術を「秘密軍事情報」と定義し、協定締結国間で交換している。本来はアメリカ政府と秘密軍事情報を交換する友好国の政府間で結ばれた協定を指していたが、今では同様の国際協定全般をGSOMIAと呼ぶことが多い。

　日韓のGSOMIAは、2016年11月に日韓が防衛協力分野で結んだ初めての協定であったが、日韓関係の悪化に伴い19年8月23日、韓国が協定破棄を日本に通告。その後、アメリカ政府の韓国に対する圧力などにより、失効予定前日の19年11月22日、韓国政府は方針を転換し、協定の延長を決定。

軍事的欺騙（MILDEC：Military Deception）

　敵国の政策決定者に、味方の軍事能力および企図、作戦について意図的に誤解させ、それによってわが軍の任務達成に寄与するよう特定の行動をとらせる（またはとらせないようにする）こと。戦争における欺騙作戦（欺瞞作戦）は、第2次世界大戦でノルマンディ上陸作戦の際、上陸地点のノルマンディからドイツ軍の注意をそらすために行

われたボディガード作戦など戦史上多くみられる。

⇒欺瞞・欺騙、欺騙行動、ボディガード作戦

軍用資源秘密保護法（戦前日本）

　国家総動員法（1938年制定）に関する秘密事項のうち軍機保護法の及ばない軍用資源に関する情報の外国への漏洩を防ぐことを目的とした法律。39年6月26日施行。

軍民融合（中国）

　近年、中国が国家戦略として推進する取り組み。緊急事態を念頭に従来の国防動員体制の整備に加え、緊急事態に限らない平素からの民間資源の軍事利用や軍事技術の民間転用などを推進するもの。中国は軍事利用が可能な先端技術の開発・獲得を重視している。これには将来の戦闘様相を一変させる技術、いわゆるゲーム・チェンジャー技術も含まれる。

　軍民融合の重点は海洋、宇宙、サイバー、人工知能（AI）といった中国にとっての「新興領域」とされる分野である。習近平は2015年3月に軍民融合を国家戦略にすることを正式発表し、17年に国家戦略となった。同年1月、党の元に軍民融合発展委員会を設置し、習が主任、副主任には李克強総理以下3人の政治局常務委員が就任した。同委員会の委員は党、国家、軍の代表者によって構成されるが、その氏名や職責は未発表である。国務院の工業・情報化部、科技部（科学）が主導的な役割を果たしているとみられている。

　中国は2015年7月「中国製造2025」を出して、次世代情報技術（5G）や新エネルギー車など10の重点分野の技術開発の推進を表明した。これらが軍民融合の重点となる。中国が製造強国になるためにはアメリカなどの高度先端情報が必要との見方と、同時期に軍民融合が戦略になったことから、民間ハッカーが国家に協力してアメリカなどにサイバー攻撃などを仕掛けているのではないかとの疑惑が生じている。

　2018年10月、軍民融合発展委員会の第2回全体会議を開催した

が、そこで「民間の科学技術と協力しながら『軍民融合』戦略を推進する」ことが徹底された。その際、軍民融合プロジェクトには「中国、中華、全国、国家、国防、中国人民解放軍」などの文字を使ってはならないという指令が出されたの情報もある。これが水面下での諜報活動の指示ではないかと、アメリカは警戒している。これに先立ち17年に制定された「国家情報法」には「いかなる組織及び個人も、法律に従って国家の情報活動に協力すべき」が規定されていることも、このような警戒感を高める要因となっている。
⇒5G、国家情報法

【ケ】

ケアンクロス，ジョン（Cairncross，John 1913〜1995）
　ソ連のために働いたイギリス人スパイ。ケンブリッジ・ファイブの「第5の男」。アンソニー・ブラントがケンブリッジ大学で獲得した人物とされる。1936年からイギリス外務省ドイツ課に勤務し、対ドイツ秘密情報を収集。財務省に拠点を築くようNKVDから指示され、38年10月に財務省におけるNKVDスパイ第1号となった。第2次世界大戦中はエニグマ暗号解読などを行った政府暗号学校などで勤務。大戦中にイギリスの対ドイツ方針についての総合的要約と対独戦争の可能性を評価する重大情報をソ連に提供。これによりソ連は独ソ不可侵条約の締結（39年8月）に至った。またソ連赤軍は彼の情報によってクルスクの戦い（43年7月）に先立ってドイツ空軍の配置を知り、戦闘に勝利した。
⇒ケンブリッジ・ファイブ、ブラント,アンソニー、NKVD

警告（warning）
　敵の攻撃、犯罪、テロなどによる被害や犠牲の可能性について発せられる先行的な通知。

警察庁警備局 （日本）

　本来、警察は治安機関であり、純然たる情報組織とはいえないが、警察庁警備局はインテリジェンス機能を有している。警備企画課には危機管理企画官、衛星情報官、総合情報分析室が配置されている。警備企画課は警備警察業務に関する制度、運営に関する企画立案など局の総合調整および警備情報の総合的な分析を行っている。

公安課：外事以外の秩序破壊活動についての情報収集や取り締まりを行う。対象は左翼活動家や団体、右翼団体、新興宗教団体などとされる。

外事課：外国人による秩序破壊活動についての情報収集や取り締まりを行う。また外国人によるスパイ活動を監視し取り締まるなど「防諜」機能も一定程度果たしている。

国際テロリズム対策課：従来、外事課に置かれていた国際テロリズム対策室を発展的に改組したもので、同課には国際テロリズム情報官が設置され、国際テロ関連の情報収集と分析を行っている。海外で日本人が巻き込まれるテロや対応に国際協力を要するテロが発生した場合に警察庁長官の命令で派遣される「国際テロ特別機動展開部隊（TRT-2）」は国際テロリズム対策課の要員を中心に構成されている（図29参照）。

⇒TRT-2

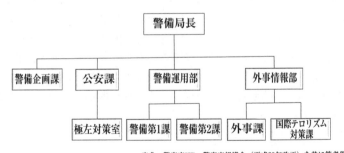

出典：警察庁HP、警察庁組織令（平成30年改正）を基に筆者作成

図29 警察庁警備局（情報関連組織）

警察庁における行政文書の管理に関する訓令（日本）

　警察庁の秘密文書は、特定秘密保護法第3条第1項に規定する特定秘密以外の公表しないこととされている情報のうち秘密保全を要する行政文書である。秘密の程度に応じ、極秘文書および秘文書に区分される。（平成23年4月1日　警察庁訓令第9号）①極秘文書：秘密保全の必要が高く、その漏洩が国の安全、利益に損害を与えるおそれのある情報を含む行政文書。②秘文書：極秘文書に次ぐ程度の秘密であって、関係者以外には知らせてはならない情報を含む極秘文書以外の行政文書。

警視庁公安部外事課（日本）

　公安警察とは、警察組織のうち公共の安全の維持を目的とする組織で、日本共産党、その他の左翼団体、右翼団体、宗教団体、外国のインテリジェンス機関などを捜査対象とする。警察庁警備局を頂点に、東京都を管轄する警視庁公安部や各道府県警察の警備部公安課・外事課などがその任務にあたる。中でも外事課は国外のテロリスト、同盟国以外のインテリジェンス機関の諜報活動、在日外国人団体を捜査対象とする（図30参照）。

　警視庁公安部の中に設置されている外事課には、約300人の捜査員（2021年報道）が配置され、警察庁外事情報部と共に日本の外事捜査の司令塔的な役割も果たしている。警視庁公安部は2021年4月、19年ぶりに外事課を3課から4課体制に増強。外事第2課から独立

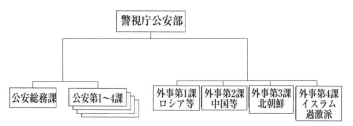

出典：警視庁組織規則および2021年の報道を基に筆者作成

図30 警視庁公安部外事課組織

させる形で北朝鮮を専門に担当する第3課を新たに設置した。外事第2課は、中国などの対応に特化することとなり、実質的に第2課の体制も強化された。

⇒警察庁警備局

ゲシュタポ（Gestapo）

　ナチスドイツの秘密警察。1933年、ヒトラーの腹心ヘルマン・ゲーリングがプロイセン州を取り締まる秘密警察のゲシュタポを組織した。34年にヒムラーがゲシュタポの指揮権を掌握、36年にその活動範囲を全ドイツに拡大させたことから、任務が重複するSD（親衛隊情報部）との対立が発生。39年9月、ゲシュタポとSDが統合され、国家保安本部（RSHA）に改組されて以降、ゲシュタポはRSHA第Ⅳ局になった。ナチスドイツ政権下、ドイツおよびドイツが占領した欧州における反ナチス派、浸透スパイ、ユダヤ人などを摘発・粛清した。その厳しい尋問や残酷な拷問は恐れられた。

⇒SD

ケース・オフィサー（case officer）

　現地の工作責任者。CIA用語。オペレーションズ・オフィサーともいう。CIAの花形部署には情報部と作戦部があるとされる。作戦部にはレポート・オフィサーとケース・オフィサーの2つの役職があり、前者は収集した秘密情報を情報部に提出する書類を作成する。後者のケース・オフィサーは、主として外交官などの公的身分を与えられ、現地でCIAへの協力者（エージェント）を集め、運用するとされる。CIAを支えるエリート工作員である。

⇒CIA

ゲーレン機関（ドイツ）

　第2次世界大戦後の1946年7月、アメリカの後援によって創設されたドイツの対ソ情報機関。元ナチスドイツ陸軍参謀本部の東方外国軍課の要員を中心として組織された。第2次世界大戦時に東方外国軍課

の課長であったラインハルト・ゲーレンは、ソ連に関する膨大な量の秘密情報を携えアメリカ軍に投降し、その提供と引き換えにアメリカ陸軍情報部から西ドイツのインテリジェンス機関創設のために協力を得ることに成功。ゲーレン機関は56年に連邦情報庁（BND）に発展。

⇒ゲーレン,ラインハルト、BND

ゲーレン，ラインハルト （Gehelen, Reinhard 1902～1979）

　ドイツ陸軍の軍人。ドイツの連邦情報庁（BND）の初代長官。第2次世界大戦中の1942年6月、東方外国軍課の課長に就任したゲーレンは広範囲な対ソ連スパイ網を構築し、ソ連軍捕虜を利用して反ソ宣伝などを行った。45年春に「戦局が最終局面にある」と分析・報告したことなどからヒトラーにより解任される。戦後、アメリカと接触し、ソ連情報の提供と引き換えに、西ドイツのインテリジェンス機関（ゲーレン機関）を創設。同機関は56年4月1日、BNDに発展。ゲーレンは初代長官として68年4月まで同職を務めた。

⇒BND

原機密指定 （Original Classification：アメリカ）

　2009年12月29日、オバマ大統領による大統領令13526号「機密指定された国家安全保障情報」によれば、原機密指定とは国家安全保障のために情報漏洩から保護する必要のある情報を最初に決定することを指す。

　上記大統領令13526号の1.4条により、機密指定の対象は以下のとおり。①軍事計画、武器システムまたは作戦に関する情報、②外国政府の情報、③インテリジェンス活動とその情報源、方法または暗号に関する情報、④機密情報源を含む政府の外交関係または外交活動に関する情報、⑤国家安全保障に関連する科学的、技術的または経済的事項に関する情報、⑥核物質、核施設の防護策に関する情報、⑦国家安全保障に関連するシステム、施設、社会基盤、計画などの脆弱性や能力の情報、⑧大量破壊兵器開発、生産または利用に関する情報。

　原機密指定にあたっては、次の5つの要件を満たす必要がある。①連邦政府により保有・作成・管理されている情報のうち、②大統領令

1.4条で定められた情報で、③正当な権限によらずに開示された時には、国家安全保障上の利益に損害がもたらされる結果が生じることを、原機密指定者が合理的に予期し得ると決定し、かつ、その損害を特定または記述できる場合には、④原機密指定者が秘密指定を行うことができ、⑤指定の際には、機密解除を行う特定の期日または条件を定めなければならない。

原機密指定者とは、大統領令1.3条によれば、大統領および副大統領、大統領が指定した行政機関の長および上級幹部職員ならびに権限を委任された連邦政府職員を指す。

現状維持志向バイアス（status quo bias）

人間や組織はたとえ警戒を示すインフォメーションがあっても現状維持を優先し、インフォメーションや警告がうまく活用されない傾向があることを指す。現状維持志向というバイアスは専門家の方が陥りやすいという面もある。それを「専門知識の逆説」という。

⇒専門知識の逆説

原子力法（Atomic Energy Act：アメリカ）

原子力委員会を設置して、核開発の権限を軍から移転させるために制定されたアメリカの法律。1946年8月成立。同法により、核兵器の製造または利用、核分裂性物質の生産、または電力の生産における核分裂性物質の使用に関するすべてのデータの流布が制限された。合衆国を害し、または外国の利益を図る目的でそれを漏洩するなどの行為に対する罰則として最高は無期懲役が科される。54年に大幅な改正がなされ、原子力の民間利用と国による認可制が整備された。

ケント，シャーマン（Kent, Sherman 1903～1986）

「情報分析の父」と呼ばれたインテリジェンス界の著名人。イェール大学歴史学教授。アメリカ人。第2次世界大戦および冷戦期（17年間）、CIAに勤務し、情報分析の手法を伝授した。1949年に著した『Strategic Intelligence for American World Policy』（並木均監訳『シ

ャーマンケント戦略インテリジェンス論』）はインテリジェンス文献の古典として知られる。
⇒CIA

ケンブリッジ・アナリティカ（Cambridge Analytica：CA）

　データマイニングとデータ分析を得意とするイギリスの選挙コンサルティング会社。ケンブリッジ・アナリティカ（CA）の設立者はアレクサンダー・ニックス。事務所はアメリカとイギリスに設置。2016年の米大統領選ではスティーブ・バノンなどと連携してトランプ当選を画策したとされる（ケンブリッジ・アナリティカ事件）。ただしCAによる「マイクロターゲティング」と呼称する手法がどの程度効果があったかは不明である。18年に業務停止。

　CAの設立母体はSCL（Strategic Communication Laboratories Group、戦略コミュニケーション研究所）およびBDI（Behavioral Dynamics Institute、行動ダイナミック研究所）である。BDIは1989年に設立され、約60の学術機関と数百人の心理学者を擁し、過激派の弱体化などを目的とした研究を行なっていた。93年、BDIからSCLが設立され、以後、SCLは世界中で200以上の選挙活動を仕切り、約50カ国で防衛、政治、人道支援にかかわるプロジェクトを実施してきた。94年、SCLは選挙がらみの暴動を阻止する防衛キャンペーンを展開し、ネルソン・マンデラの平和的当選の実現に貢献したとされる。

　1998年、SCLは民間ビジネスに事業を拡大し、2001年の9.11同時多発テロ事件以後はアメリカの国家機関やインテリジェンス機関を顧客に防衛分野にも進出した。ニックスは03年頃からSCLに勤務し、10年に同社CEOに就任。14年11月のアメリカの中間選挙で多くの仕事を手がけるためCAを設立し、CEOに就任。スティーブ・バノンは同社役員に就任した。
⇒ケンブリッジ・アナリティカ事件、マイクロターゲティング、バノン,スティーブ

ケンブリッジ・アナリティカ（Cambridge Analytica）事件

　ケンブリッジ・アナリティカ（CA）が2016年の米大統領選挙とイギリスのEU離脱に関与したとされる事件。CA元社員のクリストファー・ワイリーの告発によれば、CAはFacebook（FB）上の個人情報を不正利用して16年の米大統領選挙に関与したとされる。大統領選挙ではスティーブ・バノンがトランプ陣営の選挙対策本部長に任命され、「プロジェクト・アラモ」と呼ばれるデジタル戦略が実行された（企画者はトランプの娘婿のジャレッド・クシュナーで、事実上の大統領選挙のキャンペーン・マネジャー）。同戦略ではシリコン・バレー出身の優秀な100人のソーシャルメディアチームを組織し、1日に100万ドルもの資金を投じて膨大な情報を分析し、サイバー空間を利用した大規模な広告戦略を展開した。このプロジェンクトではFBを利用して個人情報を収集。告発者によれば、CAはFBから5000万人分の個人情報を不正に取得したとされる。のちにFBはCAが不正に取得した個人情報は最大で8700万人にのぼり、全20億人のユーザー情報が不正利用されるリスクにさらされていたと発表した。

　CAはFBから不正に得た膨大な情報を基にマイクロターゲティングを仕掛けた。サイコグラフィック（心理的要因）により、有権者のセグメンテーションを行い、候補者を決めかねていた層を特定し、その人たちの個人の思考や思想などを把握し、「カスタマイズされた情報」を意図的にFBのタイムラインなどに流した。さらにスキャンダルなどを流して特定候補者へ肩入れさせた。こうして既成政治に絶望していた白人労働者層の有権者に焦点を当てた選挙キャンペーンを仕掛けて、トランプ陣営に取り込むことに成功したとされるが、その効果を疑問視する意見もある。

　告発者ワイリーによれば、イギリスのEU離脱を問う国民投票でも、CAと関連があるとされるカナダの企業AIQが関与したという。イギリスは2016年6月23日の国民投票でEU離脱を選択した（2020年1月31日に離脱）。EU残留派と離脱派が対立するなか、SCL（戦略コミュニケーション研究所）は離脱派へ関与した。当時、離脱派には「リーブEU」と「ボート・リーブ」（共に2015年に設立）の2つ

のグループがあり、両者は公認団体の指定を受けるために争ったが、最終的に「ボート・リーブ」が公認を得た。「ボート・リーブ」のブレグジット（EU離脱）戦略はドミニク・カミングスが主導した。カミングスは13年以降、強硬なブレグジット推進派として知られていたが、データアナリストの協力を得て高度なアルゴリズムを使って、投票したことのない有権者（存在しないはずの300万人）をターゲットに絞り込み、ソーシャルメディアを通じて離脱を訴えるキャンペーンを実施した。

　2019年7月24日、ボリス・ジョンソン首相は、EU離脱に向けてカミングスを自身の上級顧問に任命したが、その剛腕ぶりが批判され、2020年末をもって上級顧問を辞任した。
⇒ケンブリッジ・アナリティカ、セグメンテーション、バノン,スティーブ、マイクロターゲティング

ケンブリッジ・ファイブ（Cambridge Five）

　戦間期から1950年代にかけてイギリスで活動したソ連のスパイ網を構成した5人。いずれも1930年代にケンブリッジ大学で学んだことから「ケンブリッジ・ファイブ」と呼ばれる。そのうちガイ・バージェス、ドナルド・マクリーン、ハロルド・キム・フィルビー、ジョン・ケアンクロスはスパイ、アンソニー・ブラントはケンブリッジ大学における勧誘員であったと判明している。
⇒バージェス,ガイ、マクリーン,ドナルド、フィルビー,ハロルド・キム、ケアンクロス,ジョン、ブラント,アンソニー

玄洋社（戦前日本）

　旧福岡藩の不平士族の運動を背景に、1881年平岡浩太郎を社長として、箱田六輔、頭山満らが福岡で結成。明治時代の国家主義、大アジア主義の草分け的団体。母体は筑前の没落不平士族の結社たる向陽社。設立当初は自由民権運動に参加したが、1886年頃から大陸進出の綱領を掲げて次第に国権主義的性格を強め、条約改正反対・対露強硬策を主張、89年には社員来島恒喜が条約改正問題で大隈重信外相に爆

弾を投げつけるなど、対外強硬論のテロも行った。参謀本部と密接な関係を持ち、日清・日露戦争では裏面から協力。日露戦争時に「満洲義軍」を組織してゲリラ活動にも従事。また金玉均ら韓国の政客と結び、日本の韓国併合を準備する一方、孫文らとも連絡、初期の中国革命に参画し、社員から多くの大陸浪人を輩出した。インドの独立運動家ラス・ビバリ・ボーズやチャンドラ・ボースなどとも連携している。玄洋社は、中野正剛、広田弘毅、内田良平、緒方竹虎、中村天風など多彩な人材を輩出している。1946年、GHQの指令により解散。

⇒緒方竹虎

【コ】

公安調査庁 （PSIA：Public Security Intelligence Agency：日本）

　公安調査庁の任務は、破壊活動防止法に基づいて暴力主義的活動を行う危険性のある団体について調査し、必要があれば、公安審査会に対して、団体の活動制限や解散の指定などの請求を行う。

　また2009年には無差別大量殺人行為を行った団体の規制に関する調査、処分の請求および規制措置に関する事務が付加された。

　公安調査官に付与されている調査権限は証拠物の押収や家宅捜索などの強制的なものではなく、任意調査に限られる。

　公安調査庁の定員は約1,500人で、公安職の公安調査官と一般行政職の事務官で構成される。組織は内部部局、研修所および地方支分局からなり、検事出身の長官が全体を統括し、検事出身の次長が長官を補佐する（図31参照）。

　内部部局は総務部、調査第１部および調査第２部で構成される。調査第１部は警察庁の出向者が部長を務め、カルト集団、左翼、右翼、日本共産党など国内情報を担当している。調査第２部は公安調査庁プ

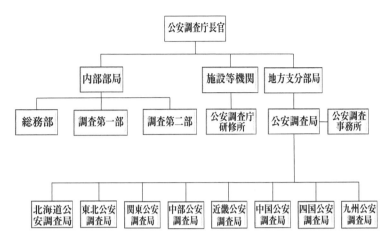

総務部：予算、会計、人事、広報、情報公開、企画調整、法令案の作成、情報システムの管理などに関する事務
調査第一部：主に国内関連情報の分析や他の政府機関などに提供する資料作成のほか、いわゆるオウム真理教に対する規制に関する事務
調査第二部：主に国外関連情報の分析や資料作成、海外の情報機関との情報交換

出典：公安調査庁HP

図31 公安調査庁組織

ロパーが部長を務め、国際テロや北朝鮮、中国などの国外情報を担当している。地方支分部局として、東京、大阪などブロックを管轄する公安調査局が8カ所、府県を管轄する公安調査事務所が14カ所に設置されている。

公安部（中国）

国家の警察業務を担当する一部署で、人民警察の最高指導組織。公安部の任務はいわゆる公安業務（外事、公安）のほかに一般警察業務の指導・監督。活動領域は治安維持、交通・消防業務、国民の戸籍・身分証などの調査、集会・デモの管理、外国人の在留・出入の監査など広範囲に及ぶ。

コヴェントリー（Coventry）事件

　第2次世界大戦中、ドイツ軍によるイギリスの地方都市コヴェントリー爆撃で、チャーチル首相が情報の利用より保全を優先したとされる事件。1940年11月14日、ドイツはコヴェントリーに対して夜間爆撃を実施。無差別爆撃で死者554人、負傷者約5,000人、家屋破壊5万戸以上という甚大な被害が発生した。当時、イギリスは解読不可能とされたドイツの「エニグマ暗号機」による通信文を「ウルトラ暗号解読班」により解読していた。チャーチル首相は48時間前にコヴェントリー爆撃を知らされており、住民避難を命じることができた。しかし、住民避難の措置をとれば、暗号が解読されているとの疑念をドイツに与えることになるため、最終的にチャーチルは住民の安全よりも、情報の保全上の利益を優先したとされる。

　この説には異論もある。それは、ドイツの攻撃目標がコヴェントリーであることの解明は「ウルトラ暗号解読班」によるものではなく、ドイツ軍爆撃機パイロットの捕虜からもたらされたものであり、イギリス空軍が電子妨害機により十分な対抗装置をとれると確信していたことから、結果的にチャーチルは避難命令を出さなかったというものである。
⇒エニグマ、ウルトラ

候察（こうさつ）

　旧日本軍用語。事象資材を見て戦力などを判定すること。たとえば工場を一瞥して、その生産内容、生産量を推定することなど。

孔子学院（こうしがくいん）

　海外の大学などの教育機関と中国の大学などが提携し、中国語や中国文化の教育通じて、中国との友好関係醸成を目的とする中国語教育機関。2019年末までに162の国と地域に550校が設置され、分校に相当する「孔子課堂」が1,172校設置されている。

　孔子学院プロジェクトは2004年に開始され、同年11月、大韓民国ソウル市に初めての海外学院が設置された。日本にも15の大学などに設置されている（20年8月報道）。20年、トランプ政権のポンペ

オ元国務長官が、孔子学院について「中国政府と中国共産党の宣伝工作部門から資金提供を受け、アメリカ国内で大規模な政治宣伝や影響力拡大工作を展開している」と指摘し、アメリカ国内の学院を統括するワシントンの「孔子学院アメリカンセンター」を大使館や領事館と同様の外国公館に指定すると発表するなど、近年、孔子学院を諜報・宣伝機関として監視を強化する動きがある。

康生 （こう・せい 1898〜1975）

共産党副主席、中央文化革命小組顧問。中国インテリジェンス機関の伝説的人物。別名は趙容。1930年代、延安において地下活動を開始。31年4月の中央特科の改編においてナンバー2となる。33年7月にモスクワに留学し、情報工作を学ぶ。37年11月に王明と共に帰国し、中央社会部の初代部長に就任。42年の延安における整風運動を指導。康生は自らを「中国のベリヤ」と称し、病没するまで中国インテリジェンス機関のトップとして君臨。のちの毛沢東夫人となる江青と一時期、愛人関係にあった。
⇒ベリヤ,ラヴレンチー

合同情報会議 （日本）

日本の外交政策の遂行や安全保障に必要な情報に関係する省庁の局長級が集まり、それぞれが有する情報を交換する会議。内閣官房副長官（事務）が議長となり、内閣危機管理監、内閣官房副長官補（安全保障、危機管理担当）、内閣情報官、国家安全保障局長、内閣官房国際テロ情報集約室情報収集統括官、警察庁警備局長、防衛省防衛政策局長、公安調査庁次長、外務省国際情報統括官がメンバー、必要に応じてその他の省庁からも召集される。2週間に1回の定例会のほか、事態に応じて開催される臨時の会議がある。

1985年の「臨時行政改革推進審議会」で、緊急事態の対処体制の確立を進めるための提言がなされ、翌86年7月1日、内閣官房内閣情報調査室（内調）および合同情報会議が設置されることとなった。会議の事務手続きなどは内閣情報調査室が行っている。

⇒日本のインテリジェンス・コミュニティー、内閣情報調査室、公安調査庁

広報 (public affairs, public relations)

　広く知らせること。また、その知らせ。プロパガンダとの対比で、国内外の様々な人々を誤解させたり、行動を変えさせたりという意図を持たずに、事実に基づいて正確にインフォメーションを伝える意味が強い。パブリック・リレーションズ (PR)、パブリック・アフェアーズ (PA) の訳語としても使われる。

⇒プロパガンダ、パブリック・リレーションズ、パブリック・アフェアーズ

公務秘密法 (Official Secrets Act：イギリス)

　職務で知ったすべての情報（国家機密）を対象として、漏洩した公務員に刑事罰を科すことを目的としたイギリスの法律。1911年成立。20年、39年、89年に改正。すべての情報を対象とすることに反対する議会により、89年の改正で、漏洩してはならない情報として、以下のものが対象とされた。①防諜とインテリジェンスに関わる情報、②防衛に関する情報、③国際関係に関する情報と外国や国際機関から得た秘情報、④犯罪に関する情報、⑤通信傍受に関する情報、⑥防諜、インテリジェンス、防衛または国際関係についての情報で、他国または国際組織に内密に伝達されたもの。

コーエン, エリアフ・ベン・シャウル (Cohen, Eliahu. Ben. Shaul 1924〜65)

　1967年の第3次中東戦争（6日戦争）に貢献したモサドの情報官。一般的にエリ・コーエンと呼称。エジプト生まれのユダヤ人。57年イスラエルに入国、会社勤務を経て60年7月にモサド情報官になる。基礎訓練を受けた後、アルゼンチン居住のシリア人貿易商という身分偽装のためブエノスアイレスに居住。62年1月シリアに入国。ダマスカスの陸軍参謀本部近くに居住。以後、政界、軍の高級幹部と交流し、シリア国防省のアドバイザーになる。65年1月、シリア軍無線防諜隊に所在を探知され逮捕、同年5月、衆人罵声の中で絞首刑になる。

　コーエンの有名な成果は、ゴラン高原のシリア軍の要塞化について

の情報収集である。その際、コーヘンは軍事基地で直射日光にさらされている兵士たちのために陣地が築かれている場所にユーカリの木を植えることをシリア軍将校に提案した。そのアイデアが採用され、ゴラン高原にあるすべての基地にユーカリの木が植えられた。第三次中東戦争で、イスラエル軍は植樹されたユーカリの林を目印に攻撃し、容易にゴラン高原を手中に収めることができた。

⇒ISIS

コーエン，モーリス（Cohen, Morris 1910～1995）

　妻のロナと共にソ連の重要なエージェント。イギリスではクローガー夫妻として知られる。「ポートランド・スパイ事件」の首謀者の1人。ロシア系移民の子としてニューヨークに生まれる。1935年に共産党に入党。スペイ内戦に出征し、帰国後にソ連インテリジェンス機関から勧誘。41年、共産主義者のロナ・ペトラと結婚。

　その後、ローゼンバーク夫妻と共に、ルドルフ・アベル大佐の指揮下でスパイ活動に従事。ローゼンバーグ夫妻が逮捕（1950年7月17日）された当日にアメリカから逃亡。クローガー夫妻に偽装し、イギリスに入国。イギリスでは、遅れてやってきたゴードン・ロンズデールのスパイ活動（ポートランド・スパイ事件）における連絡要員として活動。イギリスで裁判にかけられ、スパイ容疑で有罪とされ、禁固20年が言い渡された。収監から8年後の69年7月、ソ連に拘束されていたイギリス市民とのスパイ交換で釈放され、2人はソ連に入国。92年妻ロナはモスクワで死去。95年にモーリス死去。その際、ソ連共産党の機関紙プラウダは「ありがとう、コーエン。ソ連の原爆技術者たちは君のお陰で、ロスアラモスの秘密研究所から技術資料を大量に入手できた」とその功績を称えた。

⇒ロンズデール,ゴードン

五間（ごかん）

　『孫子』による5種類の間者（スパイ）の分類。

郷間：敵国および第三国の一般大衆から情報収集を行うスパイ（公然

収集員）

内間：敵国の官僚、軍人などを誘惑して、秘密情報を収集するスパイ
（諜報員）

反間：敵方のスパイが寝返って、逆に敵方を探索する「二重スパイ」

死間：敵を欺瞞するため自らを犠牲にして敵国に対し偽情報を提供す
るスパイ（工作員）

生間：本国と敵国を行き来しながら情報収集するスパイ（連絡員）

⇒間諜、二重スパイ

国外インテリジェンス（foreign intelligence）

　自国の安全を脅かす国外の対象に関するインテリジェンス。他国の
軍事動向や海外のテロ組織の動向だけでなく、政治、経済、社会など
多岐にわたるインテリジェンス。また自国にとって敵対国だけではな
く、中立国や同盟国に関するインテリジェンスも含まれる。

⇒国内インテリジェンス

国際スパイ博物館（International Spy Museum：アメリカ）

　2002年7月17日にアメリカ・ワシントンD.C.のダウンタウンに設立
された情報活動の歴史を対象とする博物館兼研究センター。一般公開
されているこの種の施設としては最大規模。一般市民に対しカウンタ
ー・インテリジェンスなどに関する公開講座も行われ、市民のインテ
リジェンス・リテラシーの向上にも寄与している。19年5月D.C.内に
移転し、規模を拡大している。

⇒カウンター・インテリジェンス、インテリジェンス・リテラシー

国内インテリジェンス（domestic intelligence）

　国内の安全を脅かす対象に関するインテリジェンス。国内の反政府
活動の動向や国内での外国スパイやテロ組織の動向など。民主主義国
家においては、一般的に法執行機関が担当するが、全体主義国家では
必ずしもそうではない。ただし、アメリカにおいては2001年の9.11同
時多発テロでは国外と国内のインテリジェンスの担当の間隙を衝かれ

たことから、国内・国外のテロ情報を一元的に収集・分析する組織が
設立されている。

⇒国外インテリジェンス

国防秘密査問委員会（フランス）

　裁判官および国会議員によって構成される独立行政機関で、国防秘
密の指定解除や公開について助言する。裁判の過程で、行政が国防秘
密を過度に援用（自らの主張のために秘密を必要以上に引用）して
いないか、裁判所の要請に応じて判断する機関。秘密情報へのアクセ
スが認められている。

国防保安法（戦前日本）

　国家機密のうち、政治的な機密を保護することを目的とした法律。
1941年5月10日施行。最高刑は死刑。45年に軍機保護法と共に廃止。
　第1章「罪」と第2章「刑事手続」から構成されている。第1章で
は同法において保護すべき国家機密と各条に規定する罪を犯した者に
対する罰則、第2章では第1章の規定に違反した者に対する検察当局
ならびに裁判所の刑事手続きについてそれぞれ規定している。
　国家機密とは「国防上外国に対し秘匿することを要する外交、財
政、経済其の他に関する重要なる国務に係る事項」である。国家機密
に関する犯罪類型は次の4つに区分。①業務上知得・領有した国家機
密の外国・他人への漏泄（洩）または公表。②外国への漏泄または公
表目的による国家機密の探知・収集ならびにその探知・収集した国家
機密の外国への漏泄または公表。③上記以外の原由により知得・領有
した国家機密の外国への漏泄または公表。④以上の未遂、教唆、誘惑
または煽動、予備または陰謀。

⇒改正軍機保護法

ココム（COCOM：Coordinating Committee for Multilateral Export Controls）

　対共産圏輸出統制委員会の略称。軍事転用可能な各種戦略物資の輸
出を規制することを目的に1949年11月にアメリカの提案で設立。冷戦

の終結により94年3月に廃止。廃止後は不拡散型輸出規制に移行し、ワッセナー・アレンジメントなどの新たな規制が設けられている。わが国のココム違反事件としては「東芝機械ココム違反事件（対ソ連）」と「極東商会等ココム違反事件（対中国）」などがある。
⇒東芝機械ココム違反事件、極東商会等ココム違反事件

個人情報保護法（日本）

「個人情報の保護に関する法律」の略称。個人情報の有用性に配慮しつつ、個人の権利、利益を保護することを目的とした個人情報の取扱いに関連する日本の法律。2003年5月23日成立し、05年4月1日全面施行。情勢や通信技術の変化を踏まえ、3年ごとに見直し。

ゴーストネット（GhostNet）

2009年3月に発見された大規模なサイバースパイ活動に対して付けられた名称。攻撃にはGhOst RATと呼ばれるトロイの木馬が使用され、特にダライ・ラマ14世の事務所などチベット亡命者が標的となっていることが特徴。
⇒RAT、トロイの木馬

胡宗南（こ・そうなん 1896～1962）

国民党の大物党員。黄埔軍官学校の第1期生。1936年に第1軍団の軍長として中共包囲戦に参加。47年3月、蔣介石の命令で延安の奪取に着手するも、彼の秘書である中共地下党員の熊向暉による中共側への通報により失敗。のちに台湾に逃亡し、62年に台湾で逝去。毛沢東の伝記『Mao（マオ）』の中で中国共産党のスパイと指摘されるが、子孫に事実無根と反駁され、台湾での同書の発売が禁止された。

国家安全維持公署（香港）

香港国家安全維持法に基づき2020年7月に設置された中国政府の出先機関。国家安全法では、公署の役割を「香港における国家安全情報を分析、判断し、戦略や政策を出す」「香港政府を監督・指導す

る」などと規定する。国家安全に関しては香港政府よりも上位にあることが明記されている。
⇒香港国家安全維持法、国家安全法

国家安全局（台湾）

　台湾のインテリジェンス機関。1953年に創設。国家安全に関する情報の収集・分析を行い、総統府が政策決定に資する参考資料を提供する。これまで台湾国軍の現職、退役の高官が局長に就任する場合が多いが、国防部隷下の組織ではない（2021年2月までの前国家安全局長は陸軍司令官および参謀総長の経験者。現安全局長は前大陸委員会主任委員であり、軍歴なし）。

　1953年の創設以降は国家安全会議の隷下にあったが、93年12月に制定された「国家安全会議組織法」と「国家安全局組織法」に基づき独立組織となった。任務は国防部軍事情報局（軍事情報の統括組織）、国防部電信発展室（国防部隷下で通信傍受に携わる機関）、国防部軍事安全総隊、海洋委員会海岸巡防署、国防部作戦局、国防部憲兵指揮部、内政部警政署、内政部移民署、法務部調査局などの情報関係諸機関に対する総合指導、調整、支援など。

　内部組織は第1処（海外情報戦）、第2処（中国大陸情報戦）、第3処（台湾地区安全情報戦）、第4処（国家戦略情報の分析・研究）、第5処（科学技術情報および電信の安全工作）、第6処（暗号装備の管理および研究開発）、第7処（サイバー安全）、監察処（カウンターインテリジェンス）、情報統合センター（公開情報の収集関連）のほか、支援部署として人事、会計、政風（風紀）、秘書、資料、総務の部門がある。このほかに要人警護センター、電信科学技術センター、訓練センター、特殊勤務指揮センターがある。

国家安全保障法（National Security Act of 1947：アメリカ）

　国家安全保障会議（NSC）、国家安全保障会議の直轄機関としての中央情報局（CIA）、国家軍政省（NME：National Military Establishment）を設置したアメリカの法律。1947年9月18日成立。国家軍政省

は1949年8月10日にNMEが「enemy（敵）」の発音に似ていることから、国防総省（DOD）に改称。NSCとCIAの設置により、通信傍受活動の中央集権化が進み、国務省やCIAの発言力が増大する一方で、それまで通信傍受活動の中心を担ってきた軍部は、その権限を自らの手に取り戻すことを始めた。これにより、通信傍受を国家的に運用するのか、軍部・国防総省を中心に運用するのかといった対立が生じた。
⇒NSC、CIA

国家安全部（中国）

　中国国務院隷下のインテリジェンス機関。1983年6月、公安部と中共中央調査部が保有していた諜報・防諜機能を吸収して創設。現在、国内活動において公安部と共に二大双璧、国外活動においては総参謀部第二部と共に中国を代表する対外インテリジェンス機関である。国家安全部の組織、規模、予算などはすべて非公表である。

　国家安全部には大きく3つの役割がある。第1に対外情報活動、第2に国内における防諜・公安活動、第3に国内外における対情報活動である。その他、通信情報活動、画像情報活動、経済情報活動などが行われており、組織内に多くの役割を包含していた旧KGBに似ているといえる。その組織構成は資料によって異なる。各種資料からは10以上の内部部局を有し、要員は数万人規模に達し、組織の概要は以下のように推定される。

第1局：（機要局）暗号通信および管理、第2局：（国際情報局）国際戦略情報収集、第3局：（政治情報局）各国政治経済・科学技術情報収集、第4局：（台湾澳局）香港、マカオ、台湾情報工作、第5局：（情報分析通報局）情報分析通報、情報収集業務指導、第6局：（業務指導局）所轄各省庁業務指導、第7局：（反間諜情報局）対スパイ情報収集、第8局：（反間諜偵察局）対外国スパイ追跡・偵察・逮捕など、第9局：（対内保防偵察局）外組織の防諜、監視、内部反動組織や外国組織の告発、第10局：（対外保防偵察局）外国駐在組織要員および留学生の監視・告発、域外反動組織活動の偵察、第11局：（情報資料センター局）文書・情報資料の収集と管理、第12局：（社会調

査局）民意調査および一般的社会調査、第13局：（科学的偵察技術局）科学的偵察技術・機器の管理・研究開発、第14局：（技術偵察局）郵便物検査と電気通信偵察・告発、第15局：（総合情報分析局）総合情報分析・調査研究、第16局：（映像情報局）衛星情報判読を含む各国の政治経済軍事関連映像の情報、第17局：（企業局）担当組織所属企業、事業ユニットの管理、第18局：（対テロリズム局）テロ対策担当
⇒中央調査部、総参謀部第2部、KGB

国家安全企画部（韓国）

韓国のかつての情報機関。現在の国家情報院の前身機関として1981年、全斗煥政権がKCIAの組織を拡大して創設。99年、国家情報院に改編。
⇒KCIA、国家情報院

国家安全法（中国）

国家の安全保障に関する原則的な規定をまとめた中国の法律。2015年7月1日施行。具体的な法の適用は各分野の個別の立法に委ねられる。適用範囲は「国家の政権、主権、統一および領土保全、人民の福祉、経済社会の持続的な発展」など広範に及ぶ。20年5月、香港に「国家安全法」を整備する決定が採択され、同年6月、「香港国家安全維持法」が可決、施行された。
⇒香港国家安全維持法

国家安全保障令（NSD：National Security Directive：アメリカ）

1947年の国家安全保障会議（NSC）創設以降、NSCならびに関連する行政組織に対して発出される大統領令。発出される内容は、外交、安全保障、インテリジェンスから国内政策まで多岐にわたる。明確な策定過程はなく、公開義務もない上、名称はトルーマン政権以降の歴代政権ごとに異なり機能も異なる。

国家機密解除センター（National Declassification Center：アメリカ）

2009年12月29日、オバマ大統領による大統領令13526号「機密指定さ

れた国家安全保障情報」第3.7条により、国立公文書館内に設置。国立公文書館長である公文書管理官は、25年の自動機密解除期間が経過した文書および自動機密解除の例外とされた膨大な文書を対象に、機密解除の優先順位をつける義務を負っている。

国家情報院（韓国）

現在の韓国のインテリジェンス機関。1991年1月、金大中政権が国家安全企画部を廃止、権限を大幅に縮小して、大統領直属機関として新設した。組織の詳細は未公表であり、秘匿度も高い。

1961年6月、クーデターで軍事政権を樹立した朴正熙は、腹心の金鍾泌の「激動する国際社会の中で、情報の収集と分析なしに国家戦略は立てられない」との意見を受けて、韓国中央情報部（KCIA）を創設。金を部長に任命した。朴政権は北朝鮮との激しい体制競争を繰り広げ、KCIAも北朝鮮のスパイ活動やテロ工作の防止に全力を挙げた。68年に北朝鮮の武装ゲリラが韓国大統領府の襲撃を企てた事件で、KCIAは計画を事前に察知するなど成果を上げたが、73年8月の金大中を東京から拉致する事件（金大中事件）への関与が取りざたされた。79年10月にはKCIA部長の金載圭が酒席で朴正熙大統領を射殺（朴正熙暗殺事件）する事件を起こした。

1981年1月、全斗煥政権はKCIAを拡大、再編して国家安全企画部を創設した。国家情報院元高官によれば、83年の北朝鮮工作員が全斗煥大統領らの暗殺を企てたラングーン事件や87年の大韓航空機爆破事件に際して北朝鮮に対する報復工作を行ったとされるが、詳細は明らかではない。

1999年1月、北朝鮮に対して穏健政策をとった金大中政権は国家安全企画部を廃止し、大幅に縮小した大統領直属機関として国家情報院を新設した。

文在寅政権になって、国家情報院のさらなる権限の縮小が図られている。2020年12月、関連法案が国会で可決され、北朝鮮のスパイ工作に関する韓国内の捜査・情報収集の権限が、国家情報院から警察に移行することが決定された。これは、20年4月の総選挙で与党が圧勝

し、法案が可決されたことによる。警察への捜査権移管は安全保障に
空白が生じないよう 3 年間の猶予期間を経て2023年末に実施される。

　KCIAを源流とする国家情報院は今後、海外情報やサイバー対策、
テロ防止などに権限が縮小される。この背景には、国家情報院の前身
であるKCIAが厳しい拷問を繰り返すなど国内の政治弾圧を担ってき
たこと、KCIAの後身である国家安全企画部が野党の政治家を弾圧し
たと指摘されていることなど、文在寅政権がインテリジェンス機関の
権限を問題視してきたことがあげられる。さらに現在の国家情報院に
おいて保守政権を有利にするような政治介入や北朝鮮スパイのでっち
上げ事件などが相次いで発覚したとされる。
⇒KCIA、大韓航空機爆破事件

国家情報法（中国）

　2015年に施行された国家安全法に基づき制定された国内外における
情報工作活動に法的根拠を与える中国の法律。17年 6 月28日施行。必
要に応じて活動要員に「立ち入り制限区域」に入ることを認めるほ
か、個人・団体を監視・調査するための「技術的調査手段」の使用や
業務を妨害したりする者を最大15日間の拘束・隔離することも可能。
「国家情報法」第 7 条に「いかなる組織及び個人も、法律に従って
国家の情報活動に協力し、国の情報活動の秘密を守らなければならな
い。国は、そのような国民、組織を保護する」の規定がある。つ
まり中国の国民や組織は、中国政府の情報活動に協力する義務があ
る。これが「中国国民・中国企業は、中国政府の指示があればスパ
イとして活動の命令を拒否できない」との解釈を引き起こし、ファ
ーウェイ（華為）が中国政府に協力して情報を摂取する可能性があ
るとの疑惑を生じさせている。これに対し中国外交部は「第 7 条で
は確かに『いかなる組織や公民も国家の情報活動を支持、協力し、
知り得た秘密を厳守しなければならない』と書かれているが、続く
第 8 条では『国家の情報活動は法に基づいて行なわれ、人権を尊
重、保障し、個人や組織の合法的な利益を守らなければならない』
とされている」と説明し、「この法律を一方的に切り取るのではな

く、全体的に見て、正確に理解することを求めるべき」と述べた。

⇒国家安全法

国家秘密保護法 (保守国家秘密法：中国)

政治や軍事に関する事項のみならず、国民の経済と社会の発展や科学技術に関する事項など官民の区別なく、個人・団体すべてに国家機密の保護を義務づけた中国の法律。2010年10月1日施行。この法律に基づき、14年3月には実施条例が施行された。

国家秘密に係るスパイ行為等の防止に関する法律案 (スパイ防止法：日本)

1985年6月の第102回国会で議員立法として提出されたが、第103回国会で審議未了により廃案。

コックス (Cox) 事件

1940年7月27日、東京、横浜、神戸、下関、長崎において在留イギリス人16人とその協力者の日本人数人が憲兵隊に (改正) 軍機保護法違反容疑で一斉に検挙された事件。同月29日にそのうちの1人でロイター通信東京支局長のメルヴィル・ジェームズ・コックスが東京憲兵隊の取り調べ中に憲兵司令部の建物から飛び降り自殺。当時この事件は「外人スパイ一斉検挙」として新聞で大きく取り上げられ、国民の防諜思想を喚起した。

⇒改正軍機保護法

コード (code)

暗号の手法の1つ。1個の単語またはフレーズを単語や数や記号に置き換えたもの。一例として、真珠湾攻撃に際して用いられた暗号電文「ニイタカヤマノボレ1208」がある。これは「攻撃開始は12月8日」という意味であることを大本営と機動部隊があらかじめ合意していれば、正当な受信者にはその意味は明らかだが、それを知らない傍受者には意味がわからない。

⇒暗号文、サイファー

コードネーム（code name）

　傍受のおそれがあるメッセージを送信する際、安全のために用いられる偽名やシンボル。プロジェクト、計画、作戦などに付与される名称。

　コードネームは秘密扱いされているかどうかにかかわらず使用されるが、特に秘密とされている場合は、作戦などの意図や意味を秘匿するために用いられる。その場合はコードワード（code word）ともいう。暗号の分類の1つである「コード」から暗号名、秘匿名などと訳されることもある。

⇒コード

コバート・アクション（covert action）

　秘密工作活動。謀略活動。非公然活動。国外の政治経済、あるいは軍事情勢に影響を及ぼすための国家としての活動で、その国の関与が公には知られないように実施される。

　秘密工作活動は純粋なインテリジェンスの生成プロセスと関わりがなく、政策執行としての側面が強いことから、秘密工作活動をインテリジェンスの構成要素から除外する考え方もあるが、多くの活動はインテリジェンス機関の手によって実行されていることから、インテリジェンス活動の一部として広く認知されている。

　国家の死活的利益が脅かされる状況において、秘密工作活動は、第一の選択肢（不作為：あえてなにもしない）と、第二の選択肢（多くの政治的論争を引き起こす軍事力の派遣）の中間にあるとマーク・ローエンタールは説明している。ただし、秘密工作活動の内容も国によって異なる。アメリカではプロパガンダ、政治活動、経済活動、クーデター、準軍事作戦なども含まれるとされる。

⇒秘密作戦、ローエンタール,マーク

コブラボール（Cobra Ball）

　アメリカ空軍の電子偵察機。RC-135Sの通称。

⇒RC-135

コーポレーション（cooperation）

国外の共産党。ソ連のスパイ用語。コーポラーツィヤ（会社員）は外国共産党員。

コミント（COMINT：Communications Intelligence）

無線などによる通信量の変化、通話パターンやその内容から得られるインテリジェンス。エリント（電子情報）と共にシギント（信号情報）の構成要素。
⇒エリント、シギント

小麦とモミ殻の問題（The Wheat versus Chaff Problem）

大量のインフォメーションから真に有意義なものを選別する作業にかかる労力をいかに節約するかという問題。インターネットなどの情報収集手段の発達でインフォメーションが氾濫し、そこから有益なインテリジェンスを生成するための労力がますます増加している。「掃除機の問題」「ノイズとシグナルの問題」とも表現される。
⇒ノイズとシグナルの問題

ゴリコフ，イワノヴィチ（Golikov, Ivanovich 1900～1980）

GRU総局長（1940～41年）。1918年、赤軍に志願して入隊。スターリンに気に入られて順調に昇進し、40年6月、赤軍の階級制導入により、中将の階級が与えられ、GRU総局長になる。42年から43年にかけて、スターリングラード戦線の副司令官として出征。無謀な指揮との理由で、フルシチョフにより副司令官を解任されるが、スターリンは解任したフルシチョフを批判。戦後、ソ連邦元帥に昇任する。
⇒GRU

コリジアリティ（collegiality）

同輩的協力関係。同僚との関係。イギリスのインテリジェンス・コミュニティー間の連携がいいのは、危機に際して、各情報組織が協力するコリジアリティがあるからとされている。

⇒イギリスのインテリジェンス・コミュニティー

ゴリツィン, アナトリー・ミハイロヴッチ（Golitsyn, Anatoliy.Mikhaylovich 1926〜）

アメリカに亡命したKGB情報官。ウクライナ生まれ。1953年から55年にかけて、NKGBおよびKGB情報官としてウィーンで勤務。61年12月、フィンランドからアメリカに亡命。亡命当時はアナトリー・キルモフという偽名を使用。CIAにソ連内通者が浸透しているとの事実を伝える。66年のキム・フィルビーのスパイ容疑を固めるための支援を行う。ゴリツィンの証言を信用したCIAのジェイムズ・アングルトンは、無実のCIA職員を内通者とみなし、次々に辞職に追い込む事態も生じた。

⇒KGB、CIA、フィルビー,キム、アングルトン,ジェイムズ

コリント（COLLINT：Collective Intelligence）

良好な関係にある各国のインテリジェンス機関が機密情報を交換すること。

ゴルディエフスキー, オレグ（Gordievsky, Oleg 1938〜）

KGBの情報官。イギリスの内通者。モスクワ国際関係大学で学び、1962年にKGBに採用される。ビジネスマンのカバーで発展途上国に赴任。海外勤務、国内勤務を経て、82年6月から大使館参事官としてロンドンに赴任。85年6月、KGBのイギリス支部長となる。

1968年のソ連のチェコ侵攻で西側に協力する決心をしたゴルディエフスキーは、デンマーク大使館勤務時代にデンマークのインテリジェンス機関に接触。ロンドン勤務ではイギリスのMI6に接触し、ゴルバチョフ政権誕生に向かうソ連国内の秘密情報を提供した。ソ連の二重スパイであったCIAのオルドリッチ・エイムズの情報提供により、ゴルディエフスキーの身辺に危険が迫ったが、かろうじてイギリスに亡命。85年9月、イギリス政府はゴルディエフスキーが情報提供した外交官やジャーナリスなど25人を国外追放した。

⇒KGB、MI6、二重スパイ、エイムズ,オルドリッチ

コールド・アプローチ／コールド・ピッチ（cold approach/cold pitch）

　外国人をエージェントとして雇ったり、情報提供を求める際に対象人物が勧誘を受け入れる兆しがないままそれを行うこと。対象者が仕事、生活、家庭などに不満を抱き、金に誘惑されそうだという程度の情報しかない場合の勧誘の成功率は低く、その人物が警察やインテリジェンス機関などに通報する可能性があり、実施する側のリスクは高い。

　KGBなどで使われている手法の1つとされるが、アメリカでも政府機関内のスパイ捜査に行き詰ったFBIが、ロバート・ハンセンの情報を入手するために行ったとされる。ハンセンは1979年頃から約20年以上、アメリカの国家機密をKGBと、その後継機関のSVRに漏らした伝説のスパイ。

⇒ハンセン,ロバート・フィリップ、KGB、SVR

ゴールド, ハリー（Gold, Harry 1910〜1972）

　ソ連に原爆情報を漏洩したアメリカ人科学者。ロシア生まれ。1914年に家族でアメリカに移住し、22年に市民権を獲得。34〜45年、ソ連のためのスパイ活動に従事。クラウス・フックスおよびロスアラモス研究所の機械工であるデイヴィッド・グーリングラスから受け取った原爆関連資料をソ連インテリジェンス機関に渡す任務を遂行した。

　フックスの逮捕および裁判によって、ゴールドの存在が明らかになり、1950年5月にFBIに逮捕される。ゴールドの自白により、グリーグラスとモートン・ソベルの名前が挙がった。グリーングラスによって、姉のエセル・ローゼンバークとその夫のジュリアス・ローゼンバークの名前が挙がり、彼らは逮捕された。50年12月、ゴールドには禁固30年が宣告され、65年に釈放された。

⇒フックス,クラウス、ソベル,モートン、ローゼンバーク,ジュリアス

コルビー, ウィリアム（Colby, William 1920〜1996）

　CIA長官（1973〜76年）。1941年、プリンストン大学卒業後、陸軍入隊。空挺部隊に配属されるが、43年に戦略諜報局（OSS）に異動。戦後、ウィリアム・ドノヴァンと共に弁護士事務所を経営し、56年に

CIAに採用される。59〜62年、CIAのサイゴン支局長を務め、68年に駐ベトナム大使に任命され、フェニックス作戦（ベトコン要人暗殺）を支援するなど、ベトナム問題に大きく関与する。

　ジェイムズ・アングルトンがCIAの内通者の摘発に躍起になっていた事件で、コルビーはアングルトンを辞職に追い込む。コルビー自身が内通者の疑いをかけられていた。

⇒CIA、ドノヴァン,ウィリアム、アングルトン,ジェイムズ

ゴロスキー，アナトリー （Gorsky, Anatoly 1907〜1980）

　ソ連インテリジェンス機関の情報官。1928年にソ連の秘密警察機関に入る。36年に対外諜報機関の暗号官としてイギリスに派遣される。第2次世界大戦中の40〜44年にはロンドンのソ連大使館の二等書記官の肩書で、NKGBレジデントオフィサーとしてケンブリッジ・ファイブなどのエージェントを運用した。44年からアメリカのワシントンの一等書記官に異動し、イスハーク・アスメーロフの後任として、エリザベス・ベントリーなどのスパイの運用に携わった。

⇒ケンブリッジ・ファイブ、ベントリー,エリザベス

ゴロス，ヤコブ （Golos, Jacob 1889〜1943）

　在アメリカのソ連インテリジェンス機関の責任者。ロシア革命に参加。アメリカ共産党創設期のメンバー。1909年、サンフランシスコからアメリカに入国。12年にニューヨークに赴き、15年にアメリカに帰化し、アメリカ共産党の創設に関与。30年以降、郵船会社を経営しながら、地下活動に専念。この間、エリザベス・ベントリーと愛人関係になり、彼女をスパイ活動に勧誘。患っていた心臓病により病死。

⇒ベントリー,エリザベス

コワリ，ジョルジュ （Koval, George 1913〜2006）

　ソ連の諜報員。英語名はジョージ・コーヴァル。コードネームは「デリマル」。アメリカのアイオワ州生まれ。両親は帝政ロシアの支配下にあったベラルーシからのユダヤ系移民。大学で電気工学を学

び、その頃から共産主義に傾倒し、19歳で両親と共にロシアに移住し、モスクワ化学技術大学などで学ぶ。26歳でソ連軍情報局のスパイとして採用され、1940年にアメリカに潜入。43年アメリカ陸軍に徴兵され、ニューヨーク市立大学で放射性物質について学ぶ。44～45年、テネシー州オークリッジで「マンハッタン計画」に参加。46年に陸軍を除隊。GRU中尉のイーゴリ・グーゼンコがカナダに亡命したことで、自らの存在が当局にマークされる危険を察知して、48年10月ソ連に帰国。その後、モスクワ化学技術大学で教鞭をとった。
⇒グーゼンコ,イーゴリ、GRU

コンシューマー（consumer）

消費者。インテリジェンスを使用する人。
⇒カスタマー、ユーザー

コンフィデンシャル・インフォーマント（confidential informant）

信頼のおける情報提供者。イデオロギーのため、あるいは金銭的報酬に対して自発的に情報を提供する人物。
⇒インフォーマント

コンフュージョン・エージェント（confusion agent）

挑発工作員。撹乱工作員。
⇒エージェント・オブ・プロボカトール

コンプロマイズ（compromise）

機密指定されている情報や機密指定情報を扱う人物が、その閲覧や使用権限を得ていない人物などに暴露されること。

コンプロマート（kompromat/ компромат）

特定人物の名誉を毀損するなど、信用失墜を狙った情報。KGBの俗語。英語の"compromising information"を縮めて、ロシア語式に表記。2016年の米大統領選挙でヒラリー・クリントン候補の評判を落

とすような情報をロシアが握っており、それを指して「政治的弱み」という意味で用いられ、コンプロマートという言葉が注目された。
⇒ロシアゲート

【サ】

再転向エージェント（redoubled agent）

　インテリジェンス機関に二重スパイであることを見破られ（意図的か自発的かにかかわらず）、別のインテリジェンス機関に対するスパイ活動に使われているエージェント。二重スパイが転向したため三重スパイとする考え方もある。
⇒二重スパイ、三重スパイ

サイバー・インテリジェンス（cyber intelligence）

　サイバー空間で行われる諜報活動。特定の国家・組織・企業に対してサイバー攻撃を仕掛けたり、コンピュータウイルスを埋め込んだ電子メールを送りつけたりして、安全保障や軍事上の機密情報を窃取する行為などを指す。

　サイバー・インテリジェンスに対し、情報漏洩や窃取を防ぎ、機密情報を保護する取り組みは、カウンター・インテリジェンスと呼ばれる。2006年、日本は「カウンター・インテリジェンス推進会議」を設置、2009年に「特別管理秘密に係る基準」を施行するなど、国家的な情報機能強化に向けた取り組みが行われている。
⇒カウンター・インテリジェンス

サイバー局（日本）

　2020年に日本で確認されたサイバー攻撃に関係するとみられる不審なアクセスは、1日あたり6506件、16年の1692件に比べておよそ4

サ

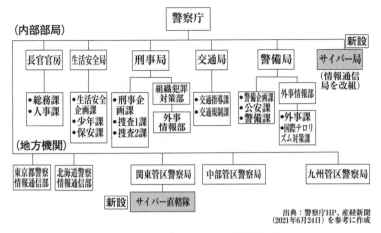

出典：警察庁HP、産経新聞
(2021年6月24日）を参考に作成

図32 サイバー局、サイバー直轄隊組織

倍に増加。そのような状況に鑑み、警察庁は21年6月24日、社会の
デジタル化に伴うサイバー被害や国際的なサイバー攻撃に対応する
ため22年度に「サイバー局」を創設する構想を明らかにした。全国
の警察との連携やサイバー攻撃に関する情報の収集・分析の体制を
強化する方針である。またサイバー事案の捜査を専門的に扱う「サ
イバー直轄隊」（仮称）も設置する。警察庁は22年の通常国会で警察
法を改正し、22年度中にサイバー直轄隊の運用開始を目指すとして
いる（図32参照）。

　近年、特に中国やロシア、北朝鮮といった国家レベルの関与が疑
われる大規模サイバー攻撃など、サイバー空間の脅威は増加し、テ
レワークの増加やネットショッピングの普及などに伴い、情報流出
といったサイバー被害のリスクも増えている。こうした背景から、
警察庁はサイバー部門を強化する必要性があると判断。警察庁の内
部部局としてサイバー局を新設する方針を固めた。現在は警備局や
生活安全局に分かれているサイバー事案の部門を事実上一元化し、
情報解析や民間企業などとの連携も担う予定である。

　またサイバー直轄隊は関東管区警察局に設置され、国家の関与が

疑われるなどの事案で他国との共同捜査を実施することとなる。都道府県の枠組みを超えた広域的な被害が発生している事案や、高度な技術力・知見が必要な事案などについて、各都道府県警と連携すると共に実際の捜査にも乗り出すとしている。

　さらにサイバー直轄隊は、証拠の差し押さえや容疑者の逮捕、書類送検も可能となる。隊長には警視正級を置き、都道府県警からのサイバー事案に精通した応援要員を集めるなど200人規模が想定されている。

　サイバー局の新設に伴い、技術部門などを担ってきた情報通信局は廃止する方向で調整される。また技術部門の機能を長官官房に移し、デジタル化政策なども推し進められる。

サイバーキルチェーン（Cyber Kill Chain）

　敵の攻撃方法を把握し、切断することで防御力を高めるという考え方。軍事用語で「キルチェーン（Kill Chain＝負の連鎖を切る）」という言葉があり、これを2009年にロッキード・マーチン社がサイバー攻撃に適用した。サイバーキルチェーンでは、標的型攻撃における攻撃者の行動パターンを知ることで、攻撃抑止につなげることが期待される。行動パターンは次の段階に分かれる。

第1段階：偵察（Reconnaissance）。攻撃者が最初に行うのは標的となる組織や個人の調査である。組織のホームページ、外部とのメールのやりとり、従業員のSNSなどから情報を収集し、標的となる人物を絞り込む。以前は組織内に潜入して情報収集する方法もとられていた。

第2段階：武器化（Weaponization）。攻撃に使用する攻撃コード（Exploit）やマルウェアを作成。メールに添付する際には標的が開きやすいファイル（WordやPDF、JPG）に偽装する。

第3段階：配送（Delivery）。第2段階で作成したファイルやサイトへ誘導するURLを「なりすましメール」などで標的に送付、または直接標的となる組織のシステムにアクセスする。

第4段階：攻撃（Exploitation）。第3段階で送り込んだ攻撃コードやマルウェアを実行させる。

第5段階：インストール（Installation）。攻撃コードやマルウェアが実行されることで、ターゲットに侵入して情報収集を行うためのマルウェアをインストールさせる。

第6段階：遠隔操作、C&C（Command and Control）。第5段階でインストールされたマルウェアが攻撃者のC&Cサーバー*からのリモートによる指示に従い、情報収集などを遂行する。

第7段階：目的実行（Actions on Objective）。マルウェアなどを通じて標的から情報搾取、情報の改竄、データ破壊、サービス停止など攻撃者の目的が実行される。

第8段階：痕跡の消去。攻撃の痕跡を消すことにより手がかりなどをなくす。

*C&Cサーバー：マルウェアに感染したコンピュータに対し指示・制御を行うサーバー。

⇒マルウェア

サイバー空間（cyber space）

インターネット（光ファイバー、海底ケーブル、衛星などを含む）、インターネットに接続されているネットワーク、これらネットワークに接続されているコンピュータ端末、サーバー、その他の電子機器が作り出す人工の空間。

サイバー攻撃（cyber attack）

サーバーやパソコンなどのシステムに対し、様々な手段を用いて個人、企業、国家のデータを窃取、改竄、システムの機能不全を起こす、システムを破壊するなどの攻撃の総称。特定の組織や集団、個人を狙ったものと、不特定多数を無差別に攻撃するものがある。IT技術の進展に伴いサイバー攻撃の種類や巧妙さは複雑化している。サイバー攻撃は、個人レベルでも行われるが、ロシア、中国、イランなどのようにインテリジェンス機関を中心に国家規模で行っている例も報告されている。

⇒サイバーテロ、標的型サイバー攻撃、APT、C&Cサーバー、マルウェア、ゼロデイ攻撃、ソーシャルエンジニアリング、標的型サイバー攻撃

サイバーセキュリティ（cyber security）

　サイバー攻撃に対する防御行為。コンピュータへの不正侵入、データの改竄や破壊、情報漏洩、コンピュータウイルスの感染がなされないよう、コンピュータやコンピュータ・ネットワークの安全を確保すること。ちなみに日本のサイバーセキュリティ基本法では「電子的方式、磁気的方式その他人の知覚によっては認識することができない方式により記録され、又は発信され、伝送され、若しくは受信される情報の漏洩、滅失又は毀損の防止その他の当該情報の安全管理のために必要な措置並びに情報システム及び情報通信ネットワークの安全性及び信頼性の確保のために必要な措置が講じられ、その状態が適切に維持管理されていること」と定義されている。

⇒サイバー攻撃、サイバーセキュリティ基本法

サイバーセキュリティ基本法（日本）

　サイバーセキュリティに関する施策を総合的かつ効率的に推進するため、基本理念を定め、国の責務などを明らかにし、サイバーセキュリティ戦略の策定、その他当該施策の基本となる事項を規定。2015年1月施行。

　同法により、情報セキュリティ政策会議を格上げしたサイバーセキュリティ戦略本部が設置され、内閣に対する戦略案の作成、行政機関や独立法人に対する対策基準の作成やその評価、行政機関で発生したサイバーセキュリティに関する重大な事象に対する施策の評価などを行う。サイバーセキュリティ戦略本部は、IT総合戦略本部や国家安全保障会議と連携し、これらの業務を効率的に行うとしている。

⇒サイバーセキュリティ

サイバーテロ（cyber-terrorism）

　サイバー空間で行われるテロ。広義の意味で情報通信手段を用いた悪意のある攻撃全般を指すこともあるが、金銭目的や知的好奇心などを動機とする一般犯罪のサイバー攻撃と区別して使用されるケースも多い。その場合、①攻撃が政治的動機により行われること、②対象が

重要インフラを標的とした攻撃であり、システムの妨害・停止などの重大な被害が生ずること、などの基準により区別される。
⇒サイバー攻撃

サイファー（cipher）

暗号の手法の1つ。個々の文字を別の文字や数字に置き換える手法。
⇒コード、シーザー暗号

作戦インテリジェンス（情報）（operational intelligence）

作戦地域での作戦計画を作成する際に用いられるインテリジェンス。

作戦部（北朝鮮）

かつて北朝鮮に存在した朝鮮労働党のインテリジェンス機関。潜入工作を担任し、同部が管理する元山および清津の両連絡所はかつて日本への潜入作戦に従事していた。なかでも清津連絡所は対日浸透工作が恒常的であった時期には1,200人の工作員が所属し、うち400人が対日浸透を主任務としていたという。2009年以降、作戦部は軍総参謀部偵察局と統合され、人民武力部（現・人民武力省）隷下の朝鮮人民軍偵察総局に発展解消した。
⇒北朝鮮のインテリジェンス機関

作戦保全（OPSEC：Operations Security）

作戦に関する重要なインフォメーション（情報資料）を特定し、友軍の行動その他の活動を秘匿するプロセス。作戦保全の目的は、友軍の兵力と意図に関して十分かつ正確な知識を得るために敵が必要とする友軍情報を特定し、それを敵に入手させないこと、また秘密を保持することで敵の政策決定者に友軍に関する既知の重要な情報との関連性を誤って判断させるようにすること。

軍事的欺瞞と作戦保全は補完的な行動で、欺瞞は敵に誤った分析をさせるように仕向けたり、特定の誤った推論に至るようにし、作戦保全は敵に真の情報が伝わるのを拒否し、友軍の計画が正確に推測され

るのを防ぐことである。

作戦保全（OPSEC）という言葉を最初に用いたのは、ベトナム戦争時のアメリカ軍である。当時、戦略や戦術が敵に読まれていると感じたアメリカ軍は、Purple Dragonというチームを編成し調査を開始した。しかし、北ベトナムやベトコンはアメリカ軍の通信を解読できておらず、また内部で情報を収集できるスパイもいないと見られたことから、アメリカ軍自身の不注意で重要な情報が敵に漏れているとの結論が導かれた。その後、OPSECの概念は、アメリカ政府機関、民間部門へと徐々に広がっていった。

⇒インフォメーション、欺瞞行動

作戦要務令（旧日本陸軍）

軍隊の陣中勤務や作戦行動・戦術・戦闘要領などを規定したもので、少尉以上の幹部を対象とした教範。1938年9月、日華事変から得た教訓を採り入れ、『陣中要務令』と『戦闘綱要』の重複部分を削除・統合して、対ソ戦を想定して『作戦要務令』の綱領「第1部」「第2部」を制定。39年には「第3部」、40年には「第4部」がそれぞれ制定された。陸上自衛隊の『野外令』のもとになっている。

サード・パーティ・ルール（third party rule）

第三者に情報を提供する場合、事前にその情報の提供を受けた機関の了承を得る必要があるというインテリジェンス業務上の基本的ルールの1つ。

サニタイズ（sanitize）

「消毒する」「無害化する」するという本来の意味から、インテリジェンス機関が作成する報告書や文書において、情報収集の手段や情報源を公表して将来の情報活動に影響を及ぼすおそれがある場合、一部の情報を削除、または表現を変えること。

どのような手段や情報源から情報を入手しているかが相手にわかれば、相手はその対応策を講じるため、サニタイズのやり方自体も

秘密とされている。

サフォード，ロレンス（Safford, Laurance 1893〜1973）

アメリカ海軍軍人。海軍の暗号解読組織を創設した人物。1916年、海軍兵学校卒業、24年に通信情報ユニットを組織。当初の組織はサフォード大尉と民間人4人であり、日本の外交暗号の解読に取り組んでいた。同24年、アメリカ海軍は海軍省内に暗号・通信課を設置し、日本海軍の暗号の解読を開始した。この中心となった人物がサフォードである。この機関は36年頃、OP-20-G（海軍作戦部第20部G課、海軍通信諜報部）に発展した。

サプライチェーン攻撃（supply chain attack）

サプライチェーンとは製品が生産、物流、販売など消費者に届く一連のプロセスを意味するが、製品や部品の製造、またはそれらの流通過程で主としてソフトウェアにマルウェア、バックドア、キルスイッチなどを埋め込むサイバー攻撃をいう。サプライチェーン攻撃で想定されるのは、製造企業が自ら製造過程で組み込む、あるいは国家が製品を押収した上で、マルウェアやバックドアを仕込んだ機器を海外に輸出するケースなどがあり、ユーザー側の対策が難しいことが特徴である。

⇒マルウェア、サイバー攻撃

サボタージュ（sabotage）

工作員や地下運動家などによる破壊（妨害）活動のこと。

ザボーチン，ニコライ（Zabotin, Nikolai 〜1946）

GRUの高級情報官。ソ連陸軍大佐。1943年にイーゴリ・グーゼンコを伴ってカナダに入国。43〜45年、カナダでソ連大使館の駐在武官として、ソ連スパイ網を統轄した。アラン・ナン・メイらを通じてアメリカの原爆資料を盗み出した。45年12月、グーゼンコのカナダ亡命に危機感を持ち、ソ連船でカナダを出国。その後の死亡に至る経緯につ

いては、ソ連に向かう途中、船上から海に飛び込んだという説、ソ連帰国の4日後に心臓発作で死亡など諸説ある。
⇒GRU、グーゼンコ,イーゴリ、メイ,アラン・ナン

サポート・エージェント（support agent）
　支援工作員。特別な技術、暗号、通信、監視、偽造など、スパイ活動を技術的な面で支援する工作員の総称。

産業スパイ（industrial espionage, economic espionage）
　企業が持つ技術や情報で秘密にされているものを不正に入手する行為、またそのような行為を働く人物のこと。

参謀本部第Ⅲb局（ドイツ）
　第1次世界大戦前後のドイツの軍インテリジェンス機関。1910年にハイエ陸軍少佐の下で創設。13年、ワルター・ニコライ少佐が引き継ぎ、第1次世界大戦勃発前には約80人の将校を擁し、主としてフランス、ロシアの軍事情報を収集・分析にあたった。21年にアプヴェーアに発展。
⇒ニコライ,ワルター、アプヴェーア

三重スパイ（triple agent）
　1人のエージェントが3つのインテリジェンス機関で活動しながら、意図的か否かにかかわらず、1つのインテリジェンス機関から教唆を受け、ほかの2つの機関には重要な情報を与えないエージェントのこと。
⇒二重スパイ、再転向エージェント

三戦（Three Warfares, three types of chinese warfare）
　輿論戦、心理戦、法律戦の総称。その概念は、2003年中国共産党中央委員会および中央軍事委員会で採択され、軍内の基本法規である中国人民解放軍政治工作条例に「輿論戦、心理戦、法律戦を実施し、瓦解工作、反心理・反策反工作*、軍事司法および法律服務工作を展開する」と記載されている。三戦は、相互に密接な関係があり、明瞭な

区分は困難。また三戦は中国の得意とする宣伝を用いて敵の弱体化を目指すことから、非対称戦の一部と捉えることもできる。

輿論戦：自軍の敢闘精神の鼓舞、敵戦闘意欲の減退を目的とする内外の世論（輿論）の醸成をいう。

心理戦：敵の抵抗意志の破砕を目的。常用戦法には「宣伝」、「威嚇」、「欺騙」、「離間」、「心理防護」がある。

法律戦：自軍の武力行使、作戦行動の合法性を確保し、敵の違法性を暴き、第三国の干渉を阻止することで自軍を主動、敵を受動の立場に置くことを目的とする。軍事作戦の補助手段として用いられる。

＊：反心理工作とは敵による心理的攻撃への対抗措置。反策反工作とは策反（敵側に潜入し、密かに行う寝返り工作）への対抗措置。

【シ】

ジェイルブレイク（jail break）

　脱獄という意味から転じたコンピュータ用語で、あらかじめ設けられた制限を非正規に解除することをいう。特にAppleのiPhone、iPadなどで規約に反した改造を行い、公式ストアでは認められていないアプリなどをインストールする行為を指すことが多い。メーカーが設計したセキュリティ思想から逸脱するため、マルウェアなどへの感染や乗っ取りなどの攻撃を受ける確率が高くなる。

ジェームズ・マーロン事件

　1977年3月にイギリスで起きた事件。マーロンは商店主であったが、盗品を売っているという噂が流れていた。噂を聞きつけた警察が電話を盗聴し逮捕したが、警察や保安部（MI5）が国内で電話を傍受する際に必要な許可を得ずに行ったことが問題とされた。内務省の許

可証が必要という規則が形骸化していたのである。欧州人権条約裁判所は人権侵害の疑いがあるとし、マーロン事件を問題視した。この指摘を受け、イギリス政府は翌78年に通信傍受法を成立させた。
⇒MI5、通信傍受法

ジェルジンスキー，フェリックス（Derzhinsky, Feliks 1877～1926）

初期のソ連情報組織チェーカーの創始者。1887年、政治騒乱罪でシベリアに追放される。1905年のロシア革命で活躍し、17年にチェーカーを創設。ボリシェヴィキ中央委員会のメンバーとなる。チェーカーの名称がGPUおよびOGPUに変わった後も26年までその長官を務めた。最高経済会議の議長兼任（24～26年）。スターリンと議論している際に心臓発作で急死、暗殺の噂が広まった。彼の銅像がソ連崩壊まで、ルビャンカのKGB本部前に置かれていた。
⇒チェーカー、GPU、KGB

シェレンベルク，ヴァルター（Schellenberg, Walter 1910～1952）

ナチス親衛隊（SS）の情報組織（SD）の高官。防諜組織の長。1934年にSD長官ラインハルト・ハイドリヒに抜擢され、SDに参加。39年に国家保安本部が創設されると、国内の防諜を担当する第Ⅳ局E部の部長に就任。部長となったその年に、ヒトラー暗殺未遂事件が発生。ハイドリヒ長官はフェンロー事件で拉致したスパイの仕業だとでっちあげた。別のヒトラー暗殺事件ではアプヴェーア長官のヴィルヘルム・フランツ・カナリスを逮捕・処刑した。シェレンベレクの有能さは上層部に広く認められ、親衛隊長官ヒムラーはハイドリヒの後継者にシェレンベレクを推挙したが、若過ぎるとして実現しなかった。ドイツの敗戦直前にイギリスに投降し、のちに回想録を残した。
⇒SD、ハイドリヒ,ラインハルト、フェンロー事件、カナリス,ヴィルヘルム・フランツ、ヒムラー,ハインリヒ

ジオイント（GEOINT：Geospatial Intelligence）

地理・空間情報。地球上で観察される自然物、人工物などに関係づ

けられた情報で、特に国家安全保障に関する情報の意味合いを持つ。

　ジオイントはイミント（画像情報）と呼ばれていた収集方法から発展した概念で、その画像に位置的なデータを重ねることで、安全保障上、画像がより重要な意味を持つようになった。わが国の地理空間情報活用推進基本法（平成19年５月30日）では「①空間上の特定の地点または区域の位置を示す情報（当該情報に係る時点に関する情報を含む）、②上記の情報と、上記の情報に関連付けられた情報からなる情報」と定義されている。

⇒イミント

シギント（SIGINT：Signals Intelligence）

　信号情報。対象の電子通信を傍受して得たインテリジェンスおよびその収集手段。シギントは「通信用電波または非通信用電波」により、大きくコミント（通信情報）とエリント（電子情報）に区分されるが、テリント（遠隔測定情報）を加える場合もある。

⇒コミント、エリント、テリント、フィシント

シークレットとミステリー（secret & mystery）

　秘密と謎。一般的には似たような言葉だが、インテリジェンス分野ではシークレットはスパイが盗むことができるか、または技術的なセンサーによって識別できる具体的なものであり、ミステリーは相手国の指導者の考えていることなど存在自体が不確かで誰も確信をもって答えられない抽象的なものを指す。

シーザー暗号（ceasar cipher）

　紀元前１世紀に登場したシーザー暗号は、ユリウス・カエサル（ジュリアス・シーザー）が頻繁に利用したことから名づけられた有名な暗号方式。「サイファー」の１つでカサエル式暗号、シフト暗号とも呼ばれる。シーザー暗号は元の文章のアルファベットを３文字ずらして暗号化するものである。たとえば暗号化する時にXがAに、YがBに替わる。復号化する時はEをBに、DをAに変換する（図33参照）。

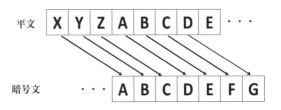

| 平文 | X | Y | Z | A | B | C | D | E | ・・・ |

| 暗号文 | ・・・ | A | B | C | D | E | F | G |

図33 シーザー暗号

| 暗号化：平文「ＸＹＺ」⇒暗号文「ＡＢＣ」 |
| 復号化：暗号文「ＥＤＢ」⇒平文「ＢＡＹ」 |

⇒サイファー、コード

辞書攻撃（dictionary attack）

　パスワードを解除して不正アクセスする際に、あらかじめよく用いられるパスワードのリストを辞書ファイルに登録しておき、それを利用する手法。リスト攻撃ともいう。総当たり攻撃（ブルートフォース・アタック）では、パスワードの文字列が長い場合や文字種が多いと、解除するのに時間がかかってしまう。そこで、ユーザーがパスワードとして登録しそうな文字列をあらかじめリストに登録しておき、それを順次試していくやり方。パスワードのリストには、辞書に載っているような一般名詞、地名、人名、あるいは「abcde」といった文字列など、パスワードに用いられやすい単語や数字が記載してあり、それに基づいて順番に入力していく。

⇒総当たり攻撃

システム監査（information systems audit）

　情報システムの信頼性、安全性、効率性の視点で情報システムを検証・評価して改善のための助言を行う活動。リスクの分析やコントロールに関して国際的な基準やガイドラインに沿って行うことから、ISACA（情報システムコントロール協会）が認定する公認情報システム監査人（CISA）や日本システム監査人協会が認定する公認システム監査人の制度がある。

シックス・アイズ（Six Eyes）

現在のファイブ・アイズの枠組みに日本を加えた枠組みをシックス・アイズとする構想。2020年7月下旬、イギリスから日本に機密情報の共有拡大を働きかける動きが出てきた。河野太郎防衛相（当時）と電話協議した英議会のトゥーゲンハット外交委員長がツイッターで、日本を加える「シックス・アイズ」構想を話したと明らかにした。

日本は以前から、ファイブ・アイズの5カ国とは情報交換をしているものの、正式な枠組みに参加していない。シックス・アイズになれば、より早い段階での情報の共有や機密性が一段高い内容の意思疎通など協力拡大の余地がある。しかし、実際に加盟するには民間企業を含めたより高度の秘密保全体制の整備が不可欠となる。2019年に米下院がまとめた報告書は、情報共有の相手として日本とファイブ・アイズを同列に並べている。

⇒ファイブ・アイズ

シックスシンキングハット（Six Thinking Hats）

6つの帽子思考法。1985年頃、マルタ島出身の医学・心理学者のエドワード・デ・ボーノ（Edward de Bono）によって開発されたアイデア発想法の1つ。デ・ボーノはオックスフォード大学で医学を教えながら、創造的な思考法を研究し、水平思考（ラテラルシンキング、1967年公案）の提唱者としても知られる。

参加メンバーの思考のパターンを、決められた6つの色を順番に替えながら、ステップごとに強制的に特定の視点に立ってアイデアを発想していく方法。従来のブレインストーミングを発展させたもので、参加者が同じ色の時は同じ視点に立って意見を出し合うことで、不足する知識や発想を補うことが期待できる。基本的なルールはブレインストーミングと同様で、ブレインストーミングのルールはシックスシンキングハットにも適用する。6色のイメージと視点は次のとおり。

●ホワイト（白）：中立で客観的。テーマに関する事実や情報を話し合い、全員の知識を共有する。

●レッド（赤）：怒りや情熱、感情。テーマに対する感情的観点から

意見を出し合う。

●イエロー（黄）：明るく積極的。テーマに関する楽観的な意見、利点などを出し合う。

●ブラック（黒）：生真面目で思慮深い。テーマに関する悲観的な意見、欠点などを出し合う。

●グリーン（緑）：草木、植物などの成長。テーマに関する創造的、代替的なアイデアを出し合う。

●ブルー（青）：空、冷静、超越。テーマの設定や確認、進行、意見の集約、時間計画など全般的なことを話し合う。

［事前の準備］

●課題とテーマを設定しておく。

●6色の帽子を参加人数分または全員に見える大きさの6色の貼り出せるカードを用意。

●ブレインストーミングに必要な付箋紙、筆記具、ホワイトボードなどの用意。

［シックスシンキングハットの手順］

①今回のテーマ、ブレインストーミング時の基本的な注意事項、色の意味・思考・視点について説明する。

②参加者に最初の色の帽子を配布（または全員が見えるところに色のカードを貼り出す）。

③課題の内容について、最初の色の視点に基づきブレインストーミングする。

④順番に色を替えてブレインストーミングしながら、意見をブラッシュアップする。ファシリテーター（司会進行役）もしくはタイムキーパーは、あらかじめ色ごとに時間を3〜5分程度に設定し、順番に切り替えていく。

［実施時の注意点］

①参加者はステップごとに全員が同じ色の帽子をかぶる。実際には帽子をかぶらずに「かぶったつもりで……」でも構わないが、全員がそのステップの色の立場で発言することを意識できるよう目に見えるところに色を表示する。

●視覚的に「色」が見えることで、進行中の各ステップから逸れた発言を抑制しやすい。

●同じ色の帽子をかぶることで、ブレインストーミングが進むにつれ、より一体感が醸成されやすい。

●帽子をかぶると、ゲーム的な感覚で場の盛り上がり効果がある。

②ステップごとの色の視点で、半ば無理にでも同じ視点で意見を出し合うことが重要。色と違う意見が出た時には「帽子の色と違う」と指摘し、帽子の色に合ったステップで発言してもらうように助言する。

③6つのステップの順番は白→赤→黄→黒→緑→青が基本とされるが、必ずしもこの順番で行わなくてもよい。

　ファシリテーターが全体の進行を確認し、順番を入れ替えたり、同じステップを繰り返したりすることも可能。

④すべての色を必ず使わなければならないわけではない。迅速な決断が必要、または時間がない時は黄→黒→青の順で行う。参加者の困惑や葛藤が払拭されそうにない時は白→緑→青の順で行うとよい。

⇒ブレインストーミング

自動機密解除（Automatic Declassification：アメリカ）

　原機密指定者により決定された期日が到来、もしくは条件を満たした時、または大統領令による最長の機密解除期間が来た時には自動的に機密が解除されるとするアメリカの規定。2009年12月29日、オバマ大統領による大統領令13526号「機密指定された国家安全保障情報」3.3条で規定。解除までの期間は、原機密指定者が10年未満に設定できない時は10年。ただし原機密指定者の決定により、（国益を守る観点から）25年を上限とする例外が認められる。その例外は次のとおり。①秘密の人的情報源（confidential human source）、人的インテリジェンス情報源（human intelligence source）、外国政府もしくは国際機関のインテリジェンスおよびセキュリティサービスとの関係、非人的インテリジェンス情報源を特定する情報、現在使用されている、使用可能である、もしくは開発中のインテリジェンスに関する有効性が損なわれる情報、②大量破壊兵器の開発、生産・利用につながる情報、③暗

号システムまたは暗号に関する活動を損なう情報、④兵器システムに用いられる最新技術の適用を損なう情報の開示、⑤軍事戦争計画で現在有効な情報、⑥外国政府との関係、外交活動に重大な損害を与える情報、⑦大統領、副大統領および国家安全保障上の利益の観点から擁護を要する人物を保護することに影響を与える情報、⑧国家安全保障緊急即応計画を大きく損なう情報、国家安全保障に関するシステム、設備または基盤施設の脆弱性についての情報、⑨25年経過による自動的または一方的な機密情報開示を認めていない制定法、条約もしくは国際的な合意に関する場合。

シナリオ分析 （scenario analysis）

　複数のシナリオを作成して、将来予測を行う手法。シナリオ分析では、将来予測が当たったかどうかより、各種の将来シナリオを考察することによりリスクを軽減し、先行して行動できることを主眼としている。シナリオ分析の原型はシナリオ・プランニングで、第2次世界大戦後、アメリカ空軍において敵の攻撃への対処要領を案出する方法として登場した。1960年代、この研究に参加していたハーマン・カーンがビジネス上の予測の手法として活用し洗練させた。

　1970年代前半ロイヤル・ダッチシェル社のピエール・ワックがこの分析手法をさらに進化させた。第2次世界大戦後、石油価格に影響を与える可能性のある出来事は何かを検討している中でワックらは、今後の動向として2つの将来シナリオを考え出した。1つは石油価格は安定的に継続するという一般的なシナリオで、もう1つは石油危機が起きるというシナリオであった。そして後者のシナリオが発生した場合に備えて経営者はどのように決断すべきかについても分析した。それによりダッチシェル社は、1973年10月の第4次中東戦争（ヨムキプール戦争）後の石油危機の際、適切に対応することができ、その後、数年間、同社の売り上げは増大し、「セブン・メジャーズ」の中の弱小組から第2位に浮上、最も収益性の高い会社になった。

　1980年代、ダッチシェル社は「北海油田に投資すべきか」について検討する過程で、ソ連の動向がドライビングフォース（推進力）とし

て大きな要因になることがわかり、ソ連崩壊のシナリオについても分析していたため、ソ連崩壊の関連リスクも回避できたとされる。

⇒ドライビング・フォース

柴五郎（しば・ごろう 1860～1945）

　陸軍軍人。陸軍大学校卒業者以外では唯一、陸軍大将に昇進。海外経験が豊富な情報将校、陸軍きっての中国通として知られた。1900年の「義和団の乱」の際、清国公使館付武官として、居留民保護、籠城戦を指揮し、その功績が高く評価され、欧米各国から多くの勲章を授与された。この時の柴の活躍が、総指揮をとったイギリス公使クロード・マクドナルドを感激させ、これが日英同盟締結につながったとされる。柴五郎は日英同盟のきっかけをつくった功労者として評価され、その活躍の背景には川上操六の抜擢があった。

⇒川上操六

シープ・ディッピング（sheep dipping）

　「羊を殺虫液に浸して洗う」という意味から転じたスパイ用語。羊を殺虫液に浸すと害虫などが駆除できる。これを比喩的に人に使えば、過去の人生を取り除き、新たな経歴に偽装するなどの意味で使われる。たとえばインテリジェンス機関の要員が秘密工作を実施する際、軍人が秘密任務のために民間人に偽装して作戦を遂行する場合などにシープ・ディッピングが行われる。

シャーウッド，ロバート（Sherwood, Robert 1896～1955）

　アメリカの劇作家。ハーバード大学在学中に処女演劇「パーナムは正しかった」を発表。第1次世界大戦従軍後『ライフ』誌の編集者（1924～28年）を務め、ピュリッツアー賞を4度受賞。41年7月の情報調査局（OCI、OSSの前身）の創設にウィリアム・ドノヴァンと共に関与。シャーウッドは国内広報と国外プロパガンダを担当した。

⇒OSS、ドノヴァン,ウィリアム

ジャッジメント（judgement）

　判断。情報分析の用語としては、ある事象の意義、その事象の動向や仮説について評価（どの程度の可能性または蓋然性があるかなど）し、最終的に決めること。

シャッター・コントロール（shutter control）

　商用衛星で撮影した画像が敵対国などに渡ると、自国が不利になる恐れがある場合、商用衛星の撮影対象を規制したり、画像の販売を禁止すること。アフガン戦争やイラク戦争時、米国防総省はアメリカがシャッター・コントロールを行っているとのメディアなどからの批判を避けるため、商用衛星の画像を買い占めるなどの措置をとった。

謝富治（しゃ・ふじ 1909〜1972）

　中国国家公安部の部長（1959年9月〜72年3月）。かつては康生を補佐し、中国人民解放軍公安部も指揮する。バルカン諸国の諜報機関との連携を組織した。72年に現職で死亡。死因は不明で、康生が殺害に関与したとの説もある。80年に党籍が剥奪された。
⇒康生

シャムロック作戦（Operation Shamrock）

　アメリカのインテリジェンス機関が電信会社から主要な電報を手に入れるためアメリカ人を対象とした通信傍受プログラムのコード名。1945年から30年間その存在は秘匿された。
　第2次世界大戦当時に実施されていた外国の情報通信傍受の有効性に気づいた米陸軍保安局（ASA）局長により考案された。大戦後の1945年後半、ASAは電信会社3社のウエスタンユニオン、ITI（国際電話電信社）、RCA（ラジオコーポレーションアメリカ）と協定を結び、大使館や領事館はもちろん、アメリカ市民および企業による通信情報へのアクセス権を手に入れるべく極秘の協定を結んだ。
　作戦は、上記3社から陸軍の軍人が電信テープを毎日回収する形で

シ

開始された。その業務は、1952年に新設されたNSA（国家安全保障局）に引き継がれた。電信テープは、50年代は紙テープ、60年代初頭になると磁気テープが用いられた。60年代後半までは、外国から指令を受けている国内のスパイ摘発に重点が置かれていたようだが、次第に反戦運動家、市民運動家、麻薬の密売に関わる人々に対する盗聴に重点が移り、拡大していった。

1969年には国内のベトナム反戦運動に対する外国の影響力についての電信、通話を傍受するミレナット作戦が開始された。さらに、すぐに破棄されたものの、国内情報活動の対象をより拡大したヒューストン計画なども立案された。しかし、75年にチャーチ委員会が設けられ、その実態が明らかにされると国内での通信傍受活動が制限されるようになってきた。

チャーチ委員会においてアレン・ダレスCIA長官は、シャムロック計画では米市民の通信も収集されていることを認めた。そもそもが、国際通信とはいうものの、アメリカ市民が外国に発信したもの、外国からアメリカ市民に発信したもの、アメリカ市民が外国に滞在するアメリカ人に発信したものも含まれていた。これらは結果的に憲法で保障されたアメリカ市民の権利を侵害する可能性が高かったため、NSAの活動を法的に制限することになった。これら委員会による問題提起を受けて、1978年に「Foreign Intelligence Surveillance Act」（FISA：外国諜報監視法）が成立し、アメリカ国内での外国情報を電子的に監視する手続きが定められた。外国機関の通信の監視は司法長官の許可が必要で、アメリカ人（アメリカ国籍保有者および合法的な永住権保有者）の通信の監視には裁判所の令状が必要となった。

⇒NSA、ヒューストン計画、CIA、チャーチ委員会、ダレス,アレン、外国諜報監視法、ニュー・シャムロック作戦

周永康（しゅう・えいこう 1942～）

政治局常務委員会委員、中央政法委員会書記。1966年に北京石油学院卒業、中国政府の石油部門の要職を歴任。98年に朱鎔基国務院（内閣）で、国土資源部長（大臣）に就任。2000年に四川省党委員会書記

に転出。その後、公安部門に進み、03年に公安部長、07年に公安、政法部門（情報、治安、司法、検察、公安などの部門）を統括する政治法制委員会書記。12年に政法部門のトップとして政治局常務委員（序列9位）に昇任。15年6月、汚職により、無期懲役刑に処せられる。失脚の背景には、習近平の失脚を狙ったクーデターを画策したとされる薄熙来と緊密な関係にあったことが挙げられている。

収集手段（収集方法）

　情報収集手段。民間組織や研究機関の情報収集とインテリジェンス・コミュニティーが決定的に異なるのは、情報収集手段の多様性である。情報収集手段は、人（エージェント）や機械（電波傍受システム、偵察衛星など）のことで、各手段によって集められた後の処理・分析を経た成果物も含めて、公開情報（オシント）、人的情報（ヒューミント）、技術情報（テキント）と区分される。さらに技術情報は通信情報（シギント）、画像情報（イミント）、計測・痕跡情報（マシント）に細分化される（図34参照）。

⇒ヒューミント、オシント、テキント、シギント、イミント、ジオイント、マシント

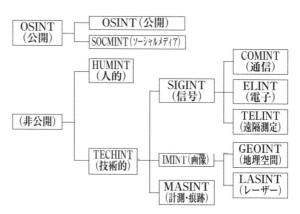

出典：『インテリジェンス』などを参考に筆者作成

図34 情報収集手段

ジュークボックス

第2次世界大戦前後のソ連諜報機関で使われた通信機の隠語。

集団思考（groupthink）

人間として、民族として、組織として保有している特定の思考方式。一般的に情報関係者もその国の民族であり、当然似たような思考方式を有している。そのため共通の立場にある思考方式から導き出された結論は、同じ民族や同じような組織の人々には受け入れられやすい。

2003年有志連合がイラク攻撃の最大の理由とした「イラクがWMD（大量破壊兵器）を開発し保有している」との分析をした原因の1つとして、英米の分析担当者たちが過去のイラクのWMDへの対応から「あるに違いない」とする集団思考に陥ったと指摘されている。

出入国管理及び難民認定法（日本）

第1条において「出入国管理及び難民認定法は、本邦に入国し、又は本邦から出国するすべての人の出入国の公正な管理を図ると共に、難民の認定手続を整備することを目的とする」と規定されている。1951年10月4日施行後、数次の改正を経て、2006年5月の改正で偽名などによるテロリスト入国を阻止するため、外国人の上陸審査時に指紋や顔写真などの個人識別情報を提供することを義務づけ、テロリストなどの危険人物の個人識別情報と照合する新たな入国管理システムが導入された。

シュティバー，ヴィルヘルム（Stieber, Wilhelm 1818〜1882）

ビスマルク時代のスパイマスター。ドイツ人。ザクセンに生まれ、ベルリンで弁護士として成功し、1850年、国王ヴィルヘルム一世の信頼を得て警察局長に就任。しかし国王が病気になると政敵に追われてロシアに逃れ、ロシア秘密警察再建に協力（58〜63年）した。帰国後、ビスマルクの知遇を得て情報官となり、その後、約20年間にわたり裏社会を支配した。

シュティバーの情報活動により、プロシアは普墺戦争（1866年）で

オーストリアを7週間で破った。普仏戦争（1870〜71年）でも彼の情報活動は威力を発揮し、プロイセン軍は6週間でフランスを破り、ナポレオン三世を降服させた。この間にシュティバーは、秘密警察特別班を作り、国王および要人の護衛、防諜の任務にあたったほか、電報・電信・郵便の検閲制度を設け、さらに偽情報工作を任務とする中央情報局を新設した。ビスマルクはシュティバーを「探偵の王」と呼び枢密顧問官に任命した。

シュティラー，ヴェルナー（Stiller, Werner 1947〜2006）

1979年1月に西ドイツに亡命した東ドイツのインテリジェンス機関（HVA）の情報官。亡命時の階級は中尉。シュティラーの情報により、西ドイツに浸透している東ドイツのスパイが逮捕され、「顔の見えない男」といわれたHVA長官のマルクス・ヴォルフが初めて写真で特定された。
⇒HVA、BND、ヴォルフ,マルクス

シュナイダー，エタ・ハーリヒ（Schneider, Eta. Harich 1897〜1986）

音楽家。リヒャルト・ゾルゲの愛人。1941年、ナチスから追放され、ドイツの文化使節として来日。戦時下の東京でゾルゲと交際し、愛人関係になる。東京のドイツ大使館に身を寄せながら、各地で演奏活動を行うと共にピアノとチェンバロの演奏を教えた。
⇒ゾルゲ,リヒャルト

シューメーカー（shoemaker）

靴屋から転じてパスポート偽造の専門家のこと。シュー（靴）は偽造したパスポートを指す。ソ連のスパイ用語。

シュラグミューラー，エリザベート（Schragmuller, Elsbeth 1887〜1940）

ドイツのスパイ学校の女性教官。通称「マドモアゼル・ドクトール」。哲学博士。フランス語と英語に堪能で令嬢博士の異名を持つ。1913年にフライブルク大学卒業後、第1次世界大戦勃発と同時にドイツ陸軍参謀本部Ⅲb局長ワルター・ニコライ大佐の下で情報関係業務

に従事。15年、郵便検閲業務から「アントワープ戦争情報局」のスパイ学校の教官に転身。授業用のテキストとして数冊のスパイ活動の手引書を著した。彼女の訓練は厳しく、学生からは「燃える虎の目」と呼ばれ、恐れられた。

⇒ニコライ,ワルター

省庁間機密指定上訴委員会（ISCAP：Interagency Security Classification Appeals Panel：アメリカ）

　大統領による機密指定および解除を補佐する省庁横断的な委員会。実際は行政府が行う秘密指定が基準にかなったものであるかどうかなどを審査する。国務省、国防総省、司法省、国立公文書館、国家情報長官室および国家安全保障問題担当大統領補佐官から構成員として指名された幹部レベルの代表者がメンバー。CIA長官が指名した非常任の代表が参加する場合もある。

省秘（日本）

　防衛省の秘密は「特定秘密」「特別防衛秘密」「秘」に区分されるが、「秘」をいわゆる「省秘」と呼称している。

　防衛省の所掌する事務に関する知識または文書、図画もしくは物件のうち、国の安全または利益に関わる事項（特定秘密又は特別防衛秘密に該当する事項を除く）であって、関係職員以外に知らせてはならないものを秘として指定（防衛省秘密保全に関する訓令〔平成19年防衛省訓令第36号第16条〕）。

1）自衛隊の運用又はこれに関する見積り若しくは計画若しくは研究
2）防衛及び警備に関し収集した情報
3）情報の収集整理に関する自衛隊の活動状況、態勢、方法、計画又はその能力
4）防衛力の整備に関する見積り若しくは計画又は研究等

情報（information/intelligence）

　ある事柄についての知らせ、判断を下したり行動を起こしたりする

ために必要な、種々の媒体を介しての知識。一般的に「情報」は英語の information と intelligence の訳としてどちらにも用いられる。ただし、昭和時に編纂された『英和和英最新軍事用語辞典』（吉原恒雄他訳編、三修社、1983年）などでは information（インフォメーション）を「情報資料」、intelligence（インテリジェンス）を「情報」と区別している。

　「情報」という言葉は、中国から来たものではなく、訳語として日本で造られた用語。通説では森鴎外が1887年頃に『戦争論』を訳した時の造語とされているが、1876年出版の日本陸軍の翻訳教範『仏國歩兵陣中要務實地演習軌典』で訳語として記載されている。原語はフランス語のrenseignementで、翻訳者の酒井忠恕陸軍少佐は「情報」を敵の「情状の知らせ、ないしは様子」という意味で用いている。初期の頃は「情報」と「状報」が併用されたが、90年頃から情報に統一されていった。このように「情報」はもともと軍事用語として用いられていたが、日清・日露戦争の報道で新聞用語として定着、その後、国語辞典にも収録されるようになった。

　第2次世界大戦後は、情報理論の導入に伴い、英語のinformationの日本語訳としても用いられるようになった。
⇒インフォメーション、インテリジェンス

情報（旧日本軍における情報）

　旧日本軍の教範などでは情報を明確に定義した条文はないが、関連する記述は以下のように見られる。

　明治期に制定された『野外要務令』（1907年改訂版）には「情報」という用語はわずか2カ所しか記述がない。そこでは情報は「住民の発言、新聞、信書、電信、その他の郵便物」、あるいは「情況を判決（最終判断）するために直接に敵を探偵観察して得たもの」として用いられている。

　『野外要務令』の後継で大正期に制定された『陣中要務令』には、「情報」という用語の記載はやや増加するが、そこでも「情報」の定義はなされていない。

シ

昭和期に制定された『統帥参考』では「第5章 情報収集」において次のような趣旨の記述がある。「情報収集において敵に優越することが勝利の発端」「情報収集は敵情判断の基礎にして、適切なる敵情判断は情報収集を容易にする」と情報収集の重要性を強調。一方で、「情報の収集は必ずしも常に所望の効果を期待できないので、高級指揮官はいたずらにその成果を待つことなく、状況によっては、任務に基づき主導的行動に出ることに躊躇してはならない」とし、敵情判断のために戦機を逃すことの愚を戒めている。さらに方面軍は主として戦略的情報、軍団は戦略的情報と戦術的情報の両者、師団は主として戦術的情報を収集すると記述。そして「戦略的情報は戦術的情報によって確証を得ることができるので注意しなければならない」と両者の関係も説明している。また、情報収集の手段として戦術的情報は主として捜索によるとし、これは騎兵、航空部隊、装甲部隊、第一線部隊などを使用するほか、砲兵情報班、無線諜報班、諜報機関などを適宜使用するとされている。戦略的情報は主として航空部隊および「諜報」によるとされ、諜報について詳細に記述されている。

　同じく昭和期に制定された軍隊の勤務や作戦・戦闘の要領などについて規定した『作戦要務令』では、第3編に「情報」という項目がある。この通則では、情報勤務の目的、情報勤務規定、情報の収集手段、情報の審査などの要領が記されている。ここでは「情報勤務の目的は敵情、地形、気象等に関する諸情報を収集審査して、指揮官の決心および指揮に必要なる資料を得るにあり」「情報収集の主要なる手段は捜索および諜報勤務とする」「収集せる情報は的確なる審査によりその真否、価値等を決定するを要す」「情報の審査にあたりては、先入主となり、あるいは的確なる憑拠（根拠）なき想像に陥ることなきを要す」などと記述されている。
⇒諜報、野外要務令、陣中要務令、統帥綱領、統帥参考、作戦要務令、捜索勤務

情報委員会（日本）

　官制により最初に設置された内閣に直属するインテリジェンス機

関。1936年7月1日に設立。設立目的は各省広報宣伝部局の連絡調整を行うことで、所管事務は国策遂行の基礎である情報に関する連絡調整、内外報道に関する連絡調整、啓発宣伝に関する連絡調整。内閣情報部、情報局に発展解消。

⇒内閣情報部、情報局

情報科（日本）

2010年に新設された陸上自衛隊の職種の1つ。情報に関する専門技術を持って情報資料（インフォメーション）の収集・処理および地図・航空写真の配布を行い、各部隊の情報業務を支援する。

情報化戦争（中国）

マルチドメイン作戦（MOD）に相当する中国の概念。ネットワーク情報システムならびに情報化された兵器および装備の広範の使用の下、全兵力が視認領域だけでなく、陸、海、空、宇宙・サイバー・電磁波などの空間および認知領域において、統合作戦を共に実施する作戦。情報優越を目的とし、部隊レベルの「情報作戦」、作戦レベルの「情報戦」（これには電子戦、ネットワーク戦（サイバー戦）、心理戦、諜報戦および指揮統制戦など含まれる）の上位に位置し（情報作戦、情報戦を含む）戦略レベルの戦いの概念である。情報化戦争には政治戦である三戦（心理戦、法律戦、輿論戦）が含まれる（ディーン・チェン『中国の情報化戦争』）。

⇒マルチドメイン作戦（MOD）

情報（インテリジェンス）機関授権法 (Intelligence Authorization Act：アメリカ)

インテリジェンス機関の活動予算の大枠を決めるために連邦議会が毎年通す法律。1978年に初めて79年度インテリジェンス機関授権法が成立して以来、2005年度まで毎年成立してきた。06年度から09年度までの期間は、大統領と連邦議会の対立などからインテリジェンス機関授権法は成立しない事態となり、この期間内は各年次の国防歳出予算法にインテリジェンス機関への授権条項が盛り込まれた。

情報教科 （information study：日本）

　2003年度から高等学校に新設された教科で、情報手段の活用を図りながら情報を適切に判断・分析するための知識や技能を習得させ，情報社会に主体的に対応する態度を育てることを目標とする。17年度および18年度告示の学習指導要領では、小学校にプログラミング教育を導入すると共に高等学校には「共通教科情報科」を設置し、プログラミングのほか、ネットワーク（情報セキュリティを含む）やデータベースの基礎などについて学ぶ「情報Ⅰ」をすべての生徒の必履修科目とした。

　さらに2022年度から施行される学習指導要領では、必履修科目が「情報Ⅰ」に一本化され、発展科目として「情報Ⅱ」が設定された。情報の科学的な理解に大きく重点を移し、現行の専門教科情報科で扱っているような深い内容のものも幅広く採り入れられる。

　「情報Ⅰ」は、①情報社会の問題解決、②コミュニケーションと情報デザイン、③コンピュータとプログラミング、④情報通信ネットワークとデータの活用。

　「情報Ⅱ」は、①情報社会の進展と情報技術、②コミュニケーションとコンテンツ、③情報とデータサイエンス、④情報システムとプログラミング、⑤情報と情報技術を活用した問題発見・解決の探究。

情報局 （日本）

　戦争に向けた世論形成、プロパガンダ、思想のため、国策遂行の基本的事項に関する情報収集や広報宣伝、出版統制、報道・芸能への指導取り締まりの強化を目的として設置された内閣直属機関。1940年12月6日設置。内閣情報局とも呼ばれるが、正式名称は情報局。内閣情報部と外務省情報部、陸軍省情報部、海軍省軍事普及部、内務省警保局検閲課、逓信省電務局電務課の各省・各部課に分属されていた情報事務の一元化を図るために設置された。前身は内閣情報委員会（1936年7月1日設置）および内閣情報部（37年9月25日設置）。発足当初は総裁および次長の下に第1部（企画担当：企画・情報・調整）、第2部（報道担当：新聞・出版・放送）、第3部（対外担当：報道・宣

伝・文化）、第4部（検閲担当：検閲・編集）、第5部（文化担当：施設・映画演劇・文芸・事業）および官房（2課）の合計5部・17課の体制（160余人）であった。

情報勤務（旧日本軍）

敵国、敵軍、その他の探知しようとする事物に関する情報の収集と査覈（さかく）（審査。不確実なことを調べること）、判断ならびにこれを伝達普及に任ずる一切の業務。情報勤務は捜索勤務と諜報勤務に区分される。
⇒捜索勤務、諜報勤務

情報源（intelligence source/information source、資料源）

情報の提供者。入手元。入手経路。発信源。資料源とほぼ同じ意味。具体的には情報を提供する人（発言、報告）や物（新聞、書籍、定期刊行物、年鑑、政府刊行物、データベース、テレビ、ラジオ、SNS含むインターネット、地図、画像〔衛星含む〕、信号情報）など。
⇒収集手段

情報源の秘匿と防護

情報源を明かすことで、その情報の正確性や信頼性を高める場合もあるが、情報源およびその収集手段を守るために、秘匿、防護される場合もある。海軍甲事件、コヴェントリー事件など将来の作戦のために情報源が秘密（秘匿）された事例がある。
⇒海軍甲事件、コヴェントリー事件

情報公開法（日本）

行政機関が保有する情報を公開することを定めた法律。1999年に成立し、2001年施行。行政文書の開示を請求する権利を定めることなどにより、情報を公開し、政府が実施する活動を明らかにして、民主的な行政の推進に貢献することを目的としている。

情報公開法 （FOIA：Freedom of Information Act：アメリカ）

　公文書の開示を促進し、政府活動の透明性を強化することを目的と
したアメリカの法律。1946年に制定された連邦行政手続法の情報公開
に関する第3条を改正し、66年7月4日成立。74年、76年、78年、86
年、96年、2002年、07年、09年、16年の9回修正された。

　FOIAにおける情報開示の適用除外事項は次のとおり。①国家安全
保障、②行政機関内部の服務規則、③法定秘事項、④営業秘密、商業
上または金融上の情報、⑤行政機関相互間または行政機関内部の覚
書、⑥個人のプライバシー、⑦法執行情報、⑧金融情報、⑨油井に関
する地質学および地球物理学上の情報。

情報作戦 （IO：Information Operation）

　自らは敵の情報作戦から防護する対策をとりつつ、敵および潜在的
敵対勢力の意思決定に影響を及ぼし、崩壊・混乱させるため、ほかの
作戦と連携して情報関連の能力を統合して運用すること。

　米国防省の統合教範3-13（JP3-13）によれば、情報作戦の中核要
素（core）を電子戦、コンピュータ・ネットワーク・オペーレーシ
ョン（CNO）、コンピュータ・ネットワーク攻撃（CNA）、コンピュ
ータ・ネットワーク防御（CND）、コンピュータ・ネットワーク活用
（CNE）、心理作戦、作戦保全、軍事的欺瞞欺、支援要素（support-
ing）を物理的破壊、情報保証、物理的防護、対情報、対欺瞞、対宣
伝としている。
⇒CNO、CNA、CND、CNE

情報支援作戦 （MISO：Military Information Support Operations）

　選別した情報を伝達することにより、外国政府、組織、個人の感情
や動機に影響を及ぼし、究極的には我に有利な何らかの行動を導くべ
く計画された作戦。心理作戦（PSYOP）ともいう。

情報収集衛星 （IGS：Information Gathering Satellite：日本）

　日本の内閣官房が安全保障や大規模災害への対応、その他の内閣の

重要政策に関する画像情報収集を行うために運用している人工衛星。

1969年に衆議院が全会一致で可決した「わが国における宇宙の開発および利用の基本に関する決議」では「宇宙に打ち上げられる物体およびその打上げ用ロケットの開発および利用は、平和の目的に限り」と言明しており、政府も宇宙の軍事利用を平和構築の手段として認識していなかったことから、日本の衛星開発と利用はもっぱら非軍事目的に限られ、軍事用の偵察衛星の保有を忌避してきた。

1998年8月31日の北朝鮮の弾道ミサイル「テポドン」発射後、偵察衛星の保有が日本の国土安全保障上の喫緊の課題となったため、85年に出された「一般的に利用されている機能と同等の衛星であれば（軍事的に）利用することは可能」とする「一般化原則」の政府統一見解により、98年に大規模災害などへの対応もできる多目的な「情報収集衛星」を事実上の偵察衛星として保有することが決定された。

2008年5月21日に成立した宇宙基本法で「国は、国際社会の平和および安全の確保並びにわが国の安全保障に資する宇宙開発利用を推進するため、必要な施策を講ずるものとする」（第14条）と明記されたことから、非軍事という制約を脱し、宇宙条約の国際標準である非侵略目的の衛星保有が法的にも正式に認められることになった。

この流れを受けて、日本政府は一般化原則の枠を超えて、開発開始時点において商用衛星の分解能を超える情報収集衛星光学5号機の研究開発に2009年度から着手し、13年4月26日にレーダー4号機の本格運用が始まり、光学衛星2機、レーダー衛星2機の2組計4機態勢が完成した。15年3月26日、情報収集衛星光学5号機を搭載したH-ⅡAロケットの打ち上げに成功。18年6月には光学6号機、20年2月には光学7号機、同年11月には、データ中継衛星1号機の打ち上げに成功。21年末の時点で、光学衛星3機、レーダー衛星5機、データ中継衛星1機の計9機が運用されている。

⇒人工衛星の種類、偵察衛星、早期警戒衛星

情報収集艦

シギント（エリント、コミント）を担当し、電子情報を収集する電

子戦支援（Electronic Warfare）を行う艦艇。海軍軍人だけでなくインテリジェンス機関職員も乗艦する場合がある。

⇒シギント、エリント、コミント

情報自由法（Freedom of Information Act 2000：イギリス）

政府、議会、地方公共団体などの公的部門が保有する情報へのアクセスを保障するイギリスの法律。2000年成立。開示により、公益が害されることにつながる情報は、アクセス保障の対象外となっている。除外された情報は、一定期間経過後に歴史的記録となり、国立公文書館へ移管され、利用制限が緩和される。原則として、記録の作成翌年から起算して20年経過後に開示するという「20年原則」が定められている。成立当初は30年後の公開であったが、2010年に20年後に公開するように改正された。ただし、20年原則の例外もいくつか存在する。安全保障の機関により提供された情報または当該機関に関する情報、国家安全保障情報の公開年限は、20年を超えることが認められている。また法の執行に関する情報および公安関係情報については、100年の公開年限が定められている。

情報資料（information）

インテリジェンス（intelligence）を抽出する過程で使われるいろいろな情報源から得られた素材（データ、資料）であって、いまだ評価・加工されていないもの。インフォメーションの訳語として用いる場合もある。

⇒情報、インテリジェンス、インフォメーション

情報（資料）の処理（processing）

各情報収集手段によって入手された生のデータを必要に応じて分析に活用できるように加工すること。画像の解析、暗号の解読、テレメトリーの解析、外国の報道の翻訳など（1次処理）。

入手した情報（インフォメーション）や1次処理した情報は、インテリジェンス・プロダクトに使用できるかどうかを判断する必要がある。そのため、入手した情報等は選別し格付けする（2次処理）。

資料源の信頼性：A～F

A：信頼できる（Reliable）
B：概ね信頼できる（Usually reliable）
C：かなり信頼できる（Fairy reliable）
D：必ずしも信頼できない（Not usually reliable）
E：信頼できない（Unreliable）
F：信頼性を判定できない（Cannot be judged or Doubtfully true）

情報（インフォメーション）の確実性：1～6

1：真実と確認できる（Confirm）
2：たぶん真実（Fairy true）
3：おそらく真実（Possibly true）
4：真実が疑わしい（Doubtfully true）
5：ありそうにない（Improbable）
6：真実かどうか判定できない（Cannot be judged）

図35 情報の処理
（格付け）

選別は、情報要求やニーズへの関係の有無で適切性を判断し、関係があるものは、格付け作業に入る。格付けは一般的に（資料源の）信頼性（source reliability）と（インフォメーションの内容の）確実性（information credibility）で行う（図35参照）。

情報の分析作業には、信頼性がC以上で確実性が3以上の情報を使うべきであるが、そもそもこの格付け自体が困難な場合がある。そのため、日頃から信頼性に関するデータを記録・蓄積（○○の情報は、○％の信頼度があるなど）しておくこと、確実性を高めるために複数の情報源のチェックが重要である。

⇒インフォメーション、信頼性、確度

情報セキュリティ（information security）

情報の機密性、完全性、可用性を確保すること。機密性とは、ある情報へのアクセスを認められた人だけが、その情報にアクセスできる状態を確保すること。完全性とは、情報が破壊、改竄または消去されていない状態を確保すること。可用性とは、情報へのアクセスを認められた人が、必要時に中断することなく、情報にアクセスできる状態を確保すること。情報保証（IA：Information Assurance）

もほぼ同じ意味で用いられることが多い。

情報戦 (IW：Information Warfare)

味方の情報および情報システムを防護し、かつ敵のそれを攻撃・攪乱・妨害する敵味方相互の情報活動。基本的な概念は、情報が必要な時に必要な人へ、必要な内容で与えられることをめぐる戦いの一局面。1994年頃から国防総省やアメリカ軍において重要性が認識されるようになった。

1990年代、米国防大学では「情報戦そのものが存在するわけではなく、それは戦争を遂行する上でのいくつかの技術の総称である」、「情報戦は7つの形態（指揮統制戦、インテリジェンス基盤戦、電子戦、心理戦、ハッカー戦、経済情報戦、サイバー戦）に分類し、さらにそれぞれの行為の中に防御・操作・低下・拒絶が含まれている」とした。ただし、アメリカ政府は戦術レベルの情報作戦（IO：Information Operation）の定義は有するが、情報戦の正式な定義を有していない。

⇒情報、情報作戦

情報組織法 (Intelligence Services Act：イギリス)

秘密情報部（SIS）や政府通信本部（GCHQ）設置と運用の根拠法となるもの。1994年成立。SISの任務は外国での情報収集、GCHQの活動は外交、安全保障、経済、犯罪捜査のための情報収集活動とされた。

⇒SIS、GCHQ

情報（インテリジェンス）の政治化 (politicization of intelligence)

情報サイドが政策サイドからの圧力や方針に配慮して意図的に（忖度して）、時として意図することなくインテリジェンスをゆがめたり誇張したりすること。

指揮官の好みに合わせた情報を提供するといった「情報の政治化」という問題は古くからあったが、2003年のアメリカのイラク進攻の根拠となったイラクの大量破壊兵器（WMD）の保有に関するインテリ

ジェンスにおいて再びクローズアップされた。

　元米国家情報会議（NIC）副議長のグレゴリー・トレバートンは、情報の政治化を次のように類型化している。①上級の政策サイドからの直接的な圧力（direct pressure）、②特定のテーマに関し分析官が固定観念（house line）を持ち他の分析を排除する、③政策サイドが自分の政策に合ったものだけを選り好み（cherry picking）する、④政策サイドが望む回答が得られないと、何度も誘導的な質問（question asking）を繰り返す、⑤情報サイドと政策サイドが共通のマインドセット（a shared mindset）に陥り、強い推論を共有してしまうこと。

　情報の政治化を防ぐためには、情報サイドを政策サイドから分離させることが求められるが、一方で、政策判断に資する情報の提供を確保するためには、両者の密接な連携も必要である。そのためには、政策サイドからは、情報関心が明確かつ迅速に情報サイドに伝えられる必要があり、情報サイドからは、国家が保有するあらゆる情報手段を活用した総合的な分析（オールソース分析）に基づく情報がタイムリーに政策サイドに提供されることが必要である。しかし、このバランスをとることが非常に難しく、各国とも苦慮している。
⇒イラク戦争、NIC、オールソース分析

情報評価書（日本）

　「官邸における情報機能の強化の方針」（2008年）に基づき始められた施策の１つ。政府が保有するあらゆる情報手段を活用した総合的な分析（オールソース・アナリシス）による日本の国益や外交・安全保障などに関するレポートのこと。内閣情報会議内で配布、報告される。

　情報評価書の策定のサイクルは次のとおり。①内閣情報会議において策定された中長期の情報重点などを通じて、官邸首脳・政策部門の情報関心が合同情報会議や内閣情報官に示される。②情報評価書のテーマ、作成スケジュール、必要な情報およびその担当省庁を取りまとめた「情報評価書作成計画」を、四半期ごとに合同情報会議において策定する。③内閣情報分析官は、同計画に従って各インテリジェンス機関から集約された情報を基に、官邸の政策部門の担当官や、他の内

閣情報分析官の意見も踏まえて分析し、情報評価書の原案を作成する。④情報評価書原案を合同情報会議において決定し、内閣情報会議に配布、報告する。情報評価書の形式や内容については公にされていない。

⇒内閣情報調査室、内閣情報部

情報保全監察局（Information Security Oversight Office：アメリカ）

アメリカ国立公文書館の部局。情報保全に関する行政監察権限と行政機関に対する機密解除請求権を有している。

情報見積り（intelligence estimate）

敵の取り得る可能行動を見積ること（軍事用語）。敵の可能行動、できればその順位を明らかにする。なかでも我の任務達成に重大な影響を及ぼす敵の可能行動および我の乗じうる敵の弱点を明らかにする。情報見積りの手順は次のとおり。①我の任務と指揮官の指針を明確に理解する。②任務を達成するために必要な地域の特性や敵情を考察する。③敵の可能行動を列挙する。④敵の可能行動を分析する。⑤それまでの考察に基づき結論を導き出す。結論には次のことを含める。敵がとる可能性の高い順位。我の任務達成に重大な影響を及ぼす敵の可能行動。我の乗じうる敵の弱点。

⇒EC

情報要求（リクワイヤメント：intelligence requirement）

特定または全般的なインフォメーションの収集やインテリジェンス・プロダクト（成果物）を作成するために必要な要求。インテリジェンス・サイクルはこの情報要求があって回り始める。ニーズ（要求）ともいう。

⇒インテリジェンス・サイクル

情報リテラシー（information literacy）

文字を読み書きする能力を意味するリテラシーから派生し、情報を

読み解き活用する能力と情報技術を使いこなす能力の2つの意味を持つ。情報を読み解き活用する能力は、広義の情報リテラシーと位置づけられる。テレビ、ラジオ、新聞、雑誌など様々なメディアから発信される情報の役割や特性、影響力などを理解する力および自ら情報を収集、評価、整理し、表現、発信する能力など、情報の取り扱いに関する様々な知識と能力を指す。メディア・リテラシーともいう。学校教育の現場などでは、主にこの意味で使われる。

　一方、情報技術を使いこなす能力とは、コンピュータや各種のアプリケーション・ソフト、コンピュータ・ネットワークなどの情報技術（IT）を利用して、データを作成、整理したり、インターネットで情報を検索したり、プログラムを組むことのできる能力をいう。コンピュータ・リテラシーとよばれることもある。IT分野で情報リテラシーという場合は、こちらを意味することが多い。
⇒情報、IT、インテリジェンス・リテラシー

ジョン・ル・カレ（John le Carré、1931〜2020年）

　スパイ小説で有名なイギリスの作家（本名デイヴィッド・コーンウェル）。1931年生まれ。第2次世界大戦中は陸軍の情報部隊で勤務。除隊後オックスフォード大学を卒業。短期間イートン校で教鞭をとったが、MI5に勧誘され、その後MI6に移籍し、外務省職員として諜報活動を行う。在籍中はドイツ・ボンの領事館に配属された。外務省勤務のかたわら経験を元に小説を書き始め、61年、ジョン・ル・カレのペンネームで『死者にかかってきた電話』を出版し、作家デビュー。63年の『寒い国から帰ってきたスパイ』で世界的名声を博した。その後も『ティンカー、テイラー、ソルジャー、スパイ』などの傑作で不動の地位を築いた。2019年、EUからの離脱をめぐって揺れるイギリスを舞台にMI6担当官の活躍を描いた『エージェント・ランニング・イン・ザ・フィールド（スパイはいまも謀略の地に）』を発表、遺作となった。
⇒MI5、MI6

ジルコン（Zircon）計画

　イギリスのシギント衛星（コードネーム「ジルコン」）打ち上げ計画。1987年に予算の関係で打ち上げが中止となった。

　冷戦中にイギリスのGCHQは、通信傍受のためアメリカのNSAを活用していた。1982年にフォークランド紛争が始まると、アルゼンチン軍の通信を傍受するため、アメリカのシギント衛星へのアクセスを求めた。米英の特別な関係にもかかわらず、GCHQはそのタスクをアメリカの収集計画に組み込むのに苦労した。当時のアメリカの衛星はエルサルバドルの情報収集に集中していたためである。

　そこでGCHQはイギリス自前の衛星を保有することを決心し、その衛星のコードネームがジルコンと呼ばれた。その機能は、ソ連、ヨーロッパおよび他の地域からの通信情報を傍受することだった。衛星は、1988年にNASAの スペースシャトルで打ち上げられる予定だったが、ジルコン計画はその高額な費用を理由に87年ナイジェル・ローソン財務大臣によってキャンセルされた。しかし、同年ジャーナリストのダンカン・キャンベルが、ジルコン計画に関し、衛星の費用はイギリス議会に隠蔽されていたという記事を発表し問題が表面化した。

⇒シギント、GCHQ、NSA

シルバーマスター, グレゴリー（Silvermaster, Gregory 1898〜1964）

　ソ連スパイグループの長。ユダヤ系アメリカ人。ロシア生まれ。1926年にアメリカに帰化。第2次世界大戦中は軍需制裁委員会に勤務する経済学者で、隠れ共産党員。のちにFBIの協力者となるエリザベス・ベントリーがグレゴリーの連絡係を担当した。

⇒ベントリー,エリザベス

新華社（中国）

　中華人民共和国の国営通信社。党中央委員会の機関紙である『人民日報』を発行する人民日報社と共に中国政府の意向を代弁する重要な役割も担う。1931年11月、「紅色中華通信社」として誕生し、37年に正式に発足。創設当初、その活動は中国国内向けの報道に限定してい

たが、44年から英語による対外放送を始め、49年の建国と共に国務院直属となり、次第に海外支社を拡大して国際通信社に発展。

　現在の新華社は対外ニュース部、国際ニュース部などの部門を有し、中国国内に30カ所の支部とアジア・太平洋、中東、南米、アフリカなどの地域に総支社を設置。香港・マカオ特別行政区を含む海外に100以上の支社・支局を設置し、社員は2万人以上と推定される。これら支社・支局を通じ、中国語、英語、フランス語、スペイン語、ポルトガル語、アラビア語などで中国を含む世界の報道機関1万数千社に各種のニュース・情報を24時間提供している。アフリカ諸国や東南アジア諸国に対しロイターやAP通信など欧米メディアの半値以下の価格で記事を配信し、各地で中国報道機関の存在感が高まっている。またウェブサイトの「新華網」は幅広い読者を有している。

　新華社の業務として特筆すべきは、国営通信社としての表の顔と、インテリジェンス機関という裏の顔を持っていることである。インテリジェンス機関としての新華社の歴史は古く、1949年にはすでに香港、マカオに新華社分社が設置され、活発なインテリジェンス活動を行っていた。新華社の海外駐在員は、そのほとんどの作業を党の要人に報告する内部刊行物である『内部資料』の執筆にあてていたとされる。現在でも世界的規模に展開したネットワークと国営通信社として集めた情報を基に党要人が必要とする資料を作成していることに変わりはない。新華社は国家安全部および総参謀部第2部などの要員が、記者や通信員の肩書で情報活動するためのカバーとして利用されているといわれている。

⇒国家安全部、総参謀部第2部、カバー

シンクレア，サー・ヒュー（Sinclair, Sir Hugh 1873～1939）

　イギリス秘密情報部（MI6）の長官（1923～39年）。サー・マンスフィールド・カミングの後任。第1次世界大戦時、海軍の情報次官、のちに海軍情報長官（19～21年）を経て、MI6長官に昇任。長官在任中は共産主義の対浸透とドイツの再軍備に関する諜報活動を重視した。

⇒MI6

申健（しん・けん 1915〜1992）

　中国共産党の秘密工作員。周恩来が称賛した「後三傑」の１人。1937年に北京師範大学で第１次国共内戦に参加。38年に共産党に入党。中華民国の胡宗南将軍の部下として国民政府に潜入してスパイ活動に従事。47年にアメリカ留学。49年６月に帰国し、建国後は外交官として、キューバ大使、インド大使、現代国際関係研究所研究員などを歴任。
⇒胡宗南

人工衛星の種類

　人工衛星はその軌道により周回衛星と静止衛星に区分される。周回衛星は地球の周りを長楕円軌道（モルニア軌道）あるいは周軌道で周回する衛星。モルニア軌道では北半球上空を低速で飛翔し、１地点10分程度の収集が可能となる。静止衛星は赤道上空36,000メートルを地球の自転と同じ速度で回るため、地球からは人工衛星が停止しているように見える。

　衛星の利用区分でいえば、商用衛星と軍事衛星に分けられる。商用衛星には通信衛星、資源探査衛星、後方支援衛星（GPS衛星）がある。軍事衛星は大きく警戒監視衛星と支援衛星に区分される。警戒衛星には偵察衛星、早期警戒衛星、電波情報収集衛星、海洋監視衛星、宇宙監視衛星などがある。
⇒偵察衛星、早期警戒衛星

人工知能（AI：Artificial Intelligence）

　AIと呼称されることが多い。AIには専門家の間でも統一された定義はない。一般的にはコンピュータで人間と同じような知能を作ることを目的としたテクノロジーの理論および開発、または人工的に作られた人間と同じような知能との意味で使用されている。

　人間レベルの知能より低い（人間と同じような意識や思考を持たない）AIを「弱いAI」、人間の知能と同等レベル（意識や思考を持つ）を「強いAI」、１つのタスクに特化したものを「特化型AI」、与えられた情報を基に自ら考え、応用できるAIを「汎用AI（artificial general intelligence）」という。人間の認知能力をはるかに上回るコンピュータを「超絶知能（superintelligence）」という。Ａ1はデータ分析、未来予測などインテリジェンスとの関連が深い。

真珠湾攻撃（Pearl Harbor Attack）

　真珠湾攻撃は、ハワイ時間の1941年12月７日（日本時間：８日）、アメリカのハワイ・オアフ島真珠湾（パールハーバー）にあった米海軍太平洋艦隊と基地に対して、日本海軍が行った航空機、潜航艇による奇襲攻撃である。

　真珠湾でなぜ奇襲を受けたかは、アメリカ国内で大きな問題となり、すぐにロバーツ調査委員会が設けられ、原因が究明された。その結果、ハワイにおける海軍・陸軍のそれぞれの責任者であるキンメル大将とショート中将の「職務怠慢による不適切な対応」が原因とされ、両将軍は1942年１月に免職された。しかし、この最初の調査委員会が設けられた当時は戦争中であり、重要な資料が公開されたわけではなかった。その後、中央のインテリジェンス機関や戦争指導者の責任も問題視されると共に逐次資料が公開され、必ずしも両指揮官が真珠湾に停泊中の艦船が日本軍の航空攻撃を受けることを予測できたとは考えられない面も明らかになってきた。

　また、一方で大統領が真珠湾攻撃を知っていたにもかかわらず、ハワイに知らせなかったという「ルーズヴェルト陰謀説」も根強くある。いずれにしても、真珠湾攻撃はアメリカのインテリジェンス体制に大きな影響を与えた。第２次世界大戦後のアメリカにおけるインテリジェンス機関常設の大きな目的は、真珠湾攻撃のような戦略的奇襲を防止することである。

⇒アメリカのインテリジェンス・コミュニティー

信息（シンシー）

　主として公開の生情報を意味するインフォメーションに相当する中国語。他方、中国軍事用語では、インフォメーションを情報材料と呼称し、それを処理・分析などを経たインテリジェンスについては情報

と呼称して区分している。情報は日本では明治期から軍事用語として使われていた。したがって、情報は日本発祥の言葉である。

陣中要務令（旧日本軍）

　大正期に制定された軍隊の勤務や作戦・戦闘の要領などについて規定された教範。明治期に制定された『野外要務令』の第1部の内容を増補・改訂し、第1次世界大戦直前の大正3年に制定された。その後、大戦で得られた教訓を採り入れて、大正13年に改正。なお『野外要務令』第2部の「秋季演習」は、大正4年に『秋季演習令』になった。『陣中要務令』は昭和13年の『作戦要務令』の制定によって廃止された。

⇒作戦要務令、野外要務令

信頼性（reliability）

　真実である、本物である、あるいは正直であると信じられる、または認められている性質のこと。

⇒情報の処理

【ス】

鄒大鵬（すう・たいほう 1902〜1966）

　中国共産党中央調査部の元部長。1937年の盧溝橋事件の際には、日本軍と対峙していた第29軍の作戦主任参謀であった。当時、中国共産党華北局書記として北京の抗日学生運動を組織していた劉少奇らに対し、情報工作員として第29軍の武器や物資を供給・支援したとされる。49年に社会部秘書長、52年に同副部長、61年に中央調査部の部長になる。66年に暗殺される。

杉田一次（すぎた・いちじ 1904～93）

　陸軍軍人。陸士37期、陸大44期。戦後、陸上自衛隊に入隊し、陸上幕僚長で退官。1933年参謀本部米英課（第6課）勤務。37年米駐在武官補佐官、翌38年イギリス駐在武官、39年参謀本部勤務、第2次世界大戦開戦時は第25軍（山下兵団）参謀、第8方面軍参謀の時、ガダルカナル島の戦いで13,000人の撤収計画を立案。さらに第17方面軍参謀（朝鮮）および大本営参謀として活躍。敗戦時は陸軍大佐。戦艦ミズーリ艦上での降伏文書署名の際、日本側代表団の一員として参加。戦後、イギリスからマレー作戦の戦犯容疑者に指定され収監されたが、47年GHQで戦史研究に従事。52年追放解除、警察予備隊（のちの自衛隊）に入隊。北部方面副総監、富士学校長、第3管区総監（現3師団長）、東部方面総監を経て60年第4代陸上幕僚長を務めた。62年退官後、三菱重工顧問、日本郷友連盟会長、安全保障懇話会理事長、東部防衛協会会長など歴任。87年情報の見地から軍中枢部の情報勤務の回想、戦争に至る経緯などを伝えるため『情報なき戦争指導―大本営情報参謀の回想』を発表。

杉原千畝（すぎはら・ちうね 1900～1986）

　日本の外交官。早稲田大学高等師範部英語科（現・教育学部英語英文学科）本科中途退学。第2次世界大戦時、リトアニアの在カウナス日本国総領事館に赴任中、ナチスドイツの迫害によりポーランドなど欧州各地から逃れてきた難民たちに大量のビザを発給し、避難民を救出したことで知られる。「東洋のシンドラー」（オスカー・シンドラー：自らが経営する工場で働いていた1,200人のユダヤ人を救ったドイツ人）と称せられる。杉原が外務省の訓令に反して大量のビザを発給し、そのことが原因で、戦後に外務省から圧力を受けて辞職せざるを得なくなったとの文脈で語られることが多いが、「外務省の訓令に反して」の部分や外務省からの辞職圧力があったなどについては異論もある。

　杉原の情報員としての活動に焦点を当てると、当時、ドイツ軍による対ソ攻撃の日時を特定することが陸軍の課題であった。そのため、陸軍参謀部は外務省に対してカナウス公使館の開設を執拗に要求し

た。杉原は日本人が誰もいないカナウスに日本領事として赴任し、現地での会話や噂などから、ドイツの対ソ攻撃の準備を探ろうとした。杉原は、こうした情報収集のため、亡命ポーランド政府の諜報機関を活用していた。そのため、地下活動に従事するポーランド軍将校数人とその家族など15人程度のビザ発給を予定していた。しかし、それ以外のビザ発給は外務省や参謀本部の了解を得られなかった。そこで、杉原は独断でユダヤ人約6,000人にビザを発給したとされる。ただし、日本政府は通過ビザの発給自体は許可していたが、アメリカなど最終目的地の入国許可を得ていない者に対する発給を許可しないよう命じていたという見解もある。

スクリパリ（Skripal）暗殺未遂事件

　2018年3月4日、ロンドンから南西約130キロにあるソールズベリーの公園のベンチでロシア連邦軍参謀本部情報総局（GRU）の元大佐セルゲイ・スクリパリと長女ユリアが意識不明で倒れているのが発見された。その後2人は神経剤「ノビチョク」を浴びていたことが判明した。これを契機に大量のロシア外交官がNATO諸国から追放。その報復としてロシアから同数のNATO諸国の外交官が追放された。

　セルゲイ・スクリパリはロシア陸軍出身で在スペインの駐在武官として赴任中の1995年頃、スペインのインテリジェンス機関に二重スパイとして勧誘され、その後イギリスのMI6のために働いた。イギリスでのコードネームは「Forthwith（即座に）」で、駐在武官を終えてスペインからロシアに戻ったあと、GRUで人事担当幹部に昇進。スクリパリは欧州で活動するロシア側スパイ300人以上の情報をMI6に渡したとされる。スクリパリのスペインの銀行口座には10万ドルが預金されていたという。やがて二重スパイであることがロシア当局に知られ、スクリパリは2004年国家反逆罪容疑でロシア当局に逮捕され、06年に裁判で懲役13年の判決を受けた。スクリパリがもたらした情報は、アメリカのインテリジェンス機関にも伝えられていたと見られ、その証拠に、10年アメリカはロシアとのスパイ交換に合意。アメリカ側は「美人すぎるスパイ」として有名になったアンナ・チャップマンを含

む10人のスパイを解放し、元大佐はロシア側に拘束されていたほかの2人のアメリカ側スパイと共に解放され、その後、家族でイギリスに移り住んでいた。

⇒GRU、二重スパイ、MI6、エームズベリー殺人事件、ノビチョク、チャップマン,アンナ

スタシンスキー，ボグダン（Stashinsky, Bogdan 1931～）

KGBの暗殺者。1957年10月と59年10月、ウクライナ人指導者のレフ・レベトとステパン・バンデラを毒ガス噴霧銃で殺害。スタシンスキーは結婚（東ドイツ人女性）したことで、暗殺という罪の意識と、スパイを隠して妻をだまし続ける二重生活に耐えきれず、亡命を決意。2人はベルリンが封鎖される直前の61年8月12日に西ベルリンに脱出し、のちにアメリカに亡命。この亡命により、2人のウクライナ人指導者の不審死がスタシンスキーの暗殺であることが初めて明らかとなった。西ドイツでの裁判で禁固8年が言い渡されたが、66年に極秘で釈放され、アメリカに引き渡され、その後は南アフリカに亡命した。

⇒KGB、バンデラ,ステパン

スタックスネット（Stuxnet）

イランのナタンズにあるウラン濃縮施設内に設置されている遠心分離機の制御装置を標的としたマルウェア。2010年に発見された。膨大な量のソースコードと複数のゼロデイ攻撃が含まれていることから「サイバー兵器」と呼ばれる。

スタックスネットはイランの核施設を狙った特別なマルウェアであると考えられている。その根拠として、核施設の遠心分離機で使用されている制御装置が常時インターネットに接続していることは考えにくく、USBメモリによる接続などほかの方法により意図的に感染させた可能性が高いことと、プログラムの中にシーメンス社製の制御装置のみを標的とするよう意図的に仕組まれていたことが挙げられる。このような技術的特徴とイランの核開発を阻止することを意図した攻撃であることから、アメリカ政府もしくはイスラエル政府の関与が疑われている。2012年に掲載されたニューヨーク・タイムズ紙の記事で

は、このスタックスネットがイランの核開発を停止・遅延させること
を目的としたサイバー攻撃だったと報道されている。
⇒マルウェア、ゼロデイ攻撃、サイバー攻撃、オリンピック・ゲームズ作戦

スタリライズ（sterilize）

殺菌するの意味から秘密工作に使用する各種資材から政府や機関の
関与を示す、または追跡できるような痕跡などを除去すること。

スティーヴンスン, サー・ウィリアム（Stephenson, Sir William 1897〜1989）

第2次世界大戦中、アメリカで活動したイギリス安全保障調整局
（BSC）の長官。カナダ生まれ。暗号名「イントレピッド（豪勇）」。
第1次世界大戦中はカナダ海外派遣軍に所属、のちにイギリス陸軍航空
隊に移り、パイロットとして活躍。多くの敵機を撃墜するが、自らも撃
墜されてドイツ軍の捕虜となる。戦後はボクシング選手となり、アマチ
ュアのライト級チャンピオンになった。

1930年代、ドイツ工業地区を訪れた際に得た情報をMI6に伝えた
ことが縁となり、チャーチルの知己を得る。40年5月、チャーチル
はアメリカにおいてBSC（安全保障調整局）を設立することを命じ
た。アメリカではBSCの長官のほか、MI6とイギリス特殊作戦執行
部（SOE）のアメリカ代表となり、イギリスのインテリジェンス機
関とFBIやCIAとの連絡任務を担った。また、アメリカの戦略諜報局
（OSS）の創設を支援した。女性スパイのエリザベス・ソープの運
用やカナダに亡命したソ連KGBの暗号員イーゴリ・グーゼンコを保
護したことでも知られる。なお、フーヴァーFBI長官はスティーヴン
スンのことを「イギリスのスパイがアメリカにやってきた」として
敵対視した。
⇒BSC、MI6、SOE、CIA、FBI、OSS、ソープ,エリザベス、グーゼンコ,イーゴリ

ステイクホルダー（stakeholder）

利害関係者。もともとは経済用語で企業・行政・NPOなどの利害と
行動に直接・間接的な利害関係を有する者を指す。

ステーション・チーフ（station chief）

駐在部長。現地でヒューミント活動を指示する者。KGBの用語。

ストゥカーチ

ドアをノックする音のこと（ロシア語）。密告者。かつてKGBはソ連国内の官庁、工場、軍隊に至るまで、くまなくストゥカーチを配置していた。

ストーブパイプ（stove pipes）

各組織が縦割りで情報が共有されないこと。必要としている組織内やほかの組織間と情報が共有されないこと。横には煙が漏れない煙突に喩えた隠喩。

ストラクチャード・アナリティク・テクニック（structured analytic techniques）

構造的分析技法。分析の手順を定式化したもの。

⇒分析手法

ストリップ暗号（strip chipher）

第2次世界大戦期にアメリカ陸海軍で使用された、並べ替えることが可能な薄い板（ストリップ）を活用した暗号。低レベルのメッセージに使用された。陸軍の呼称はM-138、海軍の呼称はCSP-642。

1枚のストリップにアルファベットの26文字がランダムに縦方向に2回（52文字）記入してある。ストリップの本数は最大30本程度で、その中から任意のものを一定の順序で並べるように規約で定めてあり、規約は定期的に変更される。送信側はこれらを並べてある横一行が意味のある言葉となるようにストリップを1枚1枚上下にずらしていく。すると、ある1行以外は意味の通じない綴りになる。そこで、ある「意味の通じない綴り」を暗号文として使用する。受け手が復元する場合はストリップを上下して暗号文を1行に並べて各行の中から文章をなすものを探し出して求めるというものである。

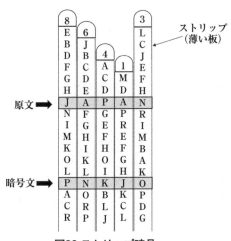

ストリップ（薄い板）

原文➡

暗号文➡

ストリップ暗号は、暗号強度が大であり、暗号の更新が容易という利点がある反面、暗号文の作成、復元作業に著しく時間を要するという欠点があった（図36参照）。

図36 ストリップ暗号

スノーデン（Snowden）事件

　2013年に元NSA職員エドワード・スノーデンがNSAの諜報活動を暴露した事件。スノーデンは、グレン・グリーンウォルドなど複数のジャーナリストと接触し、マスコミ経由でNSAの情報を暴露した。スノーデンは実際にNSAで使用されていた多数の資料を渡し、これらはスノーデンファイルと呼ばれる。暴露された内容には、「PRISM」と呼称される監視プログラムによりアメリカの情報企業がNSAに協力して情報提供を行っていたこと、海底ケーブル通信の傍受、各国首脳の電話盗聴など数々のスクープが含まれていた。NSAの世界的な情報活動はエシュロンなど、この事件以前からその存在について広く知られてきたものの、スノーデンファイルに含まれていたような大量の内部文書が流出したことはなく、世界中に大きな衝撃を与えた。
⇒NSA、PRISM、エシュロン

スパイ（spy）

　敵対勢力などの情報を得るために情報収集活動をする者の総称。ス

パイの中にも秘密スパイ（secret agent）、現地スパイ（operative）、定住スパイ（resident agent）、連絡員（クーリエ：courier）、中間連絡員（cut out, go between）、採用担当者（リクルーター：recruiter）などがあり、それぞれ役割分担が決まっている。

⇒クーリエ、カットアウト

スパイウェア（spyware）

　マルウェアのうちコンピュータの情報を不正に外部へ送信するプログラム。ウイルスやワームと異なり一般的には自己増殖機能は持たず、有用なプログラムと連動して、ユーザーにインストールさせることで、コンピュータに侵入する。

⇒マルウェア

スパイ・キャッチャー（spy catcher）

　防諜担当官。組織に浸透するスパイを摘発、排除する者。FBI捜査官やMI5職員など。いわゆるモグラ（浸透工作員）を捕まえるのがスパイ・キャッチャー。

⇒FBI、MI5、モグラ

スパイ交換（spy swap）

　敵国に捕らえられ、収監されたスパイ同士を交換すること。これまでゲイリー・パワーズとルドルフ・アベル（1962年2月10日）、クレヴィル・ウィンとゴードン・ロンズデール（64年4月22日）、モーリス・コーエン夫妻とイギリス市民数人（69年7月23日）のスパイ交換が行われた。「美しすぎるスパイ」として有名になったSVRのアンナ・チャップマンもスパイ交換によりロシアへ帰国した（2010年7月8日）。ただしスパイ交換がかなわない場合もある。ソ連はゾルゲを見捨ててスパイ交換を拒否、中国はラリー・ウタイ・チンを見捨てた。これらは共に自国のスパイであることを認めなかった。

⇒アベル,ルドルフ、ロンズデール,ゴードン、コーエン,モーリス、SVR、チャップマン,アンナ、ゾルゲ,リヒャルト、チン,ラリー・ウタイ

スパイマスター（spymaster）

スパイ網を構築し、エージェント（スパイ）を運用する者。リヒャルト・ゾルゲは有名なスパイマスターの1人である。

⇒ゾルゲ,リヒャルト

スパムメール（spam mail）

不特定多数を対象に大量に送信される迷惑メール。スパムメールの内容や送られる目的はさまざまで、広告目的やマルウェアが添付されているケースもある。不特定多数が対象のため、文面や送り主が不自然であったり、受信者と無関係の内容であったりすることが多いものの、実際に存在する企業を詐称し、「パスワードの確認や変更」「利用者情報の確認」といった正規のメールと誤認しやすい内容であることにも注意が必要。

⇒マルウェア

スピアフィッシング（spear phishing）

フィッシングのうち特定の標的を狙ったサイバー攻撃。もともとは銛で魚を刺すこと。それが転じて、「狙いを定めて直接働きかけるフィッシング（詐欺）」という意味で用いられるようになった。

スピアフィッシングの特徴は、詐欺行為を仕掛ける対象に合わせて手口をカスタマイズ（作り変える）できることにある。たとえば上司を装って従業員からパスワードを聞き出そうとしたり、企業や組織の幹部を対象に、取引先からのメールを装ってアクセスし、企業情報や知的財産を盗もうとする。詐欺の対象者は、アプローチの内容が自分にとって関係の深いものであるため、一般のフィッシング詐欺に比べて警戒を解きやすいという特質がある。また対象があらかじめ定められているため、スピアフィッシングによって盗まれる情報は通常より重大なものが多い。

⇒フィッシング

スプリット（split）

　分ける、割るの意から取り調べや尋問で強引に口を割らせ、供述させること。

スペシャル・エージェント（special agent）

　FBIの特別捜査官。

⇒FBI

スペシャル・オペレーション（special operation）

　特殊作戦。通常戦力では達成することが不可能な任務。そのような任務のために選抜・訓練された部隊が特殊作戦部隊。アメリカなどでは一般的に特殊作戦は軍が行い、秘密工作活動（コバート・アクション）はインテリジェンス機関が行うことになっていたが、その境界があいまいになっている。またそれらの任務分担が明確でない国もある。

⇒コバート・アクション、秘密作戦

スペツナズ（Spetsnaz）

　旧ソ連およびロシアの特殊任務部隊。その名称は「特殊任務」を意味するspetsial'nago naznacheniyaの短縮形に由来している。ロシア連邦軍参謀本部情報総局（GRU）により管理され、外国における隠密作戦を任務としているといわれる。部隊は旅団編制。陸軍の各旅団は6～8人で構成されたチームを約100個を展開できる。海軍のスペツナズは潜水艦、艦艇によって潜入し、港湾、空港、レーダサイト、核施設などに対する作戦を行う。各チームは無線、兵器、爆破の専門訓練を受けた兵士で構成され、全員が特殊訓練を受けている。

⇒GRU

スメドレー，アグネス（Smedley, Agnes 1892～1950）

　アメリカ人の共産主義者。女流作家。ミズーリ州の貧農の家庭に生まれる。若くしてニューヨークに出て、働きながらニューヨーク大学夜間部に通い、苦学しながら、ジャーナリストを目指す。第1次世界

大戦中、インドの対英独立運動に参加。1921年にアメリカ共産党が結成されると、コミンテルン活動に参加。20年代ドイツに移住し、ベルリン大学で中国の歴史・文化・社会を研究する。28年春に中国に渡航。上海では中国共産党に対する礼賛記事を書く一方で、リヒャルト・ゾルゲと尾崎秀実の橋渡し役となった。

　第2次世界大戦中、アメリカに帰国。1947年頃からマッカーシズム、いわゆる「赤狩り」が始まると、FBIの監視下に置かれる。49年2月、アメリカ陸軍省は『ウィロビー報告』を公表し、「スメドレーをゾルゲの協力者、ソ連のスパイ」と認定。スメドレーはすぐに抗議し、「名誉毀損訴訟も辞さない」との声明を発表。50年、下院非米活動委員会からスメドレーに召喚状が発せられた日にロンドンに出国、その夜、急死。彼女の遺骨は北京の墓地へ埋葬された。

⇒ゾルゲ,リヒャルト、尾崎秀実、非米活動委員会、FBI

スメルシ（Smersh：ロシア）

　スターリンによって創設・命名された防諜部隊。名前の由来は「スパイに死を」を意味するキリル文字の頭文字。1941年、ラヴレンチー・ベリヤによって組織され、当初はNKVDの管轄下のGUGB（国家保安総局）の一機関であった。42年末にGUGBから独立。43年4月から46年3月までスターリン直属の独立機関として活動。反ソビエト活動が疑われる軍人および軍の活動に関係する民間人を調査し、少しでも疑わしい者は暗殺した。

⇒ベリヤ,ラヴレンチー、NKVD

スリーパー（sleeper）

　休眠スパイ。目的を達成するまで長い間活動せずにいるスパイ。対象国に移住して一般市民と変わらない生活を送り、平時はスパイ活動に従事せず、緊要時に本国の指令により特別任務を受けてスパイ活動する。キム・フィルビーやドナルド・マクリーンはソ連からスリーパーとみなされ、高度の機密を扱う立場に出世するまで情報の提供は期待されていなかった。

⇒フィルビー,キム、マクリーン,ドナルド

スワローズ（swallows）

つばめ。転じてKGBが獲得しようとする男性を色仕掛けで引き込む役の女性。その現場となる部屋は脅迫用の証拠を揃えるため、隠しカメラ、盗聴装置などが設置され、スワローズ・ネスト（つばめの巣）と呼ばれる。

⇒KGB

【セ】

ゼイラ，エリ（Zeira，Eli 1928～）

イスラエル国防軍情報部（IDI、通称アマン）長官（1972～74年）。長官就任前はイスラエル国防軍作戦部長、情報収集責任者、駐米武官、アマン副長官などを歴任。第４次中東戦争（ヨムキプール戦争）での情勢評価の責任を追及され長官を解任される。退官後はビジネス界に転身。2004年、元モサド長官（1968～74年）のツヴィ・ザミール少将は「ゼイラがイスラエルのエージェントであるアシュラフ・マルワンの存在を漏洩した」として非難した。

⇒IDI、マルワン,アシュラフ

赤色労働組合インターナショナル（Krasnyi internatsional profsoyuzov：ロシア）

社会主義革命を目指す革命的労働組合の国際組織。1921年、コミンテルンの後援で創設。通称はプロフィテンテルン。本部はモスクワに置かれたが、1937年解散。

セキュリティ・クリアランス（security clearance）

　秘密情報へのアクセスの権限、秘密情報を取り扱う資格。また秘密情報を取り扱う職員に対して、その適格性を確認すること。

⇒適格性の確認、適性評価

セキュリティ・チェック（security check）

　素性調査。ある人物や企業などに秘密情報へのアクセス権限（セキュリティ・クリアランス）を与えるか否かを判断するための調査、またはそのプロセス。

⇒セキュリティ・クリアランス

セキュリティ・パッチ（security patch）

　セキュリティ上の理由で、コンピュータプログラムの内容を変更するため配布されるプログラム。コンピュータプログラムにはユーザーに配布した時点では未発見のバグやセキュリティ・ホールが存在し、後から発見した段階で内容を修正する。コンピュータを動かすオペレーティングシステム（OS）だけでなく、個別のソフトウェアにも常に脆弱性が存在する危険があるため、セキュリティ・パッチを随時適用することがセキュリティ上、重要となる。

⇒セキュリティ・ホール

セキュリティ・ホール（security hole）

　コンピュータプログラムに潜在するセキュリティ上の脆弱性。プログラムには開発の段階で検出できない未知のバグがあり、その中でもセキュリティ上の問題を引き起こすものをセキュリティ・ホールという。単純なプログラミングのバグだけでなく、設計段階から弱点を抱えているケースもある。このようなセキュリティ・ホールは、攻撃されて初めて気づくことも多いため、そのような場合には開発元が用意するセキュリティ・パッチを早急に適用する。

⇒セキュリティ・パッチ

セクシャル・エントラップメント（sexual entrapment）

性的な囮。ハニートラップのこと。

⇒ハニートラップ

セクレ・ランデヴー（secret rendezvous）

初回接触。互いに面識のない者が初めて接触すること。定められた時間と場所で、あらかじめ決められたかたちで新聞、雑誌などの目印を持ち、合言葉で相手を確認して行う秘密の接触。

セグメンテーション（segmentation）

ビジネスにおいて顧客を特定すること。マーケティング戦略を立案する上での重要な過程。現在では、選挙などの有権者を効果的に分類する意味でも使用。セグメンテーションは「デモグラフィック」（性別、年齢、収入、独身／既婚など）、「ジオグラフィック」（住居あるいは勤務地域）のほかに、「サイコグラフィック」が注目されている。サイコグラフィックは、顧客をライフスタイル、行動、信念（宗教）、価値観、個性、購買動機などによって分類することで、購買者の心理的要因（属性）に焦点を当てるものである。潜在する要因を把握するサイコグラフィックはほかのセグメンテーションに比べて困難ではあるが、顧客の意思決定をより直接的に左右するので有効なプロモーションが可能になる。デモグラフィックでは「誰が」買うのかを明らかにできるが、「なぜ」買うのかはサイコグラフィックでなければわからない。

今日、SNS上の情報から、ユーザーの政治思想、支持政党などが効果的に分析、把握できるようになり、サイコグラフィックが可能になってきた。そのため、マーケティングのターゲティングはマイクロターゲティングと呼称されるようになり、選挙などの政治活動にも用いられるようになっている。

⇒マイクロターゲティング

斥候（scout）

　軍事作戦において、敵や地形などの状況を偵察させるために、部隊から派遣する少数の兵士。斥候は偵察による情報収集が任務であり、敵と遭遇しても戦闘しないことが原則。

⇒監視、偵察

ゼロデイ攻撃（zero day attack）

　オペレーティングシステム（OS）などのソフトウェアに潜む、未発見の脆弱性を利用した攻撃。コンピュータで使用されるソフトウェアには多数のバグが含まれているケースがあり、その中でもセキュリティ上の懸念が生ずるものをセキュリティ・ホールと呼ぶ。このようなソフトウェアに潜むセキュリティ・ホールに対して、後から修正プログラムを配布することで脆弱性を改善する手法が一般的な対策であるが、セキュリティ・ホールへの対策は、その脆弱性が発見されて初めて実施可能となる。したがってセキュリティ・ホールが発見されて対策が行われる日を「ワンデイ（1日目）」とした場合、まだシステムの開発・運用側がセキュリティ対策を実施していない段階で行われる攻撃を「ゼロデイ（0日目）攻撃」という。ゼロデイ攻撃は防御側にとって未知の脆弱性を利用された攻撃なため、有効な対策をとることが困難なケースが多い。

⇒セキュリティ・ホール

ゼロトラスト（zero trust）

　「すべてを信頼しない」を前提に対策を講じるセキュリティの考え方で、2010年にアメリカの企業が提唱した。従来のセキュリティ対策は、信頼できる内部と信頼できない外部にネットワークを分け、その境界線に、たとえばファイアウォールなどの対策を講じるという考え方だった。しかし、クラウドの普及により外部にも保管するデータがある状況になったため、従来とは異なった対策が必要となった。そのため、外部はもちろん内部の通信もすべてを信頼しないことを前提に、さまざまなセキュリティ対策を講じる必要が出てき

た。

　具体的には、ネットワークの内外にかかわらず通信経路を暗号化する、多要素認証の利用などによるユーザー認証を強化する、ネットワークやそれに接続される各種デバイスを統合的にログ監視するなどが挙げられる。
⇒ファイアウォール

戦術インテリジェンス（情報）（tactical intelligence）

　部隊レベルで作戦計画作成に用いられるインテリジェンス。国家レベルの戦略情報に対して部隊レベルの作戦に用いられる。作戦インテリジェンス、戦闘インテリジェンスとほぼ同じ意味で用いられる。

　作戦地域の大きさや部隊の規模によって作戦インテリジェンス、戦闘インテリジェンスと区分される場合もある。部隊の規模が小さくなるにしたがい、地形や敵情に関する情報の具体性が要求される。
⇒インテリジェンス、戦略インテリジェンス

銭壮飛（せん・そうひ 1895〜1935）

　中国共産党のスパイ。国立北京医学専門学校を卒業し、1929年に共産党入党。中国共産党の初期のインテリジェンス機関である中央特科の行動科に所属。国民党に潜入し、陳立夫の従兄弟であった国民党調査課主任の徐恩曽の信頼を得る。

　1931年4月、国民党が中央特科の行動科に所属する顧順章を逮捕したとの電文をいち早く探知し、顧が上海の共産党の拠点を漏洩することを恐れ、逮捕の事実を周恩来に伝え、中国共産党の危機を救った。
⇒顧順章

戦闘インテリジェンス（情報）（combat intelligence）

　戦闘地域において作戦計画を作成する場合に用いられるインテリジェンス。
⇒インテリジェンス、戦術インテリジェンス、作戦インテリジェンス

専門知識の逆説（paradox of expertise）

　情報分析官などが分析に役立つ、より洗練された思考法や多くの知識や経験を身につければつけるほど、ありそうにない結論をもたらすようなエビデンス（証拠）を受け入れることが難しくなるということ。これを物語る事例として、1989年11月9日、米大統領執務室で、CIAのソ連・東ドイツ担当のベテランの情報官らが「ベルリンの壁はすぐには崩壊しそうにない」とブッシュ大統領（父）にブリーフィングしていた。するとその最中、大統領執務室に国家安全保障会議のスタッフが慌てて入ってきて、すぐにテレビをつけるよう促した。そこに映し出されていたのはまさに東西ドイツの壁が壊されている光景だったという逸話がある。

⇒現状維持志向バイアス

戦略インテリジェンス（情報）（strategic intelligence）

　国家レベルもしくは国際レベル（いわゆる戦略レベル）の政策や軍事計画を作成する場合に用いられるインテリジェンス。

⇒インテリジェンス、戦術インテリジェンス

戦略情勢見積り（strategic situation estimate）

　使用者に配布される見積り形式のプロダクト（作成・成果物）の1つで、「戦略情報見積り」の前提となるもの。戦略情報見積り策定のため、脅威の対象に限定することなく、わが方の戦略選定の立場から、広く国内外情勢の推移を見通して、その変化傾向と主要な要因などを明らかにする。つまり戦略情勢見積りは、政策や戦略の策定にあたって、国家としての統一された情勢認識を国家諸機関に提供することとなる。

⇒戦略情報見積り

戦略情報見積り（strategic intelligence estimate）

　使用者に配布される見積り形式のプロダクト（作成・成果物）の1つで、脅威の対象としての国内外の諸勢力に関する見積り。この見積

りは、一般的に「戦略情勢見積り」をもとに特定の国内外諸勢力の可能行動と、わが方の戦略に及ぼす影響を焦点として見積ることになる。したがって戦略情勢見積りにおいては国際情勢の基調や紛争の形態および発生要因などを見積り、戦略情報見積りにおいては、特定国などがわが国に対して採用する可能行動や、それがわが国の戦略にどのような影響を及ぼすかなどを見積る。なお情勢見積りおよび情報見積りはその対象期間によって長期、中期および短期などに区分できる。

⇒戦略情勢見積り

戦力組成（Order of Battle, OB）情報

（敵）軍の編成、組織、戦力、指揮系統、配置などに関する情報。

前提（premise）

ある物事が成り立つための前置きとなる条件。推論する際に結論が導き出される根拠（理由）。

宣伝（旧日本軍）

平時および戦時を問わず内外の各方面に対して、わが方の有利な形勢、雰囲気を醸成させる目的をもって、特に相手側を感動（納得）させるような方法・手段によって、適切な時期を選定し、ある事実を所要の範囲に知らせること。これに関する諸準備、計画および実施に任ずる勤務を宣伝勤務という。

⇒謀略

潜入（infiltration）

ターゲットとなる地域、集団、組織にエージェントを送り込むこと。エージェントが合法的な訪問者や移民などをカバーとして対象国に潜入すれば公然の行為となり、陸路または海路（潜水艦やボートなどで）から密かに潜入すれば秘密の行為となる。

⇒エージェント、カバー

【ソ】

総当たり攻撃 (ブルートフォース・アタック：brute force attack)

　パスワードを解除して不正アクセスする際に、すべてのパターンを入力する手法。通常パスワードは任意の複数桁の英数字などが用いられるが、たとえば「0000」から「9999」まで考えられる数字のパターンを順番にすべて試していくことでいつかは目的のパスワードにたどり着くという方式である。通常、コンピュータプログラムによる自動入力で実行される。しかしこのブルートフォース・アタックは、パスワードの文字列が長かったり、文字種が多かったりすると、総当たりするのに時間がかかってしまう。そこで、その時間を短縮するために辞書攻撃が考案された。

⇒辞書攻撃

早期警戒衛星 (early warning satellite)

　早期警戒とは、弾道ミサイルの発射の探知とその追跡を行うことである。そのため発射予想地域から弾着地域まで常時監視できることが必要である。したがって早期警戒衛星は静止軌道または長楕円軌道上において運用され、赤外線センサーで弾道ミサイルや宇宙ロケットの発射炎などの熱源を探知する役割を有する衛星である。アメリカ、ロシア、フランスなどが所有している。

　米軍の早期警戒衛星システムは、以前はDSP (Defense Support Program) だったが、その後、SBIRS (Space-Based Infrared System、宇宙配備赤外線システム) も使われている。DSPの時は、赤道上の静止衛星だけだったが、SBIRSは静止衛星SBIRS-GEO (Geosynchronous Earth Orbit) と長楕円軌道を周回するSBIRS-HEO (Highly Elliptical Orbit) の二本立てである。静止衛星は赤道上を周回するので、南極や北極に近い高緯度地域のカバーが手薄になる。そのため、HEOがそれを補う。さらに静止衛星を使う代わりに、低軌道の周回衛星 (LEO：Low Earth Orbit) に多くのセンサーを搭載する方

法が進められているが、低軌道の周回衛星ではカバーできる範囲が限定されるため、多数の低軌道周回衛星を使用する構想になっている。このように1つの目的のために複数の衛星を使用する場合、その衛星を総称してコンステレーション（constellation）と呼ぶ。これらの衛星はミサイル発射時に発生する赤外線を捉えて発射警報を出すと共に、どちらに向かって飛翔しているかを把握できる。そして、その情報を受けて、地上設置のレーダーが追尾を引き継ぐ体制になっている。

⇒人工衛星の種類、偵察衛星、衛星攻撃兵器、情報収集衛星

捜索勤務（旧日本軍）

兵力もしくは戦闘器材を使用して、直接的に敵情を探知する目的をもって行われる勤務。情報勤務は捜索勤務と諜報勤務に分けられる。また、敵の位置、行動が不明な場合に探ることを「捜索」といい、位置が判明していたり、陣地を構えている敵の配備・警戒状況を探ることや地形・気象を観察することを「偵察」として区分することがある。

⇒情報勤務、諜報勤務

総参謀部第2部（中国 情報部）

中国人民解放軍内に存在したインテリジェンス機関。総参謀部第2部は総参謀部隷下で戦術・戦略的な軍事情報を収集、処理、配布する機関として、軍事に影響のある政治、社会、経済、科学技術情報などを広く収集していた。現在は、総参謀部第2部の機能は、新設された中国人民解放軍戦略支援部隊や統合参謀部情報局などに移管されたとみられる。

⇒中国人民解放軍戦略支援部隊、中国のインテリジェンス・コミュニティー

総参謀部第3部（中国 技術偵察部）

中国人民解放軍内でシギント活動を担当していた部署。世界的な規模でシギント活動を展開し、組織規模はエシュロン・システムに匹敵するとされた。総参謀部第3部の機能は、2015年に新設された中国人民解放軍戦略支援部隊に移管されたとみられる。公刊情報による

総参謀部第3部の活動をまとめると次のとおり。

　第3部は12の作戦局を管轄。12のうち8つの局は北京にあり、2つは上海、残りは青島と武漢にそれぞれ配置。12の作戦局は本部に直接報告した。第3部は人民解放軍の7つの軍区、空軍、海軍、第2砲兵に置かれた技術偵察局に対し活動の方向性を指示し、情報収集と分析の任務を付与した。また友好国にも傍受施設を輸出した模様。コソボ紛争時のユーゴスラビア、サダム・フセイン政権下のイラク、キューバ、ラオス、ミャンマーなどが報道されている。

　第3部は研究機関と教育機関を保有。研究機関は世界有数のスーパーコンピュータを何台か保有し、暗号解析などの研究をしている第56研究所、通信傍受と情報処理システムの研究開発をしている第57研究所、暗号技術と情報保全技術の研究開発をしている第58研究所などが知られる。教育機関は外国語学校（洛陽）を保有。第3部で情報活動に従事する要員は研究機関や下部機関などを含めると13万人にも上るとの未確認情報もある。各作戦局の概要は以下のとおり。

第1局：中国各地で活動している他局を統括

第2局：アメリカ、カナダの政治・経済・軍事関連情報を収集。サイバー戦も担当（隷下に人民解放軍61398部隊）

第3局：国境周辺での無線傍受、方向探知、電波の漏洩保全、機密保持

第4局：日本、朝鮮半島の情報収集

第5局、第10局、第11局：ロシア関連の情報収集

第6局：台湾、東南アジアの情報収集

第7局：コンピュータ・ネットワーク防衛・攻撃の研究

第8局：東西ヨーロッパおよびその他の地域の情報収集

第9局：戦略情報分析、データベース管理

第12局：衛星の通信傍受など宇宙を基盤としたシギント活動

⇒シギント、エシュロン、中国人民解放軍戦略支援部隊

総参謀部第4部（中国 電子対抗部）

　中国人民解放軍内で電子情報の収集および分析を行っていた機関。電子戦レーダー部（電子抗雷達部）とも呼称される。第4部は

1990年に創設された比較的新しい組織であった（1973年創設とする説もある）。第4部は司令部などの重要施設の通信電子防護を行うほか、隷下部隊および海・空軍部隊を通じて、戦術レベルの電子情報の収集、対電子戦および各種の欺騙手段の指導・研究に携わっていたとされる。2015年末に中国人民解放軍戦略支援部隊が創設され、第3部と共に第4部のほとんどの機能は同支援部隊に移管されたとみられる。

⇒中国人民解放軍戦略支援部隊、総参謀部第3部

総政治部保衛部（中国）

　総政治部隷下の機関で軍内の防諜・保全を専門に担任していた組織。総政治部が改編され、政治工作部となり、その隷下には組織局、幹部局、兵員・文官人員局、宣伝局、ネット世論局、直属工作局、群衆工作局、連絡局、退役局が置かれている。保衛部の機能がどのように移管されたか、その詳細は明らかではない。

総政治部連絡部（中国）

　総政治部隷下の機関で軍内の防諜・保全を専門に担任していた組織。総政治部が改編され、政治工作部となったが、その隷下には連絡局が存在するので、同局が後継の組織とみられる。

　かつて連絡部の任務は台湾、外国軍および仮想敵国軍隊に対する策動、心理戦の実施、外国の戦略基盤情報の収集、宣伝を通じての政治的影響力の拡大を任務とした。連絡部の下部組織には連絡局、調査研究局、辺防局および対外宣伝局があった。調査研究局はアメリカ、日本、ロシア、タイ、フランスなどの在外大使館に人員を駐在させ、当該地域の政治情報の収集。辺防局は国境を接する周辺国の政治情報を収集していた。

　また連絡部は台湾、香港、シンガポール、アメリカなどに情報要員を中国企業の従業員あるいは管理職として派遣していたとされる。連絡部の対外活動は表面的には「国際友好連絡会」の名の下で実施されていた。友好連絡会は人民団体（いわゆる民間団体）であり、表向き

には軍事色を出さないが、連絡部の外郭団体であり、連絡部とは表裏一体の関係にある。

総力戦研究所（旧日本軍）

　1940年10月、星野直樹企画院総裁を中心に陸軍、海軍、外務省、内務省、大蔵省、農林省、商工省らの代表によって、文官と軍部が一体となって、統帥の調和と国力の増強を目的に設置された。41年4月に第一期研究生を迎え、官僚（文官22人、軍人5人）と民間人の総勢35人が日本の国防、外交、経済活動などのあり方について研究した。

ソーシャルエンジニアリング（social engineering）

　コンピュータに不正アクセスするため、人間の心理につけ込む、あるいはパソコン画面を直接覗き見するなどという物理的手段で情報を窃取する方法。ソーシャルエンジニアリングの手段は多様だが、共通するのは人間を対象にするため、技術的手段では回避できないコンピュータ・セキュリティ上の脆弱性を狙うことである。
⇒サイバー攻撃、標的型サイバー攻撃、APT

ソープ，エミー・エリザベス（Thorpe, Amy. Elizabeth 1910〜1963）

　第2次世界大戦中、イギリスのMI6とアメリカの戦略諜報局（OSS）の指揮下で活動した女性スパイ。コードネームは「シンシア」。ミネソタ州生まれ。イギリス外交官と結婚し、夫に伴ってスペインに移住した頃からスパイ活動を開始。イギリス安全保障調整局（BSC）長官のウィリアム・スティーヴンスンの部下として、数々の成果を収める。当時、BSCはシンシア以外にイギリス人女性2人、フランス人女性1人を運用していたが、彼女が最も優れた女性スパイであったとされる。
⇒MI6、OSS、BSC、スティーヴンスン,ウィリアム

ソフトデータ（soft data）

　人の意見や感覚といった計測することが困難なデータ（情報）。

⇒ハードデータ

ソベル，モートン（Sobell, Morton 1917〜2018）

　ソ連原爆スパイ網のメンバー。ジュリアス・ローゼンバーグの親友。父はアメリカに移住したロシア系ユダヤ人。ニューヨーク市立大学在学中にローゼンバーグ夫妻と知り合い、原爆情報収集に従事する。ローゼンバーグ夫妻逮捕後、ソベル一家はメキシコに脱出。裁判では禁固30年が宣告される。アトランタ連邦刑務所でソベルを運用していたアベル大佐と再会。アベルがU-2偵察機のパワーズ飛行士との交換で釈放されるまで2人はチェスに興じたという。

⇒ジュリアス・ローゼンバーグ、アベル、U-2撃墜事件

ソ

ソーラーサンライズ（solar sunrise）

　1998年2月、中東のアメリカ軍基地にある端末に対して行われたサイバー攻撃の通称。当時フセイン政権のイラクに対する武器査察が行われていた時期であったため、イラクからのサイバー攻撃も疑われたが、実際はイスラエルとアメリカに在住する若いハッカーたちの仕業だった。アメリカ軍が運用するネットワークが侵入されたことから、アメリカ軍がサイバーセキュリティに危機感を持つきっかけとなった。

ゾルゲ事件

　リヒャルト・ゾルゲを頂点とするソ連のスパイ組織が日本国内で行った諜報活動および謀略活動。1941年9月から42年4月にかけて構成員が逮捕され、首謀者のゾルゲと尾崎秀実は裁判を経て死刑。

　ゾルゲは1933年に『フランクフルター・ツァントゥング』の東京特派員かつナチス党員として来日。34年、上海で30年に知り合った大阪朝日新聞の記者、尾崎秀美と再会し、尾崎を協力者に仕立てて諜報網を設置した。来日した外国人協力者にはドイツ人の無線技士であるマックス・クラウゼン（無線発信員）と、クロアチア出身のユーゴスラビア人のブランコ・ド・ヴーケリッチ（記者としての情報収集とその分析、資料の写真撮影・現像・複写、無線発信の援

助）がいた。日本人協力者には尾崎のほかに、宮城与徳、水野成、川合貞吉、久津見房子、北林トモらがいた。

　1941年10月、特別高等警察（特高）が家宅捜査した時、ゾルゲの自宅には日本に関する書籍が千冊近くもあった。ゾルゲは日本古代の政治史、社会および経済の歴史などまで研究し、二・二六事件を起こした陸軍の内情を当時の日本社会の矛盾の表れとして極めて的確に分析した。こうしたゾルゲの詳細な分析はドイツ大使オットの信頼を獲得するようになった。

　ゾルゲは1939年５月のノモンハン事件では「日本政府はノモンハン事件を局地で解決する方針であり、拡大の意図はない」との情報をソ連に報告したが、これは尾崎情報である。

　尾崎は1934年10月、大阪朝日から東京朝日に転じ、人脈作りを開始した。一高時代の同級生の牛場友彦を通じて西園寺公一（西園寺公望の孫）と友人関係になった。また近衛文麿側近の後藤隆之助が主宰する「昭和研究会」に参加し、風見章から同研究会の支那問題研究会の責任者を引き継いだ（風見が近衛第一次内閣〔1937年６月〕設立）の内閣書記官長に就任したため。風見は信濃毎日新聞の記者出身で労働運動の取材を通じて共産主義に共鳴しており、同じ共産主義者の尾崎を抜擢したとの見方がある）。尾崎は風見を通じて陸軍省軍務課長の柴山兼四郎、影佐禎明らと特別な関係を持っていた犬養健（五・一五事件の犬養毅の三男）とも交流した。

　1938年７月、尾崎は東京朝日を退社し、風見の紹介で近衛第一次内閣の嘱託、同時に近衛主宰の政治勉強会「朝飯会」（水曜会、1937年11月から発足）のメンバーとなる。朝飯会には尾崎のほかには西園寺、近衛内閣の秘書官である牛場および岸道三、朝日新聞の佐々弘雄、笠信太郎、帝大の蠟山政道、満鉄の平貞蔵、法政大学の渡辺佐平などが参加。38年の中頃から月に２度、朝食をとりながら会を開催。39年になると毎週水曜日に会を開くようになり、同年には同盟通信の松本重治、松方三郎（松方正義の息子）、犬養健（当時、国会議員）が加わった。会議の内容は秘書官たちが要約して近衛に伝えた。なお書記官長の風見は時々この会に参加したが、近衛は不参

加。こうして尾崎は近衛首相のブレーンとなり、中国問題の専門家として日中戦争に関する助言を行った。日本は日中戦争の泥沼化に突入し、やがて南進策をとるようになるが、その背景にはゾルゲの指示を受けた尾崎による助言の影響があったとみられる。

　一方のゾルゲは、権力中枢に近づいた尾崎を通じて日本の政治、軍事情報を収集したほか、オット大使の庇護の下、駐日独大使館に出入りし、1939年頃にはドイツの公文書を自由に閲覧できる立場を得た。そして41年6月のドイツのソ連侵攻計画に関する情報をモスクワへ送った（疑い深いスターリンはゾルゲ情報を拒否し、独ソ不可侵条約を信じていたソ連軍は、ドイツ軍の不意の攻撃〔バルバロッサ作戦〕を受けた）。この苦い教訓から、スターリンは逆にゾルゲを深く信頼するようになったという。

　ゾルゲは尾崎から得た日本が対米開戦を決心する情報をスターリンに送った。この情報に基づき、スターリンは松岡外相をモスクワに迎えて日ソ中立条約を締結したとされる。日本軍の南進を決定した近衛内閣の「帝国国策要綱」の情報もいち早くモスクワに伝わり、スターリンはシベリアのソ連軍を引き上げてドイツ正面に転用し、ドイツ軍からモスクワを防衛することができた。

⇒尾崎秀実、ゾルゲ,リヒャルト、特別高等警察（特高）

ゾルゲ，リヒャルト（Sorge, Richard 1895〜1944）

　第2次世界大戦期に日本で活動したスパイ。ゾルゲ事件の首謀者。ロシアのバクー生まれ。ドイツ人技師の父親とロシア人の母親を持つ。3歳の時にドイツ移住。第1次世界大戦後、ハンブルク大学で政治学博士の学位を取得。1920年、共産党に入党。20年代後半は赤軍参謀本部第4局（GRU）の指揮下でドイツで活動。その後モスクワ（1924 -27年）、スカンジナビア（1927年）、アメリカ（1928年）、イギリス（1929年）、上海（1930年）で活動し、上海では尾崎秀実、ウルスラ・クチンスキー、アグネス・スメドレーらと交流。ヘード・マッシングをスパイ活動に勧誘した。33年9月の来日に際し、ナチス党に入党、フランクフルター・ツァイトウング社の特派員の肩書を得る。ド

イツのソ連攻撃計画、日本の南進決定など重大な情報をスターリンに報告。41年11月逮捕され、44年11月に刑死。64年「ソ連邦英雄」の称号を受け、東ドイツでは記念切手の肖像にもなった。

⇒GRU、尾崎秀実、クチンスキー,ウルスラ、スメドレー,アグネス、マッシング,ヘード、ゾルゲ事件

孫子（Sun Tzu）

　『孫子』は、紀元前500年頃の中国春秋時代の軍事思想家の孫武の作とされる兵法書。または孫武の尊称でもある。兵法書としての『孫子は「武経七書」の1つであるが、古今東西の軍事理論書のうち、最も著名で体系的であると評価が高い。アレン・ダレスCIA元長官や西ドイツのインテリジェンス機関の長であったラインハルト・ゲーレンの回顧録にも『孫子』が引用されている。『孫子』は世界のインテリジェンス界に大きな影響を与えた。

　『孫子』は計篇、作戦篇、謀攻篇、形篇、勢篇、虚実篇、軍争篇、九変篇、行軍篇、地形篇、九地篇、火攻篇、用間篇の計13篇からなる。全編にわたり情報の重要性を強調しており、第13編の用間篇は「間」すなわち間諜（スパイ）の運用方法を述べたものである。

　用間篇は「昔、殷の興るや、伊摯、夏に在り。周の興るや、呂牙、殷に在り。故に明君賢将、能く上智を以て間と為す者は、必ず大功を成す。これ兵の要にして、三軍の恃みて動くなり」で締めくくられている。ここでの「上智」とは軍師である伊摯と呂牙を指すが、上智の意味は「道理を知っている、有能な人物」の意味であり、孫武は「国家指導者や軍事指揮官は有能な人物を間者（スパイ）として活用することで、戦いに勝利し、成功を収めることができる」と説いている。

　『孫子』の最も有名なフレーズは、「彼を知り己を知らば百戦して殆うからず」であろう。ただし、その後に続く、「彼を知らずして己を知れば一勝一負す」も重要である。つまり、孫武は「敵に勝利するためには、敵だけではなく我のことも知れ」「己を知ることで最低でも引き分けに持ち込める」と説いているのである。

　また、孫武は「彼を知りて己を知らば、勝ち乃ち殆うかず。地を知

り、天を知れば、勝ち乃ち窮らず」（地形編）とも述べる。つまり「彼我に加えて地域に関するインテリジェンスを獲得することで戦勝が確実になる」と説いている。

このように『孫子』を知悉すれば、「知るべきインテリジェンスとは何か」などが理解できる。なお『孫子』とクラウゼヴィッツの『戦争論』がよく比較されるが、『戦争論』は戦場における「１対１」の戦闘を想定しているのに対し、『孫子』は「１対多」を想定し、「戦わずして勝つ」「勝ち易きに勝つ」が重視されている。このような相違を念頭において両者を考察することが重要である。

⇒五間、ダレス,アレン、ゲーレン,ラインハルト、クラウゼヴィッツ，カール・フォン

ソ

ゾンビコンピュータ（zombie computer）

コンピュータウイルスなどによって、遠隔操作で悪用できる状態のままインターネットに接続しているコンピュータ。ゾンビPC、ゾンビマシン。ゾンビコンピュータのほとんどの所有者は自覚していないことが多いので、比喩的にゾンビと呼ばれている。ゾンビコンピュータのボットネット（攻撃者の指令や遠隔操作などを受け入れるよう、コンピュータウイルスなどに感染させた多数のコンピュータを組織したネットワーク）は、しばしばスパムメールの送信やDoS攻撃に用いられる。

⇒踏み台

損耗（損害、被害）評価（damage assessment）

情報分野では、秘密漏洩時の影響を情報源や情報の入手手段の損失の程度などによって評価することを指す。評価の後、その対策（損害を最小にするための方法や将来的に情報漏洩をなくすための方法）についても記述することが多い。

軍事全般では、軍事力（装備、兵員など）や重要な施設などに攻撃を受けた際の損耗の状況を把握し、それらの回復、立て直しを図るため、残存する能力を評価すること（BDA）を指す。

⇒BDA

【夕】

第3の男 (The third man)

　イギリス人のスパイ、ドナルド・マクリーンとガイ・バージェスの
ソ連への逃亡を仕組んだ人物であるキム・フィルビーのこと。「第3
の男」はイギリスのメディアによる別称。第2次世界大戦直後のウィ
ーンを舞台にしたサスペンス映画「第三の男」(1949年)のタイトルと
しても有名。

　のちには第4、第5の男という呼称も生まれた。第4の男は、1963
年にキム・フィルビーがソ連のスパイであることが発覚した後、同じ
くスパイであったことが明らかになったイギリス王室美術顧問アンソ
ニー・ブラント。第5の男はジョン・ケアンクロスとされる。
⇒ケンブリッジ・ファイブ、マクリーン,ドナルド、バージェス,ガイ、フィルビ
ー,キム、ブラント,アンソニー、ケアンクロス,ジョン

第5列 (The fifth column)

　敵に内通する者。内通者。スペイン内戦で4個部隊を率いてマドリ
ードを攻めたフランコ将軍の指揮下のモラ将軍が、市内にもフランコ
将軍に呼応する別の部隊(第5の部隊)がいると述べたことに由来す
る。アーネスト・ヘミングウェイがスペイン内戦を描いた戯曲「The
Fifth Column」(1938年)を通じて「第5列」という言葉がアメリカ
にも広まった。

対外連絡部 (北朝鮮)

　かつて北朝鮮に存在した朝鮮労働党のインテリジェンス機関。前身
は社会文化部。対韓国工作の主務部署であり、韓国内の要人暗殺、政
治・経済・社会・軍事などの情報収集を担任。ほかに「救国の声放
送」(第26連絡所)という対南心理戦、対外放送を担任していた。
2009年以降は内閣付属の対外交流局に縮小・改編された。

大韓航空機撃墜事件

1983年9月、ソ連軍機が大韓航空007便を撃墜した事件。情報の公開と保全のいずれを重視するかの葛藤にまつわる事件としても知られる。当時、あくまでも撃墜を否認するソ連に対し、アメリカは国連の場で陸上自衛隊幕僚監部調査部別室（当時）が行った傍受交信の記録テープを証拠に「ソ連が大韓航空機007便を撃墜した」と発表。このテープの公開については、当時の中曽根総理や後藤田官房長官は当初、了承していなかったとされるが、わが国が長年かけて蓄積した対ソ連のシギント収集のための指向周波数が明らかになり、ソ連はそれまで使用していた通信暗号を全面的に変更した。その結果、わが国の傍受器材や傍受要領が通用しなくなり、シギント収集の基盤は大打撃をこうむり、その再構築には多大な経費と時間を要したとされる。

⇒サニタイズ

大韓航空機爆破事件

1987年11月、偽造された日本国旅券を使い日本人になりすました北朝鮮の工作員によって大韓航空858便がインド洋上空を飛行中に爆破されたテロ事件。工作員の1人で拘束された金賢姫は同事件が北朝鮮の犯行であることを自供するも、北朝鮮は事件への関与を否定し続けている。

⇒金賢姫

タイタンレイン（Titan Rain）

2005年に発覚したアメリカ国防情報システム局、ロッキード・マーチン社、NASAなどのアメリカの航空・軍事関連の機関、企業を対象に行われた一連のサイバー攻撃の通称。タイタンレインによる攻撃は03年より行われ、05年までの3年間で多数の機密情報を含むデータや知的財産が窃取された。攻撃対象となった企業や組織と、攻撃者の技術的洗練性から、軍や諜報機関など国家機関に所属するハッカーによる攻撃であるとみられ、中国人民解放軍の関与が強く疑われている。

大統領直接行動 （Presidential Direct Action：アメリカ）

アメリカ大統領が通常の法的手続きを経ずに発する法的拘束力のある命令。インテリジェンスを含む国家安全保障関連の案件で顕著にみられ、大統領覚書、大統領布告、大統領署名声明などが大統領直接行動のツールとなることが多い。インテリジェンスを含む国家安全保障分野で大統領直接行動がとられると、司法府と立法府の権限が実質的に制限される傾向にある。

大統領令 （Executive Order：アメリカ）

アメリカ大統領が連邦政府や軍に対して出す行政命令やその権限。法的拘束力を有する。合衆国憲法上の明確な規定はないが、大統領が議会の承認や立法を得ずに行政権を直接行使する際に使用される。

たとえば1950年2月のトルーマン大統領による大統領令10104号により、機密区分が機密（top secret）、極秘（secret）、秘（confidential）の3段階に設定された。

大日本帝国秘密保護関連法 （戦前日本）

戦前の日本の軍事上の秘密保護に関する法令は、日露戦争後の明治末頃までには一応の整備がなされた。その法体系は軍機保護法（1899年）と各種法令の条項で構成された。その後、第1次世界大戦の影響、満洲事変から日中戦争へと国際情勢が緊迫するにつれ、日本の軍事秘密保護法体制は急速に拡大・強化された。その骨格となったのが、改正軍機保護法（1937年）、軍用資源秘密保護法（39年）、国防保安法（41年）。
⇒改正軍機保護法、軍用資源秘密保護法、国防保安法

太平洋労働組合書記局 （中国）

1927年の漢口会議において設立されたプロフィンテルン（赤色労働組合インターナショナル）の極東支部。本部は上海。書記局の最初の首脳はアメリカ共産党のメンバーであり、のちに同共産党書記長となるアール・ブラウダー。31年6月、書記員のイレール・ヌーランが上

海で逮捕（ヌーラン事件）されたことで、太平洋労働組合書記局の組織的活動は壊滅した。
⇒プロフィンテルン、ヌーラン,イレーヌ、ブラウダー,アール

タイムライン分析（Timeline）

ある特定の時間枠における出来事や行動を図式的に表現し、分析しようとする手法。タイムラインにより出来事や行動を視覚化することで、それらのパターンや傾向を特定したり、関係性などを明らかにする助けとなる。クロノロジーがリストなのに対し、タイムラインは流れを視覚的に捉えることができるためより分かりやすい。

たとえば、ある国が弾道ミサイルの発射実験を秘密裡に行おうとしている場合、過去の事例などから図37のような要領でタイムラインを作ることができ、次の発射の予測に役立つ。

①ホワイトボードなどに時間枠を決めて時間軸を縦または横に引く。

②付箋紙などに出来事や行動を要約して書き込み、それらに日付を付記し時系列に並べる。

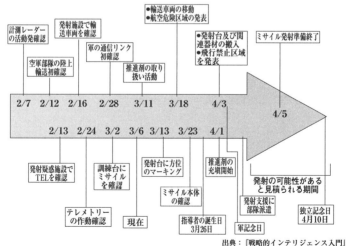

出典：『戦略的インテリジェンス入門』

図37 タイムラインの一例
（過去の発射準備活動を基にした3月6日現在のミサイル発射時期の見積り）

③時間軸に沿って出来事などを貼り付けたり、空白部分に直接書き込む。
④異なるアクターの行動には異なる色を用いるか、並行する別の時間軸を用意する。
⑤必要に応じてタイムラインを段階に区分する。
⑥文字の代わりに小さな絵やシンボルを使用する。
⇒クロノロジー分析

戴笠（たい・りゅう 1897～1946）

中華民国の諜報工作員。1926年、30歳で黄埔軍学校第6期生として入学。32年に中華民族復興社（藍衣社）で中央幹事、特務処長として軍事諜報活動に従事し、中国共産党組織の破壊、反政府派の弾圧、華北での対日防諜、漢奸粛清などを実施。抗日戦争開始後は軍事委員会調査統計局（軍統）副局長兼中央警察学校主任として中国共産党や日本に対する特務工作を担当。46年に航空機事故により死亡。

ダガン，ロレンス（Duggan, Laurence 1905～1948）

アメリカの経済学者。ソ連のスパイ。第2次世界大戦中は国務省南米課長、ハル国務長官の秘書などを歴任。戦後、ソ連インテリジェンス機関のスパイ容疑でFBIによる尋問が開始されて10日後、マンハッタンのビル16階にある自身の事務所から飛び降り自殺。その後、長年ダガンは無実だと信じられていたが、ヴェノナ文書によってソ連のスパイであったことが判明した。
⇒FBI、ヴェノナ

ダークウェブ（dark web）

闇ウェブ。ディープウェブの一部で、ネット上のアンダーグラウンド空間を指す。一般に公開されているウェブサイトをサーフェイスウェブといい、ログインを必要とするなど技術的にアクセス制限された空間をディープウェブという。ディープウェブは基本的にはGoogleやYahoo!などでは検索できない。さらにダークウェブは専用ソフトを使用しないとアクセスできない。

ダークウェブ自体は必ずしも犯罪に使われるウェブサイトとは限らないが、一般ユーザーがアクセスできない性質からマルウェアに感染したボットネットの温床となりやすく、非合法商品の闇市場や、マネーロンダリングなどのサイバー攻撃や犯罪に利用されることがある。
⇒ダークネット、マルウェア、ボットネット

ダークサイド（Dark Side）

ロシアに拠点を置くとされるハッカー集団で、ランサムウェアを使って企業などのデータを盗んだり、攻撃したりすることで金銭を要求する。2021年5月7日、米最大規模の石油パイプラインがサイバー攻撃によって停止した事件では、FBIが5月10日にはダークサイドによる犯行であることを明らかにした。ダークサイドはランサムウェアを使ってデータを盗み、金銭を要求する犯罪集団でありながら、被害者向けの電話窓口を備えるなど企業のような振る舞いをすることで知られる。米ボストンのサイバーセキュリティ会社（サイバーリーズン）によると、ダークサイドは英語圏のITシステムを攻撃対象とする一方、ロシア語など旧ソ連圏の言語が使われている場合には、攻撃を避ける設定になっているとされる。またダークサイドなりの行動規範を持っており、病院や学校、非営利団体、政府機関への攻撃は禁止しているようだともしている。
⇒ランサムウェア

ダークネット（dark net）

ダークウェブにアクセスするためのネットワーク。ダークネット接続で用いる典型的なソフトウェアとして「Tor」がある。Torを用いた通信はインターネットには接続しているものの、トラフィックを秘匿するため誰が接続しているか隠しながら接続することができる。またファイル交換ソフトなどで使用されるP2P（Peer to Peer）ネットワークも特定のソフトウェアを使用する匿名ネットワークという意味で、ダークネットの一種である。
⇒ダークウェブ

タ

ターゲット（target）

標的、目標。情報工作を指向する個人、機関、施設、地域あるいは国家。

妥当性の円錐（cone of prausibility）

将来のシナリオを考える手法の1つ。将来が基本的なシナリオを中心として代替シナリオから想定外のシナリオまで振れ幅があるという状況を円錐形に喩えて図示したもの。以下のステップを経てシナリオを考察する（図38参照）。

①将来シナリオに影響を及ぼす要因（ファクター）をブレインストーミングなどにより列挙する。

②それらの要因に重要度を付けて、シナリオに影響を及ぼすドライバー（推進要因）を決める（参加者が投票などで決定）。

③ドライバーに関する判断を前提（最もありそうなものに設定）として決める。

④ドライバーと前提から基本的なシナリオを決める。

⑤その後、前提を変えることにより代替（alternative）シナリオ、想定外（wild card）シナリオを作成する。代替シナリオは一定の対象期間内において最も変化する可能性が高い前提を変えてシナリオを考察する。想定外シナリオは、最も変化しそうにないと思われる前提を変えることによってシナリオを考察する。

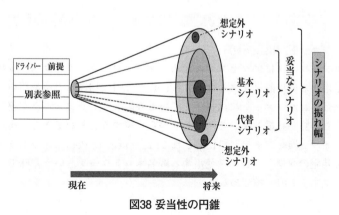

図38 妥当性の円錐

266

ドライバー (推進要因)	基　本	前提を変化
経済	経済成長はやや低下	(想定外シナリオ) 経済成長が増加
軍事力	近代化を継続	(想定外シナリオ) 経済が回復し 軍事力を一気に増強
国内の 社会構造	貧富の差が拡大	(代替シナリオ) 旧共産主義体制の復活
地域内の 関係	近隣諸国との関係は 一部を除き安定	(代替シナリオ) 領土問題を契機に近隣諸国お よびNATOとの関係は対立的
グローバル な影響力	国際社会への 影響力は限定的	(想定外シナリオ) 近隣諸国を中心に 影響力を拡大

【図表の例】 (上記の表参照)

　たとえば、20年後のロシアの将来シナリオを考察した場合、簡易的に表わせば次のようになるだろう。

基本シナリオ：経済改革がうまくいかず、経済成長の鈍化と貧富の差が拡大している。近隣諸国との関係改善により経済の回復を目指しているため、域内の関係は一部を除き安定。

代替シナリオ：域内における領土問題が偶発的に拡大し、国内の（貧富の差などの）問題から国民の視線をそらすために近隣諸国との対立激化。さらに共産主義体制が復活する。

想定外シナリオ：天然ガスなどの資源を豊富に有するロシアは、資源価格の高騰により一挙に経済的に回復し、経済力を背景に軍事力を増強、近隣諸国への影響力を高める。

⇒ブレインストーミング、前提

田中隆吉 （たなか・りゅうきち 1893〜1972）

　陸軍軍人。最終階級は陸軍少将。太平洋戦争開始時の陸軍省兵務局長。陸軍中野学校長などを歴任。1932年の第1次上海事件では上海公使館付陸軍武官補（少佐）であった田中は、「満洲独立に対する列国の注意をそらせ」との板垣征四郎大佐の指示で、愛人の川島芳子の助

267

けを得て、中国人を買収し僧侶を襲わせた（上海日本人僧侶襲撃事件）とのちに証言した。極東軍事裁判において検事側の証人として、被告に不利な発言をしたことで、現在も批判されている。

⇒川島芳子

タリン・マニュアル（Tallinn Manual）

正式名称は「サイバー戦に適用される国際法に関するタリン・マニュアル」。2013年３月、北大西洋条約機構（NATO）のサイバー防衛協力センター（CCDCOE）が公表したサイバー戦争と国際法の関係性について記載した文書。

国連憲章第51条では「この憲章のいかなる規定も、国際連合加盟国に対して武力攻撃が発生した場合には、安全保障理事会が国際の平和及び安全の維持に必要な措置をとるまでの間、個別的又は集団的自衛の固有の権利を害するものではない」と規定し、武力攻撃の被害国が反撃を行う権利を認めている。しかしサイバー戦において、どのような場合が「武力攻撃」にあたるかは国際法上定説が明文化されていないため、タリン・マニュアルがその解釈例を示した。

2007年、国家を標的とした世界初の大規模サイバー攻撃をエストニアが受けたことから、08年にエストニアのイニシアチブで、首都タリンにNATOのサイバー防衛能力強化を目的としたサイバー防衛協力センターが設立され、その研究成果がタリン・マニュアルとしてとりまとめられた。あくまでも研究成果であって、NATOの公式見解ではないが、ほかに類例もなく、議論の出発点として注目されている。

ダレス，アレン・ウェルシュ（Dulles, Allen. Welsh 1893～1969）

アメリカの政治家、弁護士。ニューヨーク州ウォータータウン生まれ。プリンストン大学卒業後、1916年国務省入省。18年のパリ講和会議にアメリカ代表団の一員として出席。その後、弁護士業を経て、第２次世界大戦中、戦略諜報局（OSS）に入り、諜報活動を担当。50年には作戦本部長となり、51年に中央情報局（CIA）副長官、1953～61年までCIA長官。在任中、左翼政権の転覆を画策し、イランのモサデ

ク首相の失脚やグアテマラのアルベンス政権転覆に関与。キューバの
ピッグス湾侵攻計画も策定。アイゼンハワー政権期の国務長官ジョ
ン・フォスター・ダレスは実兄。

⇒OSS、CIA

【チ】

チェーカー（反革命・サボタージュに対抗する特別委員会）

1917年に創設されたソ連のボリシェヴィキ党の秘密警察組織。初代
長官はフェリクス・ジェルジンスキー。22年にGPU、のちにOGPUに
改編。反革命分子に対するチェーカーの秘密活動は苛烈で、メンバー
は「チェキスト」と呼ばれ、恐怖の代名詞になった。国内治安が主体
であり、対外情報活動は19年3月に創設されたコミンテルン（第3イ
ンター）に依存していた。20年末、チェーカーは外国部（INO）を創
設。

⇒GPU、ジェルジンスキー,フェリクス

チェリー・ピッキング（cherry picking）

熟したサクランボの果実を選別することから転じて「良い所だけを
取る」「つまみ食い」の意味で使用される。多くの事例の中から自ら
の論証に有利な事例のみを並べ立てて命題を論証しようとする論理上
の誤謬。詭弁術。

チェンバーズ,ウイタカー（Chambers, Whittaker 1901～1982）

アメリカのジャーナリスト。のちにソ連のスパイからFBIの協力者
へ転向。アメリカ生まれ。コロンビア大学卒業。1932年頃からアメリ

カ共産党機関誌『ニュー・マス』の記者をしながら38年までソ連スパイとして地下活動に従事。37年から41年まで『タイム』の記者として働きながら、39年に密かに共産主義から転向。

1939年9月2日、エイドルフ・ヴァーリー国務次官にスパイ網の存在を告発。これによりソ連のスパイ網は一時活動を停止するが、その告発にFBIは対応しなかった。48年7月、チェンバーズは下院非米活動委員会で、30年代に国務省高官のアルジャー・ヒスがソ連のスパイであったと告発。その具体的な証拠資料「パンプキン・ペーパー」により、アルジャー・ヒスは偽証罪で有罪となった。その後、チェンバーズは反共産党の論客としての不動の地位を確立する。
⇒FBI、非米活動委員会、ヒス,アルジャー

地下室 (cellar)

KGB本部内で処刑や監禁が行われる場所。ソ連の情報・公安機関職員が用いた隠語。
⇒KGB

チームA・チームB分析 (Team A/Team B Analysis)

AとBの2つのチームを作り、両者に同じテーマ、同じインフォメーションを与えてそれぞれ分析を競い合わせる手法。冷戦期間中のソ連の意図をめぐる分析手法として知られる。1976年、アメリカのインテリジェンス・コミュニティーにおいてソ連の意図をAとBの2チームに分析させた。その際、チームAはCIAのベテラン分析官ハワード・ストーツをリーダーに、新米の分析官たちで構成された。チームBは強硬な反ソ連の立場をとるハーバード大学のロシア史専門のリチャード・パイプス教授が座長となり、インテリジェンス・コミュニティー外の年齢層が高いソ連の専門家たちによって構成された。このやり方は、分析の手法としての考え方はよかったものの、チームBにはタカ派の論客が多かったため、バランスを欠く分析となり、結果として説得力のないものとなり、うまくいかなかったとされている。
⇒CIA、レッドチーム分析

チャーチ委員会（The Church Committee ：アメリカ）

　1975年から76年にかけてCIAやFBIなどの国内外における職権乱用に関し、大規模な捜査を行い、アメリカ国内でのスパイ行為、CIAによる外国指導者の暗殺計画、FBI・CIA双方による左翼組織への潜入捜査や破壊工作などをつぎつぎと明るみに出したアメリカ上院の調査委員会。議長は民主党のフランク・チャーチ上院議員（アイダホ州選出）であり、「情報活動に関する政府活動上院特別委員（United States Senate Select Committee to Study Governmental Operations with Respect to Intelligence Activities）」の俗称。チャーチ委員会は、アメリカ国内におけるNSAによって実行された通信傍受作戦（シャムロック作戦）を重点に調査した。調査委員会による問題提起を受けて、1978年に「Foreign Intelligence Surveillance Act」（FISA：外国諜報〔情報〕監視法）が成立し、インテリジェンス機関の調査権限に対する制限が定められた。ちなみにロッキード事件の端緒となった報告書を出した上院外交委員会の「多国籍企業小委員会」の委員長もチャーチ上院議員だったため、日本ではチャーチ委員会といえば、こちらの方が有名。
⇒CIA、FBI、NSA、シャムロック作戦、外国諜報（情報）監視法

チャップマン，アンナ（Chapman, Anna 1982～）

　ロシア対外情報庁（SVR）に所属するロシアのスパイ。その容姿から「美しすぎるスパイ」と言われ、話題となった。2010年2月、チャップマンは核弾頭開発計画などの情報収集のためアメリカに入国。アメリカ人になりすまし、表向きはマンハッタンの不動産会社などを経営する女性社長として諜報活動を行う。同年6月、スパイグループの一員として摘発されたが、同年7月、ロシアとのスパイ交換によりロシアに帰国した。アメリカがチャップマンを含むスパイグループ10人を国外退去させる見返りに、ロシアはCIAの工作員として米英などのインテリジェンス機関に軍事機密を流していた罪で逮捕され服役していたロシア人の軍事専門家イーゴリ・スチャーギン、元GRUのセルゲイ・スクリパリら4人を釈放した。
⇒スパイ交換、SVR、CIA、スクリパリ暗殺未遂事件

チ

中央宣伝部（中宣部：中国）

　中国共産党のイデオロギー、方針・路線、政策を宣伝・教育する組織。1921年の共産党の発足から間もなく宣伝局が組織され、24年5月に中央宣伝部が設立された。

中央調査部（中国）

　かつて存在した中国共産党のインテリジェンス機関。中央社会部の後継機関で、1960年頃に設立。83年に設立された国家安全部の前身機関。中国共産党による革命輸出、ベトナム戦争での北ベトナム支援などを実施。⇒国家安全部

中間者攻撃（MITM：Man In The Middle Attack）

　二者間の通信に介入し、実際には介入者が通信を制御しているが、通信をしている当事者同士には気づかれないように盗聴を行う手法。中間者攻撃は主にパスワードや暗号を用いて交換される機密情報の窃取に利用される。中間者攻撃を行うには、他者に偽装して暗号鍵を入手するといった工作を必要とする。

中国共産党対外連絡部（中連部：中国）

　中国共産党の対外関係を担当する党の直轄組織で、1951年に設立。主要な業務は国際統一戦線に基づくマルクス主義支援勢力の拡大、帝国主義反対活動の宣伝など。

中国共産党中央統一戦線工作部（中央統戦部：中国）

　中央統一戦線工作部は中国共産党の直轄組織で、1939年1月、周恩来らにより、それまでの敵軍工作部を改編して設立された。

中国のインテリジェンス・コミュニティー

　中国のインテリジェンスはソ連と同様に反体制分子に対する国内治安活動と外国における対外情報活動の2つの目的を持っている。国内での強力な統制機能は米英のインテリジェンス部門との大きな違いで

ある。中国のインテリジェンスは政府、軍、党のインテリジェンス機関の3系統に分類できる。政府系統のインテリジェンス機関としては、国内情報および対外情報に関する最大組織である国家安全部がある。このほか国内治安を担う公安部、外交活動を担う外交部、軍事外交を担う国防部、軍事科学技術の研究および開発を指導する国防科学技術工業局（国防科学技術工業委員会）などがある。また国営報道機関である新華社は国外における情報活動において重要な役割を担っている。

　軍のインテリジェンス機関には、かつては総参謀部隷下の第2部、第3部および第4部、総政治部隷下の保衛部および連絡部などがあったが、2015年末、軍事改革で中国人民解放軍戦略支援部隊（戦略支援部隊）が新設され、上記の相当の機能が一元・集約されたとみられる。

　党系統のインテリジェンス機関としては中央統一戦線工作部、中央宣伝部、中央対外連絡部などがあるが、これらは中国共産党の党活動全般を執行する機関である。したがって、かつて存在した党中央社会部あるいは党中央調査部（中央社会部の後継機関）のような純然たるインテリジェンス機関とはいえない（図39参照）。

　このほか中国には党や政府の傀儡と揶揄される人民団体（民間団体）の存在がある。人民団体は関係国の中に友好団体を組織し、友好

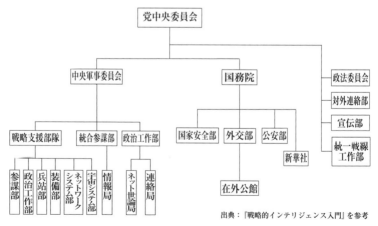

出典：『戦略的インテリジェンス入門』を参考

図39 中国のインテリジェンス・コミュニティー

団体と一体となり、党および政府の意向に沿う情報工作活を実施している。人民団体の活動は外交、経済、文化、出版、旅行、華僑事務などの分野に及んでいる。

このように中国では政府、軍、党、人民団体など各領域において多彩な機関や組織が情報活動に携わっている。ただし、こうしたそれぞれのインテリジェンス機関が相互にどのような依存関係にあるのか、その詳細は明らかでない。しかしながら、一党独裁の中国では、党がすべての国家機関および軍事機関の指導、監督を行っているため、最終的にはすべての情報は党中央委員会に集約されるものと考えられる。
⇒国家安全部、新華社、総参謀部第2部、総参謀部第3部、総参謀部第4部、総政治部保衛部、総政治部連絡部、中国人民解放軍戦略支援部隊、コミント、エリント、シギント、イミント、NSA、GRU、中国共産党中央統一戦線工作部、中央宣伝部、中国共産党対外連絡部、中央調査部

中国人民解放軍戦略支援部隊（SSF：Strategic Support Force）

中国人民解放軍の戦略情報に携わる中核部隊。2015年12月末にロケット軍、陸軍指導機構と同時に創設された。戦略支援部隊は国家の安全を維持するための新型戦力とされ、サイバー戦、電子戦、情報戦（技術偵察、電子戦、心理戦を含む）、宇宙ベースの情報支援などを担当する世界でも類を見ない多機能な組織。隷下に参謀部、政治工作部、兵站部、装備部、ネットワークシステム部、宇宙システム部、規律検査委員会、監察委員会がある。宇宙システム部（航天系統部）は衛星の打ち上げとその関連支援、宇宙情報支援、宇宙テレメトリー（遠隔にある対象物の測定結果をセンターに伝送すること）、追跡、宇宙戦を担当。米国防省の報告書によると「宇宙戦の視点での宇宙システム部の新編の目的は、宇宙での運用の足かせになっていた官僚的な権力闘争を解決し、作戦や調達を円滑にするため」に設立された旨が述べられている（図39参照）。

チューリング，アラン（Turing, Alan 1912〜1954）

イギリスの数学者、暗号研究者。ロンドン生まれ。ケンブリッジ大

学とプリンストン大学で学ぶ。第2次世界大戦中、イギリスの政府暗号学校に勤務。世界初の電子計算機「コロッサス」の基礎を築いた。この計算機が暗号解読に大きな役割を果たした。1952年、同性愛者であることが発覚、逮捕され有罪となり、その2年後に自殺。
⇒エニグマ

長期分析 (long-term analysis)

今後の情勢や技術動向などに関して長期間（10年〜20年程度）を対象に、幅広い視点で記述されたもの。そのため作成には時間を要することが多い。米国家情報会議（NIC）の報告書『グローバルトレンド』などが有名。
⇒トレンド分析、NIC

兆候・徴候 (indication/sign)

物事の起こる前触れ。兆し。しるし。気配。「前兆」はある出来事が起こる以前にその出現を知らせる別の具体的な現象。「兆候・徴候」はある出来事が起こりかけているという気配を指す。軍事における敵の可能行動は兆候と戦術的妥当性から判断する。

兆候と警報の変化 (indicators or signpost of change)

「特定の事象が生起する可能性」や「特定の事象が発生するとすれば、いつ、いかなる状況で発生するか」などについて各分野の兆候を列挙し、そのレベルの変化を個別の兆候ごとに評価し、将来の動向を見積る手法。

調査権限規制法 (RIPA：Regulation of Investigatory Powers Act 2000：イギリス)

インターネット・携帯電話の普及や郵便業務の国際化に対応するため、傍受対象となる通信を従来の郵便業務と公的遠隔通信システムから私的遠隔通信システムへと拡大させた法律。私的なメールなどの情報収集の際は事前の令状を必要とする。2000年7月28日成立。

調査権限法2016年（Investigatory Powers Act 2016：イギリス）

電話、電子メール、携帯電話のメッセージ、インターネット閲覧履歴といった情報にアクセスする幅広い権限を警察やインテリジェンス機関に付与した法律。2016年11月成立。

朝鮮戦争（Korean War）

1950年6月、南北に分断された朝鮮半島で勃発した戦争。6月25日、北朝鮮軍が突如南下して侵攻し、それに対し米軍を中心とする国連軍が結成されて、韓国軍を支援したが、9月初旬には釜山まで追い詰められた。その後、国連軍は仁川上陸作戦などにより戦線を押し戻したが、10月に中国が北朝鮮を支援するため参戦。51年10月頃から北緯38度線付近で膠着状態となり、53年7月休戦協定が成立した。

CIAは、北朝鮮軍の韓国への侵攻をまったく予想できなかった。さらに、現地の司令部レベルにおいても、インテリジェンスの失敗が見られた。

朝鮮戦争開戦当初、北朝鮮の動きを察知していなかった韓国軍および米軍は奇襲を受けた。急きょ国連軍総司令官となったマッカーサーは、1950年9月15日、仁川上陸作戦を成功させた。仁川上陸作戦に連携した大規模な作戦により国連軍は北上を始めたが、10月2日、中国の周恩来は国連軍が38度線を越境すれば参戦すると警告していた。中国が鴨緑江の対岸に少なくとも30万人の大軍を待機させ、いつでも越境できる態勢にあることは早くから知られていた。問題は、中国が参戦の意図を国連軍に警告したのが、本物か単なるブラフ（脅し）かだった。10月25日、国連軍は順調に北進を続けたが、鴨緑江手前で中国軍の攻撃を受けて前進が停止した。さらに10月下旬、米第1軍団長は中国人捕虜から得た鴨緑江付近に数万人の中国兵が集結しているとの情報を第8軍司令部に上げた。その情報はマッカーサーの司令部の情報部長（G2）ウィロビー准将にも送られた。

米政府の考えは中国との大戦争を回避することだったが、マッカーサーの希望は鴨緑江まで進撃して朝鮮全土を統一することだった。そこでウィロビー准将は、マッカーサーの希望に沿って、情報評価のつ

じつま合わせを行った。実際には約30万人、30個師団の中共軍が朝鮮半島に入っていたが、ウィロビー准将は朝鮮に侵攻した兵力を16,500〜34,500人と実際の10の1以下の兵力見積りを示していたのである。

このように、朝鮮戦争におけるインテリジェンスの失敗は、CIAレベルでの警告の失敗に加えて、司令部レベルにおいて、実際の戦場からの情報を矮小化して分析し、司令官の好むように報告するという情報の政治化が見られたとの指摘もある。

朝鮮戦争の勃発は、その後のアメリカのインテリジェンス体制に2つの大きな影響を与えた。第1に北朝鮮の侵攻を警告できなかった責任をとって1950年末、CIAのヒレンケッター長官が辞任し、その後、CIAの分析部門が大きく変革された。後任のウオルター・ベデル・スミス長官は「国家情報見積り」（NIE）の作成に力点を置くことにした。第2に朝鮮戦争は冷戦を世界規模にした。それまで冷戦は欧州におけるソ連との覇権争いに限定されていたが、この戦争が冷戦構造をアジア、そして暗黙のうちにほかの地域にも拡散させた。そのため朝鮮戦争後、アメリカはインテリジェンスの対象範囲と責任を世界規模に拡大させた。

⇒CIA、情報の政治化、NIE

諜報、諜報活動

諜報とは相手の情勢などを密に探って知らせること。またその知らせ。目的を相手に隠して、間諜のみならず、新聞などの情報媒体、捕虜の尋問など間接的な手段で情報を探ったり、探ったことを知らせる行為（軍事用語）。このような諜報を行う活動を総じて諜報活動という。諜報活動も概念的には情報活動に含まれるが、特にスパイによる情報収集活動に用いられることが多い。スパイ活動と同義。旧日本軍の資料では「諜報とは、目的を隠して情報をとる行為をいふ。その情報が秘密の事であろうとなからうと、情報の取り方が合法であろうと非合法であろうと、或ひは公然とやろうと内密にやろうと問わない。目的を相手に秘して情報を取ればそれが諜報行為になる」と記述されている。

⇒間諜

諜報活動の指揮系統

　諜報活動の指揮系統の頂点には責任者（スパイマスター）がいて、その下で管理官（ケース・オフィサー、オペレーションズ・オフィサー、ディレクター）が配置される。さらにその下に現地で諜報活動を管理する現地指揮官（レジデント・ディレクター）が配置され、その下で現地のスパイが秘密情報を収集し、通信連絡員（トランスミッター）または連絡員（クーリエ、クリエール）を通じて上級者に順を経て報告する。

⇒スパイマスター、ケース・オフィサー、オペレーションズ・オフィサー、ディレクター、レジデント・ディレクター、トランスミッター、クーリエ

諜報勤務（旧日本軍）

　平時・戦時を通じ、兵力もしくは戦闘器材の使用によることなく、ほかの公開および隠密な方法によって実施する情報勤務。

　『諜報宣伝勤務指針』によれば、宣伝・謀略および保安の諸勤務と密接に関係し、これらを適切に行うための資料を提供する一方、これらの勤務の成果を活用することで諜報勤務が容易になる旨が記されている。

　『統帥参考』では「最高統帥の情報収集は作戦の効果によるほか、専ら諜報による」と記され、「作戦軍においては、諜報により捜索の結果を確認または補綴するほか、捜索の端緒を捕捉し、あるいは捜索によっては獲得困難なる重要なる情報を収集できるので、諜報の価値は捜索部隊の不足なる時はますます大きい」として、作戦軍においても諜報の価値が大きいことが解説されている。

　『作戦要務令』では「諜報勤務のあり方は脈絡一貫した組織の下にこれを行うことを要する」「諜報組織を編成し、収穫をあげるためには時間が必要なので、作戦軍のための諜報機関といえども、その骨幹は開戦前より編成配置し、開戦後速やかに捕捉拡張するように準備する必要がある」などが規定されている。

⇒諜報宣伝勤務指針、統帥参考、作戦要務令

諜報宣伝勤務指針 (旧日本軍)

1928年2月、諜報・宣伝などの秘密戦に従事する専門要員を対象に作成された「軍事極秘」扱いの秘密戦の原則の解説書。発刊は陸軍参謀本部で、当時の参謀次長の南次郎が「本指針は諜報、宣伝に関する勤務遂行上の着眼並びにその用意等において、一般普遍の通則を教示し、この種勤務に従事する者のために、執務の準縄を与えるを目的とす。而して、これを実務の上に活用するの妙機は、一に当事者の熱誠と変通自在、機略縦横の手腕とに存す」と巻頭言に記している。

同指針は、かつて参謀本部第2部、陸軍駐在武官および陸軍中野学校における施策の参考、手引書、教材の骨子として使用された。

⇒陸軍中野学校

チン, ラリー・ウタイ (Chin, Larry. Wu-Tai 1922～1986)

中国のスパイ。中国系アメリカ人。中国名は金無怠。第2次世界大戦中に中国駐在アメリカ武官事務所に勤務。1948～52年までアメリカ陸軍に所属し、香港、上海で勤務。52年にCIAに採用され沖縄勤務。この当時から中国のためのスパイ活動を実施。70年代に米中接近に関するアメリカ政府の機密文書などを国家安全部に漏洩。85年11月に逮捕され、86年2月に拘置所内で自殺。

⇒CIA、国家安全部

【ツ】

ツィンメルマン電報事件 (Zimmermann-Depesche)

1917年、ドイツの外務大臣アルトゥール・ツィンメルマンがメキシコ政府に送った電報。その内容は「メキシコがドイツと同盟し、アメリカへ宣戦布告する」よう促すというもの。「メキシコが日本を説得

して連合国を裏切り、ドイツと同盟を結んでいてくれるよう説得を求める」という要請も記されていたが、当時のメキシコ大統領カランサによって拒否され、日独墨三国同盟は幻と消えた。この極秘電報がイギリスのインテリジェンス機関によって傍受されて解読された後、2月下旬にアメリカ政府へと伝達され、まもなく一般にも公表されてアメリカ人の知るところとなった。この情報が公にされると、アメリカ世論は激昂し、アメリカは大戦への参戦を決意することになった。イギリスのインテリジェンス機関の情報活動の成果とされる。

通信傍受法（Interception of Communications Act 1985：イギリス）

　国家安全保障、犯罪捜査、経済活動に必要な場合、インテリジェンス機関や法執行機関が所管の大臣に申請し、大臣が通信傍受許可を出すイギリスの法律。1985年4月に成立。それまで政府通信本部（GCHQ）の通信傍受活動について制約はなかったが、1977年3月のジェームズ・マーロン事件の捜査方法を欧州人権裁判所が問題視したため、この法律が成立された。
⇒GCHQ、ジェームズ・マーロン事件

つばめ
⇒スワローズ

ツワネ原則（Tshwane Principles）

　2013年6月、アメリカの財団（Open Society Justice Initiative）の呼びかけのもと、70カ国以上から500人を超える専門家により、安全保障のための情報秘匿と国民の知る権利を両立させるために作成された民間のガイドライン。正式名称は「国家安全保障と情報への権利に関する国際原則」（Global Principles On National Security And The Right To Information）。南アフリカのツワネで採択されたため、ツワネ原則と呼ばれている。

【テ】

偵察 （reconnaissance）

敵の活動や能力に関する情報を目視やほかの探知方法で能動的に入手する情報活動。時に1回限りの活動になる。これに対し「監視」は受動的かつ継続的に様子を見ること。偵察には隠密偵察と威力偵察（強行偵察）がある。隠密偵察は敵に察知されることなく行う偵察活動で、威力偵察は部隊による小規模な攻撃を行い、その反応から敵情を知る偵察活動。あくまで敵の情報を収集することが目的であり、決定的な戦闘状態に陥らないことが重要とされる。

⇒監視

偵察衛星 （reconnaissance satellite/spy satellite）

偵察衛星は搭載している機材により光学センサー衛星、合成開口レーダー（SAR）搭載型レーダー偵察衛星に分けられる。アメリカにおいては、1960年8月に初めて偵察衛星で撮影した画像を回収して復元することに成功したが、その画像は偵察機で撮影したものよりも精度が低かった。

1960年、ソ連によるアメリカのU-2偵察機の撃墜は偵察衛星の開発を加速させた。1961年には国家偵察局（NRO）が設立された。

1970年代アメリカのランドサットや80年代フランスのスポットといった地表を観測する光学衛星などの分解能はモノクロ写真が10〜60メートル、カラー写真ではさらに性能が悪く細かい情報を得ることができなかったが、次第に精度が向上した。

1999年、イコノス（米スペース・イメージング社）がモノクロで1メートルの分解能を達成し、その後クイックバード（デジタル・グローブ社）、EROS-A（イージーサット・インターナショナル社）など相次いで高度分解能の偵察衛星が打ち上げられた。各国の偵察衛星の分解能は秘密にされているが、最新のものは10センチ以下といわれている。また80年代の終わりに、アメリカは雲の影響を受けないで画像を

得ることができるレーダー偵察衛星を打ち上げた。それらの計画はラクロス（Lacrosse）またはオニキス（Onyx）と呼ばれ、その後も急速に進化している。

⇒U-2撃墜事件、情報収集衛星、早期警戒衛星

偵察機（surveillance aircraft）

　敵情や作戦地域などの状況を把握するために偵察や情報収集を行う航空機。航空写真や映像撮影による偵察を行う写真偵察機、電波、信号情報収集を行う電子偵察機がある。また、戦略的情報収集任務に主に用いられるものを戦略偵察機、戦術的情報収集任務に主に用いられるものは戦術偵察機と区分されることもある。有人機、無人機の区分もある。

⇒早期警戒衛星、偵察衛星、衛星攻撃兵器、情報収集衛星

ディスコース・アナリシス（discourse analysis）

　談話分析。言説、談話での発言や行動がそれが語られた、あるいは行われたコンテクスト（文脈、前後関係）の中で何を意味し、なぜそれを意味するのかなどを分析すること。

定性分析（qualitative analysis）

　化学的分析では、ある物質にその成分が含まれるかどうかを表す場合などに用いられるが、インテリジェンスにおいては、ある事象を分析する際、言葉、画像のように具体的に数値化できない指標や物に基づき評価すること。たとえば相手国の軍事能力を分析する場合、兵力数、国防費などは定量的な評価ができるが、兵員の質、部隊の訓練レベルなどは定量化できない。そのため、定性分析においては主観的な要素が介入する割合が高くなり、分析結果が客観性を欠くという批判が起こり得る。こうした欠点を補うため定性的指標でしか評価できないと思われるものでも、できるだけ定量的指標に置き換える努力が必要となる。兵員の質も、兵員の体力・学力検査の結果、規律違反の数といったものにブレークダウンできれば、定量的指標に置き換えるこ

とができる。
⇒定量分析

ティートケ，ハンス（Tiedge, Hans 1937〜2011）

　西ドイツ連邦憲法擁護庁（BfV）の防諜局長。BfVには1966年から所属。85年8月に東ドイツに亡命。亡命時には膨大な量の西側情報を持参した。ティートケの亡命とほぼ同時に西ドイツのヴァイゼツガー大統領の女性秘書マルグレット・ヘーケが逮捕され、大統領への組織的スパイの一端が暴露された。
⇒BfV、ヘーケ,マルグレット

ディープフェイク（deepfake）

　ディープラーニング（深層学習）とフェイク（偽物）を組み合わせた造語。一般的には、「フェイク動画」を指すことが多い。現実の映像や音声、画像の一部を加工して偽の情報を組み込み、あたかも本物のように見せかけてだます方法。

ディベロッピング・コンタクト（developing contact）

　脈のある人物。フレンドリー・コンタクトの次のランク。接触してみて、将来工作員として活用できると判断された人物。潜在的工作員。
⇒フレンドリー・コンタクト

ディレクター（director）

　ソ連KGBの用語でモスクワ本部にいる工作管理官。アメリカではケース・オフィサーという。
⇒ケース・オフィサー

テイラー，アラン（Taylor, Alan 1906〜1990）

　イギリス人の歴史家。オックスフォード大学卒業。マンチェスター大学などで国際史を教えた。『The Origins of the Second World War』（邦訳『第2次世界大戦の起源』）において、同戦争の原因はヒトラ

一の巨大な陰謀によるというより、偶然や判断の誤りにあると論じ、大きな反響を巻き起こした。インテリジェンス機関が使用するインフォメーションの90パーセントはオープンソースから入手できるとの見解を発表したことでも知られる。

⇒オープンソース、オシント

定量分析（quantitative analysis）

物質を構成する成分の量的関係を明らかにする目的で行われる分析の総称。インテリジェンスにおいては、ある事象についてデータに基づき客観的に把握し、分析・評価すること。データは分析における有効な根拠となり、データを用いることで認識に差がでず、説明にも説得力が増す。ただしデータ量が少ないと、偶然を省くことができず、結果を誤ってしまう可能性があるため、正確な分析を行うにはできるだけ多くのデータを収集する。また数値データによってある程度正確な分析をすることが可能になるが、数値化できないものを分析することができないため、表面的な分析と捉えられる可能性がある。

たとえば、ある国の国防費の増減などは数字的にすぐわかるが、カスタマーが本当に知りたいのは、なぜそうなったのか、それがどのような影響を及ぼすのかなどである。したがって定性分析とうまく組み合わせることが必要である。

⇒定性分析

適格性の確認（日本）

特別管理秘密などを取り扱う行政機関の職員（秘密取扱者）が、秘密を取り扱うために必要な能力や適性を有しているかどうかを確認すること。

秘密取扱者に対する適格性確認制度は、外国のインテリジェンス機関による日本に対する情報収集活動から重要な情報を保護するための施策の1つ。「特別管理秘密（特別に秘匿すべき情報）」について厳格な管理を行うため、日本政府が2007年8月に策定した「カウンター・インテリジェンス機能の強化に関する基本方針」に基づき、09年

4月1日から施行。政府全体としての統一的な基本方針に従い、各行政機関において訓令などを定めて運用。14年「特定秘密保護法」の施行により、法に基づく適性評価制度に移行。

⇒適性評価

適性評価（日本）

　行政機関の職員、または契約に基づき特定秘密の取り扱いを行う者が、特定秘密の取り扱いの業務を行った場合に、これを漏らすおそれがないかどうかを評価すること。また特定秘密を漏らすおそれがあるかどうかを判断するための制度。特定秘密を取り扱う業務に就く人に対して行政機関が行う制度で、本人の同意を得た上で、特定有害活動やテロとの関係、犯罪・懲戒歴、薬物の影響、精神疾患、飲酒の節度、経済状況などについて調査。2014年の特定秘密保護法で規定。

⇒セキュリティ・クリアランス

テキント（TECHINT：Technical Intelligence）

　技術的情報。シギント、イミント、マシントなど機械的情報収集源の総称。情報収集において人間を使うか機械を使用するかにより、ヒューミントとテキントの大きく2つに分類される。略称せずにTechnical Intelligence（技術情報）といった場合は兵器などの技術に関する情報を指す場合もある。

⇒シギント、イミント、マシント、ヒューミント

デコイ（decoy、military dummy）

　おとり。敵を欺瞞して本物の目標と誤認させる目的で展開する装備の総称。もともとは狩猟で獲物をおびき寄せるための疑似餌などを指す。陸海空それぞれの領域において、敵を欺瞞したり敵の攻撃を回避するために使用される。陸上の場合は敵の目標を誤らせたり、数を多く見せるため、航空機や戦車の偽物を配置したり、バルーンを浮遊させたりする。

テ

潜水艦や水上艦の場合は、偽のスクリュー音や気泡によって敵の魚雷を引き付け、追跡中の魚雷から逃れるために使用される。射出される艦に似た音紋を出して目標を誤認させるタイプ、大音量の雑音や大量の気泡によって魚雷の誘導を妨害するタイプなどがある。

航空では、航空機に搭載し、飛行中に投下するタイプのチャフ*やフレア**などがある。また、先端に発信機が取り付けられたワイヤーを航空機から展張し、脅威となるレーダー波と酷似した性質の電波を発信して虚偽の標的となるおとりを作り出し、ミサイルを引き寄せて母機が被弾することを回避する曳航式デコイなどもある。MIRV（多弾頭式弾道ミサイル）では、迎撃を困難にするため、本物の弾頭に混ぜた偽の弾頭（デコイ）を放出したりする。

*チャフ：航空機を探知して追尾するレーダー電波を回避するため、敵のレーダーに「影」を作り出すための金属片。**フレア：熱源を探知して誘導される赤外線誘導ミサイル専用のおとり。航空機のエンジン排気口から放射されるのと同じ周波数帯の赤外線を出して、敵のミサイルを混乱させる。マグネシウムなど酸化しやすい金属粉末などを燃焼させ、それを放出して、航空機の排気口以外の多数の熱源を発生させる。

デジタルフォレンジック（digital forensics）

コンピュータなどの電子機器に保存されている電子データを調査し犯罪の証拠として分析する手法全般。犯罪捜査の際に証拠を科学的に分析する手法をフォレンジックと呼ぶが、デジタルフォレンジックの場合はコンピュータに残されたデータを分析することで、サイバー攻撃の原因や発信源を追跡する手法を意味する。

⇒サイバー攻撃

データマイニング（data mining）

AI（人工知能）や統計学を利用して大量のデータから有益な情報を取り出す技術や手法の総称。データマイニングでできることは大きく次の3つがある。①データの分類、②データの関連性を見つけ出すこと、③事象の発生を予測することである。

デッド・ドロップ（dead drop）

　スパイなどが情報交換する際の技術の一種。樹木の洞、塀の隙間など、目立たない隠し場所に文書や現金を置いたり、回収したりして、指示、情報、報酬の受け渡しなど行う手法。相手と直接接触しないので安全な連絡法とされる。かつてソ連工作員が常用した。ロシア語ではタイニキ（隠し場所）。
⇒ライブ・ドロップ

デマルシュ（demarche）

　外交上の交渉手段の1つ。外国政府、政府機関への申し入れ、または申し入れ書。

テリント（TELINT：Telemetry Intelligence）

　遠隔測定情報。ミサイルなどを遠隔操作するためのセンサーから発する電波（テレメトリー）などから得られるインテリジェンス。

デルファイ法（Delphi Method）

　直感的分析手法の代表例。まず多くの専門家に特定の将来予測についてアンケート調査を行い、その結果を回答者にフィードバックする。さらに予測を繰り返し、予測の正確度を上げながら、全体の答えや意見を絞っていく手法。しばしば匿名で行われる。デルファイ法は技術革新や社会変動などに関する未来予測を行う定性調査によく用いられる。デルファイ法において留意すべきは次の3点である。①バランスのとれた専門家を選定してチームを編成する、②アンケートの質問を適正に行う、③意見の一致の強要や誘導は行わない。

　デルファイ法は、1950年代にアメリカのシンクタンク「ランド研究所（RAND Corporation）」で開発された。アメリカ空軍が専門家の意見を応用してソ連の戦略立案者の立場から、仮にソ連軍がアメリカ産業を目標にした時に必要になる原子爆弾の数の推定する研究である「爆撃の必要数の推定のための専門家の活用」（1951年11月14日）という研究の名称である「Project Delphi」をランド研究所に委託した

ことに起源を発している。ちなみにデルファイとは神託で有名なアポロ神殿のあった古代ギリシャの地名。

テロとの戦いおよび治安・国境管理に関する諸規定に関わる法律（フランス）

2005年7月7日にロンドンの地下鉄で大規模同時多発テロが発生し、これを機に06年1月23日にフランスで制定された治安対策法。多くの監視カメラが設置されているロンドンに比べてフランスに設置されている監視カメラの数は圧倒的に少なかった。そこで監視カメラの増設などを含む予防対策を強化するための法律。

テロリズム法2000年（Terrorism Act 2000：イギリス）

過去のテロリズム対策の法制を統合し、さらに新規定を盛り込んだイギリスの総合的な対テロ法。2000年7月20日成立。イギリスは長らくアイルランド共和国派（その過激派グループがIRAとその分派）によるテロに悩まされており、1970年代から1年間の時限立法としてテロ対策臨時措置法を成立させていたが、取り締まり対象が北アイルランドに限られていたため、それ以外のテロに対処可能な法律が求められ制定された。

テロリズム法2005年（Prevention of Terrorism Act 2005：イギリス）

2001年の反テロリズム・犯罪および安全保障法の一部、外国籍のテロリスト容疑者に関する規定を改正したイギリスの法律。05年3月11日成立。拘束を定めた2001年の反テロリズム・犯罪および安全保障法の外国籍のテロリスト容疑者に関する規定が差別的で欧州人権条約に反するとするという判決が下されたため制定された。

テロリズム法2006年（Terrorism Act 2006：イギリス）

2005年7月7日にロンドンで発生した大規模同時多発テロにより、世論がプライバシー保護よりもテロ対策を求めるようになったことを受け、情報組織法や調査権限規制法を一部改正し、法執行機関やインテリジェンス機関によるテロ調査の権限を拡大。06年3月30日成立。

2000年のテロリズム法を補足し、国内に存在するテロ組織の取り締まりを徹底。主な取り締まり対象と項目は、①テロの奨励、②テロの準備と訓練、③放射能関連の機器および物質、核施設ならびにサイトに関係する犯罪、④罰則の強化、⑤犯罪についての付随的な規定。このうち、①テロの奨励の中にはテロ行為の賛美が含まれており、当局による広範な取り締まりを可能にしたが、市民の自由の制限につながるという観点から行き過ぎを反対する意見もあった。

電子攻撃（EA：Electronic Attack）

　相手の通信機器やレーダーに対して、より強力な電波や相手の電波を欺瞞した電波を発射することなどにより、通信機器やレーダーから発せられる電波を妨害し、相手の通信や捜索といった能力を低減、無効化すること。電波妨害（ジャミング）のほか、アメリカの「レーザー・ウェポン・システム」やロシアの「ペレスヴェト」のような高出力の電磁波（高出力レーザーや高出力マイクロ波など）による対象の物理的な破壊も「電子攻撃」に含まれる。
⇒電磁戦

電子情報自由法（Electronic Freedom of Information Amendments of 1996：アメリカ）

　情報自由法の大きな問題であった開示請求をしても開示にいたるまで請求者が長く待たされた応答遅滞問題の改善のため、行政機関の積極的な情報公開を促進させることを目的に制定されたアメリカの法律。1996年成立。政府が保有する情報を請求した時に、電子媒体で情報を入手可能にすることを保証し、電子情報についても情報開示の対象になることを確認するもの。

電子政府法（E-Government Act of 2002：アメリカ）

　インターネットやその他の情報技術により電子政府の活動の効率を高めることを目的としたアメリカの法律。2002年12月17日成立。行政府だけでなく司法府も適用範囲としている。目的は①電子政府の推進体制の整備、②政府への市民参加の拡大、③行政機関同士における協同の促進。

テ

電子戦 (EW：Electronic Warfare)

電波をはじめとする電磁波を利用して行われる戦いのこと。その手段や方法については、一般的に「電子攻撃」「電子防護」「電子戦支援」の3つに分類される。

⇒電磁波、電子攻撃、電子防護、電子戦支援

電子戦支援 (ES：Electronic Warfare Support)

相手の使用する電磁波に関する情報を収集する活動のこと。電子攻撃・電子防護を効果的に行うためには、相手の通信機器やレーダー、電子攻撃機がどのような電磁波をどのように使用しているかを平時から把握・分析しておく必要がある。データの収集、方位探知、脅威の警報なども含まれる。以前は電子支援対策 (Electronic Support Measures) と称されていた。

⇒電子戦

電子通信プライバシー法 (ECPA: Electronic Communications Privacy Act：アメリカ)

通信傍受法、蓄積された通信に関する法 (SCA)、ペン・レジスター法の3本から構成。1986年10月21日施行。通信傍受法ではリアルタイムの通信内容の取得、SCAでは通信内容や顧客記録などの保存資料の取得、ペン・レジスター法ではリアルタイムの通信内容以外の情報の取得がそれぞれ規定された。電子通信プライバシー法は、外国諜報監視法 (FISA) やアメリカ愛国者法と並ぶ通信傍受に関する代表的規定である。

⇒外国諜報監視法 (FISA)、アメリカ愛国者法

電磁波 (electromagnetic wave)

電場 (電界) と磁場 (磁界) の振動が相互に作用しながら空間を伝わる波であり、日常生活において、テレビ、携帯電話による通信、GPSによる位置情報など様々な用途で利用されている。軍事分野においても、電磁波は指揮統制のための通信機器、敵の発見のためのレーダー、ミサイルの誘導装置などに使用されている。電磁波領域における優勢を

確保することは現代の作戦において必要不可欠なものになっている。

電磁波管理〔control of elctromagnetic waves〕

　電子攻撃や電子防護といった電磁波領域における各種活動を円滑に行うため、電磁波の利用を管理・調整すること。戦域における電磁波の使用状況を把握すると共に、電磁波の干渉が生じないよう、味方の部隊や装備品が使用する電磁波について、使用する周波数、発射する方向、使用時間などを適切に調整する活動。

⇒電磁波

電子防護〔EP：Electronic Protection〕

　装備品のステルス化により、相手から探知されにくくすることや、通信機器あるいはレーダーが電子攻撃を受けた際、使用する電磁波の周波数を変更したり、出力を増加することなどにより、相手の電子攻撃を低減、無効化すること。電波封止のような電波の使用の統制、使用する電磁スペクトラムの割り当て管理、保全といったことも含まれる。以前は対電子対策〔Electronic Counter-Counter Measures〕と称されていた。たとえばスウェーデンの対空レーダー「ジラフ８Ａ」などは妨害電波を受けると自動的に最も妨害を受けにくい周波数を選択して、対空レーダーとしての機能を維持することが可能とされている。

⇒電子戦

電凸〔でんとつ〕

　インターネットの掲示板から発生した俗語で電話突撃の略。企業、マスコミ、宗教団体、官庁、政党などに対して電話をかけるなどして、組織としての見解を問いただす行為。いわゆる抗議の電話が相次ぎ、イベントの開催が中止になったり、ＣＭの放送が取りやめになったりする事例などがある。

電波管制（control of elctromagnetic radiation）

　部隊などの企図や所在を秘匿する必要がある時に電波の発射を管制すること。自衛隊においては、一切の電波の発射を禁止する場合から行動上重要な通信以外の電波の発射を禁止する場合まで、次のような段階区分に分かれている。電波封止（テフシ）、電波非常管制（テヒカ）、電波警戒管制（テケカ）、電波通常管制（テツカ）。

テンポラ（Tempora）

　イギリスの政府通信本部（GCHQ）が大西洋の海底に敷設された通信ケーブルに傍受装置を取り付け、そこで交わされる通信情報を収集していた作戦。GCHQでは、2011年からこの通信傍受作戦を行い、「テンポラ」という暗号名が与えられていた。

　具体的な目的やターゲットは不明だが、電子メールの内容や通話記録、ウェブサイトへのアクセス履歴、交流サイト「フェイスブック」への書き込みなど、個人情報を幅広く収集していたと推測される。集められた情報はNSAと共有されていたとされている。エドワード・スノーデンがガーディアン紙に提供した資料によれば、GCHQは「光ファイバーケーブル網から大量のデータを引き出して、最大30日分のデータを保存し、精査や分析ができるようにする能力」があるという。
⇒GCHQ、NSA、スノーデン事件

【ト】

ドイッチェ・ルール（アメリカ）

　ジョン・M・ドイッチェCIA長官時代（1995〜96年）に作られた情報収集活動上のルールで、倫理上問題のある人物をヒューミントに運用することを自重することを定めた。1994年のエイムズ（スパイ）事件などの影響で、信用できない人材をエージェントとして採用しないというルールが定められた。しかし、一方でこれによってテロリス

ト・グループ内のエージェントなど多種多様なエージェントが採用できず、ヒューミントの機能や能力は弱体化したともいわれる。

⇒エイムズ,オルドリッチ、ヒューミント

ドイツのインテリジェンス・コミュニティー

　ドイツは対外インテリジェンス機関の「連邦情報庁（BND）」、国内インテリジェンス機関の「連邦憲法擁護庁（BfV）」、軍事インテリジェンス機関の「連邦軍事防諜庁（BAMAD）」の３つを基本組織として構成されている。その他「連邦電子情報保安局(BSI)」、「連邦国防軍情報センター（ZNBw）」、「連邦刑事局（BKA）」などの補完的機関が存在する。特にBNDは旧ドイツ参謀本部、その後のゲーレン機関の流れを受け継ぐとともにドイツのインテリジェンス・コミュニティーの基幹的役割を果たしている（図40参照）。

⇒BND、BfV、BAMAD、

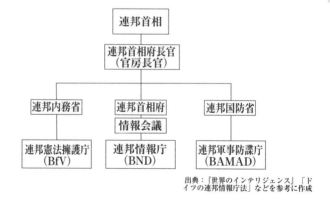

出典：『世界のインテリジェンス』「ドイツの連邦情報庁法」などを参考に作成

図40 ドイツのインテリジェンス・コミュニティー

土肥原賢二（どいはらけんじ 1883〜1948）

　陸軍軍人。最終階級は大将。「満蒙のロレンス」と呼ばれ、満洲建国および華北分離工作の中心的な役割を果たした。1912年、陸軍大学

校卒業と同時に参謀本部中国課付として北京で対支那工作を開始。坂西利八郎機関補佐官、天津特務機関長を歴任。満洲事変後に奉天臨時市長となる。38年6月、土肥原機関を設立し、中国大陸で特務工作を展開。帰国後、陸軍士官学校校長、教育総監を歴任。陸軍大臣に推挙されたこともある。極東国際軍事裁判でA級戦犯として死刑。

⇒坂西利八郎

東亜同文書院

　1901年に日清貿易研究所から発展して設立された日本の高等教育機関。初代および3代院長は根津一、2代院長は杉浦重剛。約半世紀にわたって5000人の日本人学生と数百人の中国人学生を輩出。著名な卒業生には阿片王の異名を持つ里見甫、頭山満の長男の頭山立助、満鉄調査部の中西功（のち日本共産党参議院議員）らがいる。

⇒根津一

統一戦線部（北朝鮮）

　朝鮮労働党中央委員会のインテリジェンス機関。海外の朝鮮人同胞（朝鮮総連、在中総連など）および在韓国左翼勢力の指導などを担任しているとみられる。かつて統一戦線部には直接浸透課があり、第三国経由で工作員を派遣していた。隷下の平壌学院は日本への浸透工作員の養成を担任していたとされるが、現在の状況は不明。朝鮮総連の指導、監督については現在も統一戦線部の任務となっているとみられる。

東芝機械ココム違反事件

　1987年、東芝機械（東芝の子会社）が外国為替及び外国貿易法に違反して共産圏へ工作機械を輸出した事件。東芝機械は1982年12月から84年にかけて伊藤忠商事と共産圏専門商社の和光交易を通じて、ココム規制対象品の大型工作機械をソ連に不正輸出していた。この取引を知ったアメリカは、それがココムの協定に違反しており、この工作機械によりソ連海軍の攻撃型原子力潜水艦のスクリュー静粛性が向上したとして、日米の外交問題に発展した。

⇒ココム

統帥綱領 (旧日本軍)

日本陸軍の高級将校・指揮官および参謀のために、方面軍および軍統帥の大綱を説いたもの。旧日本軍の教典では最も秘密度の高い「軍事機密」書。『作戦要務令』の上位にあたる教令であった。1914年に初めて作成され、18年と21年の改正を経て、28年3月、大幅に改訂された。情報や諜報に関連して次のような記述がある。「巧妙適切なる宣伝謀略は作戦指導に貢献するところ少なからず」「諜報は捜索の結果を確認、補足するほか屢々捜索の端緒を捕え、捜索の手段をもってはなし得ざる各種の重要なる情報をも収集し得るものにして、捜索部隊の不測に供い、益々その価値を向上す」「高級指揮官は、我が軍の企図を秘匿して敵軍の意表に出ずるため、敵の捜索および諜報の手段を防止するほか、計画の立案、命令の下達、軍隊および各機関の行動等に細心の注意を払うと共に、機宜に適する陽動および宣伝謀略を行う等、あらゆる手段をつくして遺漏なきを期せざるべからず」などと記述されている。

⇒作戦要務令、統帥参考、情報 (旧日本軍における情報)

統帥参考 (旧日本軍)

『統帥綱領』を陸軍大学校で講義するために使用した解説書。1932年に編纂された「軍事機密」に次ぐ「軍事極秘」書。情報や諜報に関する記述は『統帥綱領』よりもはるかに多い。

⇒統帥綱領、情報 (旧日本軍における情報)

動態分析 (current analysis)

動態情報に関する分析。動態情報とは進行中の事象で特に敵対国などの艦艇や航空機の動きなどに関する情報。変化している状況や状態 (動態) の現状と今後の見通しについて、速やかに知らせるべき情報分析のこと。カレント分析の一種で見通しは短期的。

⇒カレント分析、トレンド分析

ト

東方外国軍課（ドイツ）

　ドイツ陸軍参謀本部第12課の別称。ヒトラーがソ連侵攻の画策を始めた1938年12月、ソ連に対する専門のインテリジェンス機関として陸軍参謀本部内に設置された機関。国防軍情報部（アプヴェーア）は、世界的規模でのヒューミントネットワークを有していたが、ヒューミントを分析して、インテリジェンスを生成する機能が不十分であった。それを補完したのが東方外国軍課であったとされる。
⇒アプヴェーア、ヒューミント

特性要因図（魚の骨：fish bone chart）

　検討対象とする特性（結果）を右端に書き、結果に関係する要因（特性に影響する可能性のある因子）を分類・配置して可視化したもの。魚の骨に似た形になることから「魚の骨（フィッシュボーンチャート）」とも呼ばれる。中国が海洋進出を強化している理由を特性要因図で描くと以下のようになる（図41参照）。

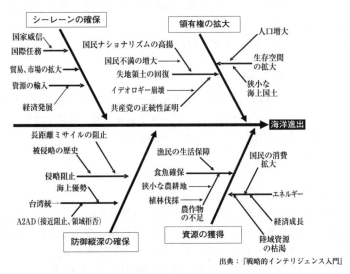

出典：『戦略的インテリジェンス入門』

図41 特性要因図（魚の骨）一例
（中国が海洋進出を強化している理由）

特定秘密（日本）

　その漏洩が日本の安全保障に著しい支障を与えるおそれがあるため、特に秘匿することが必要であるもの（特別防衛秘密に該当するものを除く）。指定されるのは「特定秘密の保護に関する法律（平成25年法律第108）」第3条の別表に掲げる事項に関する情報で、指定対象となる情報は、防衛・外交・特定有害活動防止・テロ活動防止の4分野。

⇒特別防衛秘密

ドクトル

　「医師」が転じてKGBでは警察を意味する隠語。

⇒KGB

特別防衛秘密（日本）

　日米相互防衛援助協定などに伴う秘密保護法（MSA協定：昭和29年法律第166号）に基づき指定された秘匿性の高いもの。同法には次のように規定されている。

　次に掲げる事項及びこれらの事項に係る文書、図画又は物件で、公になっていないもの。

1）日米相互防衛援助協定等に基き、アメリカ合衆国政府から供与された装備品等について以下の事項。

①構造又は性能、②製作、保管又は修理に関する技術、③使用の方法、④品目及び数量

2）前号①から③に掲げる事項に関する情報

　罰則は10年以下の懲役。探知・収集罪も規定されており、未遂犯・過失犯も処罰されるが、国外犯は処罰されない。対象は一般国民も含まれる。

　特別防衛秘密は、その秘密の保護の必要度に応じて、機密、極秘または秘のいずれかに区分されている。

機密：秘密の保護が最高度に必要であって、その漏洩が我が国の安全に対し、特に重大な損害を与えるおそれがあるもの。

極秘：秘密の保護が高度に必要であって、その漏洩が我が国の安全に対し、重大な損害を与えるおそれがあるもの。

秘：秘密の保護が必要であって、機密及び極秘に該当しないもの。
⇒日米相互防衛援助協定等に伴う秘密保護法

特務機関（旧日本軍）

　旧日本軍の特殊任務組織。諜報・宣撫工作・対反乱作戦などを占領地域および作戦地域で行っていた組織。1918年のシベリア出兵以降、現地において情報収集および謀略工作などの特殊任務を担当する機関が次々と設置され、これら諜報機関について「大本営もしくは野戦軍の配置するこれら機関を通常特務機関と称す」とある。

　特務機関の名称の発案者は、当時のオムスク機関長であった高柳保太郎陸軍少将で、ロシア語の「Военнаямиссия：ヴォエンナヤ・ミーシャ（軍事任務）」の意訳とされる。陸軍史上に初めて特務機関なる名称が登場したのは、シベリア出兵時のハルビン特務機関（機関長・石坂善次郎）である。その後、満洲において同機関を中心として数多くの特務機関が設置されたが、支那事変以後、特務機関なる名称は使われなくなり、それぞれの工作に応じて地名または機関長名、あるいは秘匿名とされる名称が使われるようになった。「土肥原機関」「梅機関」「F機関」など。
⇒土肥原賢二、藤原岩市

特別高等警察（戦前日本）

　明治末期から太平洋戦争の敗戦まで、思想犯罪の取り締まりにあたった日本の警察の組織。略語は特高または特高警察。1910（明治43）年、明治天皇の暗殺を計画したとして、大逆罪の容疑で多くの社会主義者、無政府主義者が逮捕・処刑された大逆事件を契機として、11年、警視庁に特別高等課が設けられた。その後、28年までに全国の地方警察部に設置され、国民の思想・言論・政治活動を弾圧した。45年にGHQの指令により廃止。

土台人（どだいじん）工作

　北朝鮮の対日・対韓工作手段。北朝鮮に親族を残して日本や韓国で

生活している人物に接近し、その親族の手紙、音声テープ、伝言など
を利用し、脅迫や懐柔して工作員や協力者にするやり方。情報を得る
のに適した立場にいる人の利用価値を「土台性」と呼び、土台性を持
つ者を「土台人」と呼ぶ。

ドノヴァン，ウィリアム（Donovan, William 1883〜1959）

　アメリカの軍人、政治家。第2次世界大戦時、1942年にOSS（戦略
諜報局）を創設。OSS長官としてヨーロッパにおける秘密作戦を指
導。「ワイルドビル」「アメリカのインテリジェンス機関の父」
「CIAの父」などと称される。第1次世界大戦時、多くの勲章を授与
され、軍を退役したのち、政治家に転身。司法長官の補佐官（1925〜
29年）、イタリア、スペイン、バルカン諸国のオブザーバー（1935〜41
年）、国防省長官（1942〜45年）などを歴任。
⇒OSS、CIA

ドライビング・フォース（driving force）

　推進力。推進要因。今後の動向を考察する上でその事象に影響を及
ぼす力（要因）のこと。

ドライブバイダウンロード攻撃（DBD：drive-by download attack）

　通称DBD攻撃。不正アクセスの手法の1つ。ウェブサイトなどに不
正なソフトウェアを隠しておき、閲覧者がアクセスすると、気づかない
うちに自動でマルウェアをダウンロードさせるサイバー攻撃の手法。
特定のウェブサイトに誘導させることで、標的を選び出すことも可能。
⇒マルウェア

トラステッド・コンタクト（trusted contact）

　信頼すべき人物。ソ連のエージエントのランクの1つ。意識的・無
意識的に協力する人物の2つに分類されるが、正式に採用された工作
員ではない。

トラッシング (trashing)

　ゴミ箱などに捨てられた書類を拾い上げて、パスワードなどのコンピュータへの不正アクセスに必要な情報を入手するソーシャルエンジニアリングの手法。

⇒ソーシャルエンジニアリング

トランスミッター (transmitter)

　通信連絡員。無線機で本国からの指令を受けたり、秘密情報を送信したりするスパイ。欧米で使用される隠語。

⇒ミュージシャン

ドリスコール, アグネス・メイヤー (Driscoll, Agnes Meyer 1889〜1971)

　アメリカのOP-20-G（海軍通信諜報部）所属の暗号解析官。暗号解析官の間では、ミス・アギーとかマダムXの通称で知られていた。アメリカ生まれ。英、仏、独語、ラテン語、日本語に堪能。1911年、オハイオ州立大で数学と科学の修士号を取得。11年から18年、テキサス州に居住し、高校の数学教師などに就く。18年6月、志願して海軍へ入隊、大学で学んだ物理、工学、数学、統計学の能力が認められ、軍事暗号訓練所に入所。その後いったん海軍を辞め、暗号解読機械を製造する会社に就職し、暗号解読機械のエキスパートになった。24年8月、軍属として海軍に再入隊し、OP-20-Gの数字文字暗号課に配属。ロレンス・サフォード大尉の下で、日本暗号の解読に従事。24年にワシントンの弁護士ウィリアム・ドリスコールと結婚。59年7月まで国家安全保障局（NSA）に勤務。

⇒サフォード,ロレンス、パープル、NSA

トレッペル, レオポルド (Trepper, Leopold 1904〜1982)

　「赤いオーケストラ」の指揮官。ユダヤ系ポーランド人。英、独、仏、ヘブライ、スペイン語に堪能。時期は不明だが、コミンテルン・ポーランド支部から抜擢されて、ソ連参謀本部第4局付となり、モスクワ大学や第4局の情報学校などで5年間スパイ教育を受ける。

第2次世界大戦が開始される数カ月前、カナダの実業家に偽装し、ベルギーに入国。隠れ蓑の商社を設立して資金調達を行う一方でドイツ公的機関に浸透し、様々な有力情報を収集。ドイツの対ソ連侵攻準備などの状況を通報した。1942年11月24日、ゲシュタポにより逮捕されるが、43年9月、脱走に成功。44年8月のパリ解放まで地下活動を行った。大戦終了後、モスクワに帰国して二重スパイの嫌疑で逮捕され、47年7月に禁固15年を言い渡された。
⇒赤いオーケストラ、ゲシュタポ、二重スパイ

ドレフュス事件

　第三共和制のフランスにおける反ユダヤ主義にまつわる陰謀事件。1894年、ユダヤ系のドレフュス大尉がドイツのスパイとして告発される。ドレフュスは無罪を主張したが、軍法会議で有罪、無期流刑となった。この裁判をめぐってフランスは国論が二分され、判決にユダヤ人に対する差別があるとして再審を求める共和派と、判決を支持する軍部・教会などの王党派が激しく対立した。なかでも著名な作家のエミール・ゾラが98年に『余は弾劾す』を発表してドレフュスを弁護。1906年にドレフュスは無罪となる。シオニズム運動の端緒となった事件でもあった。

トレンド分析（trend analysis）

　カレント分析や動態分析がいま起こっている進行中の事象についての分析であるのに対し、より時間をかけて情報を収集し、その事象の背景や今後の動向についても分析したもの。
⇒カレント分析、動態分析

トロイの木馬（Trojan horse）

　正規のプログラムに偽装してコンピュータに潜入するマルウェア。ウイルスやワームと異なり自己増殖機能は持たないが、有用なプログラムに偽装しているため、ユーザー自身でコンピュータにインストールさせることを意図して作られる。

⇒マルウェア

トロール（troll）

インターネット上で他者を中傷するような挑発的なコメントやメールを流す行為。「荒らし」「釣り」ともいう。ロシアなどは組織的にトロールを行っているとの指摘もある。ロシアのサンクトペテルブルクに本拠を置くロシア企業インターネット・リサーチ・エージェンシー（IRA）は、ネット上に偽情報を流して影響力を及ぼすトロールファーム（荒らし工場）と見なされている。アメリカ政府はIRAを2016年の米大統領選挙に影響を及ぼす工作を行った（ロシアゲート）との見方を示している。

⇒イターネット・リサーチ・エージェンシー、ロシアゲート

【ナ】

内閣サイバーセキュリティセンター（NISC：National center of Incident Readiness and Strategy for Cybersecurity、日本）

日本政府のサイバーセキュリティ対策を実施するための組織。ニスクと呼称。サイバーセキュリティを担当する中央省庁としては、総務省、経済産業省、警察庁などがあるが、内閣サイバーセキュリティセンターはこれらの行政各部全体の調整、政策の立案、研究調査を担当する。2015年に前身組織の内閣官房情報セキュリティセンターを改組する形で設立された。

⇒サイバーセキュリティ

内閣情報会議（日本）

1998年10月、合同情報会議の上部機関として設立。国内外の内閣

の重要政策に関する情報を総合的に把握するため、内閣官房長官が主宰する関係省庁次官級の会議。2008年3月の閣議決定により、参加省庁が拡大したほか、政策立案への情報分析がより重視されることとなった。内閣官房長官が議長となり、内閣官房副長官（政務2、事務1）、内閣危機管理監、内閣情報官、警察庁長官、防衛事務次官、公安調査庁長官、外務事務次官、海上保安庁長官、財務事務次官、金融庁長官、経済産業事務次官、国家安全保障局長がメンバーで、年2回開催される。

⇒日本のインテリジェンス・コミュニティー、合同情報会議、内閣情報調査室

内閣情報調査室（CIRO：Cabinet Intelligence and Research Office、日本）

正式には内閣官房内閣情報調査室。略称は「内調」または「サイロ」。内閣の重要政策に関する情報を収集・分析して官邸に報告し、官邸の政策決定と遂行を支援する官邸直属のインテリジェンス機関。警察庁、公安調査庁、防衛省、外務省、総務省、消防庁、海上保安庁、財務省、経済産業省などからの出向者が多く勤務している。

内閣の重要政策に関する情報の収集および分析その他の調査に関する事務、内閣総理大臣、内閣官房長官などに対する重要な情報の報告、内閣情報会議、合同情報会議などの開催や官邸幹部の政策担当者と関係省庁との連絡・調整など、緊急事態発生時の情報集約・速報などを実施している。内閣情報官は内調の業務を掌理し、外交、安全保障関係について首相にブリーフィングを行うほか、重要事項や緊急事態に関しては随時報告する。

内調の前身は、1952年旧総理大臣官邸の一室に設置された内閣総理大臣官房調査室である。設置当初は小規模だったが、時代の趨勢に応じ、国内外の様々な事象に迅速かつ確実に対応できるよう、その体制を増強している。57年、組織改編により内閣官房に内閣調査室が設置された。その後、86年イギリスの合同情報委員会（JIC）を模した合同情報会議が設置された際、それを支援するため内閣調査室が内閣官房内閣情報調査室に改組された。96年には災害時の危機管理を念頭に

内閣情報集約センターが設置された。2001年には、1998年のいわゆる北朝鮮のテポドン・ショックを受け、情報収集衛星の開発・運用や画像情報の収集・分析を行うため内閣衛星情報センターが創設された。

　カウンター・インテリジェンスについても強化が図られ、2008年には外国のインテリジェンス機関による諜報活動から情報や職員を守るため、カウンター・インテリジェンス・センターが設置された。同時に分析力強化のため政府の保有するあらゆる情報手段を活用して総合的な分析を行う内閣情報分析官も設置された。その後、2015年のシリア邦人事件などを踏まえて、国際テロに対する取り組みもなされ、同年国際テロ

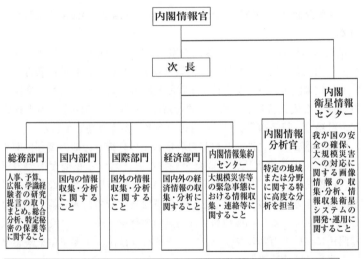

出典：内閣官房HPを基に作成

図42 内閣情報調査室

に関する情報関心の取りまとめや情報を集約するための国際テロ情報集約室と官邸直轄の情報収集部隊である国際テロ情報収集ユニット（CTU-J）が設置された。さらに国際テロ対策などに資する情報の共有・分析強化のため、18年に国際テロ対策等情報共有センター（CTI-INDEX）が国際テロ情報集約室に設置された（図42参照）。
⇒公安調査庁、JIC、カウンター・インテリジェンス、日本のインテリジェンス・コミュニティー

内閣情報部（戦前日本）

　戦前の政府広報組織。連絡調整のみならず各省所管外の情報収集や広報宣伝を行うことを目的として、1937年9月25日に情報委員会が発展して設立。情報官制度を初めて導入。内閣情報部は日中戦争後の戦争遂行のための国民精神総動員を強力に推進した。40年12月6日に情報局に発展解消した。
⇒情報局、情報委員会

ナーシ（nash）

　ロシア語で「我々のもの」。金銭的な報酬あるいはイデオロギーによって、KGBに協力を誓約した人物をいう。
⇒KGB

ナース（nurse）

　看護婦。ソ連人の海外旅行に付き添うKGB要員、海外居住ソ連人の監視担当要員の隠語。シェパード（羊飼い）ともいう。
⇒KGB

なぜなぜ分析

　問題となった事象の原因を「なぜ」という質問を繰り返していくことで根本原因を追究する手法。ビジネス界でも問題解決法の1つとして活用されている。

生情報（raw intelligence）

　単なるインフォメーション、生データと同様の意味で使われることもある。インテリジェンスに転換されていないが、そのままでもインテリジェンスとしてすぐにでも使えそうなインフォメーションなどを区別して表現する場合もある。特にその情報源の信頼性が高い場合にはインフォメーション＝インテリジェンスとなりうる。

　たとえば「○○国の△地点から□ミサイルが発射され、○時○分頃、××付近に弾着すると見積られる」といった安全保障上緊急を要する情報で分析する時間的余裕はないが、すぐに伝えたほうがよいと考えられるものなどが挙げられる。

⇒生データ

生データ（raw data）

　加工されていない素のデータ。それらを加工、処理、翻訳することにより意味のある情報（インフォメーション、またはインテリジェンス）となる。

⇒生情報

【ニ】

ニアン，アイリーン（Nearne, Eileen 1921〜2010）

　イギリスの女性スパイ。第2次世界大戦中、ヴィシー・フランスに潜入し、通信士として活動。3人兄弟の末っ子で、姉のジャクリーン、兄のフランシスもイギリスの特殊執作戦執行部（SOE）のエージェント。幼少期に家族でフランスに移住し、ナチスドイツがフランスに侵攻すると、姉と共にロンドンへ戻った。ここでSOEに勧誘され、アイリーンは通信士として本土に勤務し、ジャクリーンは連絡員とし

てフランスに派遣された。アイリーンはゲシュタポに捕まるが、1945
年4月、ドイツの収容所に送られる途中に逃走して、アメリカ陸軍に
保護された。戦後はイギリスで暮らした。
⇒SOE

ニコライ，ワルター（Nicolai, Walter 1873〜1947）

　ドイツ陸軍の初期の高級情報将校。1893年に陸軍に入隊し、1906年
に参謀本部Ⅲb局に入局。ロシア語に堪能で、対ロシア諜報に従事。
13年から19年まで同局長を務めた。この間、アルフレッド・レードル
の逮捕にも関与。第2次世界大戦後、ソ連のNKVDにより逮捕され、
ドイツからモスクワに連行されて尋問を受ける。モスクワで死去。
⇒レードル,アルフレッド、NKVD

二次資料（secondary sources）

　一次資料に関する情報を加工して提供したもの。大本の情報の整
理、一般化だけでなく、分析、解釈、評価などが含まれている。報
道記事、論文、本などである。二次資料には個人や組織の考えやバ
イアスがかかっている可能性がある。
⇒一次資料、バイアス

二重暗号

　通信の安全性を増すために二重に暗号化されたもの。たとえば
「アシタ（明日）」という単語を、まずある暗号書（コードブック）
によって「ア」を「イ」、「シ」を「ハ」、「タ」を「キ」に変換す
る。その文字をさらに別のコードブックで「イ」を「ワ」、「ハ」を
「ス」、「キ」を「テ」という文字に、二重に変換すれば「アシタ」
が「イハキ」となり、「ワステ」として送信されることになる。理論
的には、暗号の強度がより高まることになる。
⇒暗号文、コード、レッドブック、サイファー

二重スパイ（double agent）

ダブルエージェント。反間。わが方に寝返った敵のスパイ。複数のインテリジェンス機関のために秘密活動を行うスパイ。通常は一方の指令で動くが、金銭目的などで複数の組織の指示で活動するスパイ。

⇒五間、20委員会、再転向エージェント、三重スパイ

日米刑事特別法（日本）

日米地位協定に基づく条約国内法として、アメリカ軍に関する刑事手続きについて定めた日本の法律。正式名称は「日本国とアメリカ合衆国との間の相互協力および安全保障条約第六条に基づく施設および区域並びに日本国における合衆国軍隊の地位に関する協定の実施に伴う刑事特別法」。1960年6月23日制定。同法の第6条が在日アメリカ軍基地の秘密保護を規定。第1項により、アメリカ軍の機密をアメリカ軍の安全を害する目的で収集した場合10年以下の懲役が科される。

日米重大犯罪防止対処協定（日米PCSC協定）

正式名称は「重大な犯罪を防止し、およびこれと戦う上での協力の強化に関する日本国政府とアメリカ合衆国政府との間の協定（Agreement between the Government of Japan and the Government of the United States of America on Enhancing Cooperation in Preventing and Combating Serious Crime）」。日米間における査証（ビザ）免除制度の維持と、迅速な情報交換を通じた重大犯罪の防止・捜査を目的に、必要な指紋情報などを交換する枠組みを定めたもの。2014年2月締結。

2001年の9.11同時多発テロ以降、テロ対策の一環として出入国管理制度強化するために、アメリカが諸外国と結んできた「重大犯罪防止協定」の日米版。本協定の核となるのが、重大犯罪者の指紋情報を相手国に照合させることができるという点である。従来の日米刑事共助条約では、刑事手続の実施に要する時間が月単位であったが、同協定により、重大な犯罪の捜査および防止に関する手続きが日または時間単位に短縮された。

日米相互防衛援助協定等に伴う秘密保護法（MSA秘密保護法）

「特別防衛秘密」について保護上必要な措置を講じることに加えて「特別防衛秘密を探知や収集をした者」および「特別防衛秘密を他人に漏らした者」に対しての刑事罰を規定した法律。特別防衛秘密の取扱者だけでなく、それ以外の者も罰則の対象となる。1954年成立。

日米相互防衛援助協定（MSA）に基づき、アメリカから日本に提供された装備品等（艦船、航空機、武器、弾薬その他の装備品および資材）に関する秘密（特定防衛秘密）の保護を規定。装備品ではない日米共同作戦計画の内容などは対象外。

⇒特別防衛秘密

ニード・トゥ・シェア（Need to share）

情報を共有する必要性のこと。従来は、ニード・トゥ・ノウが保全上インテリジェンスに携わる者の常識とされてきた。しかし、2001年の9.11同時多発テロを契機に、アメリカのインテリジェンス機関ではこの常識が変わった。たとえばテロのような重大な事件を防止するためには、情報を隠すメリットよりも、情報共有してシナジー（相乗）効果を得るメリットの方が大きいという考えである。

⇒ニード・トゥ・ノウ

ニード・トゥ・ノウ（Need to know）

重要な情報の開示は、それを知る必要がある人に限定すること。保全を徹底・強化するため、たとえクリアランスがあっても、その人が入手可能な情報のすべてにアクセスできるわけではなく、情報へのアクセスは知る必要のある最小限に限定されるべきという考え。

⇒クリアランス、ニード・トゥ・シェア

ニード・トゥ・プロバイド（Need to provide）

情報を（積極的に）提供する必要性のこと。2003年頃、アメリカのインティジェンス・コミュニティーでは、ニード・トゥ・シェアが強調されるようになり、さらに07年にマイク・マコーネル国家情

報長官（DNI）は、機微な情報を共有することのリスクと情報を提供しないことが情報収集および分析にもたらすリスクを費用対効果の視点で検討すると、今やニード・トゥ・ノウの文化からニート・トゥ・プロバイドの文化への移行が必要であると、情報共有をより促進する考え方を示した。

⇒DNI、ニード・トゥ・シェア、ニード・トゥ・ノウ

日本のインテリジェンス・コミュニティー

　日本の外交政策や安全保障に必要な情報活動を行うためのコミュニティーは、従来内閣情報調査室、外務省、防衛省、警察庁、公安調査庁で構成されていたが、2008年に財務省、金融庁、経済産業省、海上保安庁の情報部門が加わり拡大インテリジェンス・コミュニティーと呼ばれるようになった。各インテリジェンス機関の連携のため、内閣官房副長官が主宰する関係省庁局長級の会議である合同情報会議が2週間に1回の割合で開催される。さらにその上部機関として、国内外の内閣の重要政策に関する情報を総合的に把握するため、内閣官房長官が主宰する関係省庁次官級の会議である内閣情報会議が年に2回開催される。

　日本のインテリジェンス体制の発展は以下のとおりである。

　日本は敗戦によりインテリジェンス機関も完全に解体された。しかし、その後1952年4月、第三次吉田茂内閣時代に30人程度の人員を擁する内閣総理大臣官房調査室が設置された。その際、官房長官・副総理職にあった緒方竹虎は、アメリカのCIAをモデルとして中央情報長官と中央情報組織を中核とするインテリジェンス・コミュニティーの創造を目指した。しかし、その構想はマスコミにリークされ、それが戦前の内閣情報局による検閲をイメージさせたことなどから国民の警戒感が高まり、日本版CIAを作る計画は頓挫した。その後、官房調査室は内閣官房内閣情報調査室へと改編されたものの、大規模な中央情報組織として発展することはなかった。

　しかし、時代の変化と共に日本も従来のようにアメリカに追随していればよいという国際情勢ではなくなった。日本独自に危機に対応する必要性が高くなり、そのための新たな対策が模索された。

1985年（第二次中曽根康弘内閣）の「臨時行政改革推進審議会」では、緊急事態の対処体制の確立を進めるための提言がなされ、86年7月1日、安全保障会議、内閣調査室を改組した内閣官房内閣情報調査室（内調）および合同情報会議が設置されることとなった。

　1995年1月17日に発生した阪神・淡路大震災への対応では、官邸における初期情報を把握し連絡する体制の不備が問われた。同年2月21日には、内調を大規模な地震などによる災害が発生した際の情報伝達窓口とすることが閣議決定され、翌96年5月、緊急な重要情報を24時間体制で収集するための内閣情報集約センターが設置された。

　1997年（第二次橋本龍太郎内閣）の「行政改革会議」では、内閣機能の強化の一環として内閣の情報機能の強化が提言された。同報告を受けて、98年10月、内閣情報会議が新設され、その下に合同情報会議が位置付けられることとなった。2001年1月6日、中央省庁再編関連の内閣法の改正で内閣情報官が内閣官房に設置された。

　従来から日本独自の情報収集衛星がないことが問題視されていたが、1998年8月31日の北朝鮮によるミサイル発射実験（テポドンショック）を受け、情報収集衛星の導入に向けた機運が一挙に高まり、2001年4月1日、内閣衛星情報センターが内閣情報調査室に設置され、13年4月26日、光学衛星2基、レーダー衛星2基の4基体制により衛星の本格運用が開始された。その後も体制は逐次整備されている。

　その間、外務省、防衛省など主要なインテリジェンス機関も個別に充実が図られてはいたが、インテリジェンス・コミュニティー全体の総合的な見直しは不十分な状態であった。本格的かつ総合的なインテリジェンス機能の強化に向けた取り組みは第一次安倍晋三内閣以降に進展した。2006年12月1日に設置された「情報機能強化検討会議」は、08年2月14日「官邸における情報機能の強化の方針」を決定し、同年3月内閣情報会議の構成の変更や拡大情報コミュニティーの設置が閣議決定された。同年4月1日には、特定の地域または分野に関する、特に高度な分析に従事する内閣情報分析官も内閣情報調査室に設置された。

二

また従来、内閣情報会議および合同情報会議には、専属の情報評価スタッフが置かれておらず、そのため一般的な意見交換の場にとどまっているとの指摘がなされていたが、内閣情報分析官の設置により、オールソース・アナリシスによる情報評価書が策定されることとなった。さらに第二次安倍政権発足後、2013年に立ち上げられた「国家安全保障会議の創設に関する有識者会議」の提言を受け、同年12月4日に日本版国家安全保障会議（NSC：National Secretariat Council）が設置された。そのNSCを支えるため国家安全保障に関する重要政策に関し、総理を直接補佐する立場で会議に出席し意見を述べることができる国家安全保障担当補佐官が常設され、NSCの事務全般を担当しそれを恒常的に支援するため内閣官房国家安全保障局（NSS：National Security Secretariat）が、14年1月に67人体制で発足した（図43参照）。

　インテリジェンスに関しては、NSSは、緊急事態への対処にあたり、国家安全保障に関する外交・防衛政策の観点から必要な提言を実施するため、関係行政機関などに対して適時に情報を発注し、会議に提供された情報を政策立案などのために活用（情報の「総合整

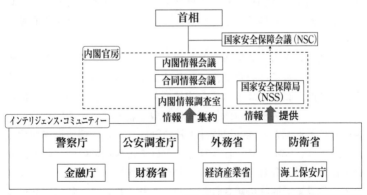

出典：内閣官房国家安全保障会議設置準備室「国家安全保障会議について」（説明資料）などを基に筆者作成

図43 日本のインテリジェンス・コミュニティー

理」機能）することとなった。さらに2020年４月には経済情報分析のためNSS内に新たに経済班が発足した。同班は経済産業省出身の審議官と総務、外務、財務、警察の各省庁出身の参事官ら約20人からなる。

⇒内閣情報調査室、公安調査庁、緒方竹虎、CIA、内閣情報部

ニュー・シャムロック作戦（Operation New Shamrock）

　シャムロック作戦は、民間の通信社の協力を得て国際民間通信から対外情報を得るものであったが、ニュー・シャムロック作戦は、より直接的に在米外国公館を標的にして情報を収集する作戦である。1950年代に開始されたFBIとNSAの協力による作戦であり、在米の外国公館に盗聴器を仕掛ける行為が中心である。常時60から70の外国公館が収集対象とされてきた。外国諜報（情報）監視法が制定されると、この活動も裁判所の令状が必要となった。

⇒シャムロック作戦、FBI、NSA、外国諜報（情報）監視法

二

認知心理学（cognitive psycology）

　「認知」について研究する心理学。認知は認識とほぼ同義で、人間の知的な精神活動、人間の知覚や記憶、理解と学習、問題解決や意識状態など人間にインプットされた情報がどのような過程で処理されるかを主に扱っている心理学の一分野。インテリジェンスの分析に関して、認知心理学の考え方や用語が多く用いられている。

認知バイアス（cognitive bias）

　ある対象を評価する際に、自分の利害や希望に沿った方向に考えが歪められたり、対象の目立ちやすい特徴に引きずられて、ほかの特徴についての評価が歪められる現象を指す。

⇒バイアス

【ヌ】

ヌーラン，イレーヌ（Noulens, Hilaire 1894～1963）

　プロフィンテルンに所属するソ連のスパイ。ウクライナ生まれ。本名はヤコブ・ルドニク。1917年2月、ボリシェヴィキの一員となる。18年にチェーカーに入り、24年コミンテルンに移った。28年春、妻と共にコミンテルンから上海に派遣され、その後、貿易会社などを経営しながらスパイ活動に従事。31年6月15日、太平洋労働組合書記局の書記員の時、妻と共に上海租界の工部局警察高等課に逮捕された（ヌーラン事件）。この逮捕により、上海を中心とするアジア各地のコミンテルン・ネットワークが摘発された。32年8月、軍事法廷で死刑を宣告されたが、33年6月に大赦により終身刑に減刑。日中戦争勃発後の37年に保護観察処分となって釈放され、コミンテルンの手配によりソ連に帰国後、死去。

⇒プロフィンテルン、チェーカー、太平洋労働組合書記局

【ネ】

ネイバー（neighbor）

　隣人。ロシア語で「サセード」。お互いに通報し合う関係にあるインテリジェンス機関に関するソ連時代の隠語。たとえばKGBとGRUと東欧各国のインテリジェンス機関との関係などを指す。

⇒KGB、GRU

根津一（ねづ・はじめ 1860～1927）

　東亜同文書院の初代および第3代院長。20年以上にわたり上海で日本人教育に尽力。甲斐国（現・山梨県）の出身。1879年に入学した陸

軍士官学校で荒尾精と知り合い、中国への志を強めた。陸軍では明石元二郎、宇都宮太郎らと親交を結んだ。

　陸軍大学校でメッケル少佐に学ぶが、彼のドイツ至上主義と日本陸軍蔑視の姿勢に反発し、諭旨退学処分となった。荒尾の招聘で上海に赴任し、「日清貿易研究所」の運営や教育活動に従事。荒尾が始めた『清国通商総覧』の編纂刊行に関わる。同総覧は中国を現地調査した200余頁に及ぶ百科事典で、日清戦争における兵用地誌として活用された。日清戦争時に軍務に復帰し、上海に密航して諜報活動に従事。終戦後に帰国し、広島の大本営での御前会議に列席し、明治天皇に『根津大尉の上奏文』と伝えられる情勢報告と作戦意見を奏上した。
⇒東亜同文書院、荒尾精、明石元二郎

【ノ】

ノイズとシグナルの問題（Noise versus Signal Problem）

　知りたいと考える重要なもの（シグナル）は、多く雑多なもの（ノイズ）の中に含まれており、見つけることが困難であるということ。

　真珠湾攻撃の研究でも著名なロベルタ・ウールステッターは『パールハーバー―トップは情報洪水の中でいかに決断すべきか』の中で、日本軍による真珠湾攻撃を示唆するヒューミント、シギントなどの様々なノイズを含むインフォメーションはあったが、その中から攻撃のシグナルとなる重要なものを見つけることができなかった。そのことをアメリカのインテリジェンス機関には「ノイズとシグナルの問題」があったと指摘した。同様の意味として「小麦ともみ殻の問題」「掃除機の問題」との表現もある。
⇒ヒューミント、シギント、小麦ともみ殻の問題

能力（capability）

　相手側がその意図を具現化し、実行するために起用できる物理的・心理的な力。能力は白紙的能力、実質的能力、現実的能力に区分される。

①白紙的能力：対象国などが保有する能力で、何の制約もなしにわが国に指向されると仮定した能力のこと。たとえば中国がわが国に侵攻すると仮定した場合、中国軍の陸海空軍の全兵力と艦艇、航空機および第2砲兵の到達可能なミサイル戦力がこれに該当する。

②実質的能力：白紙的能力から戦略的考察を加えて算定した、より現実に近い能力。前述の例によれば中国は中朝国境、台湾正面、ロシアおよびインド正面に一定の兵力を配備し、国内擾乱対処に備えて治安維持兵力も控置しておく必要がある。これらの能力を差し引いたものが実質的能力という。

③現実的能力：わが国に実際に指向されると見積れる能力。実質的能力が算定されても、侵攻当日の天候・気象・海象などの影響により、実質的能力のすべてが指向されるわけではなく、さらにわが国の防衛対応によって指向される能力は変化する。

⇒意図、脅威

ノーショナルズ（notionals）

　架空の物。ペーパーカンパニー。カバー会社。本当の任務や身分を偽装するため、インテリジェンス機関員が名目上の経営責任者となり、秘密工作支援のため実際に営業活動を行う場合もある。

ノット・ペチャ（NotPetya）

　2017年6月、ウクライナから拡散し、コンピュータを暗号化して使用不能にしたマルウェアによる攻撃。当時は大手海運会社マークスや国際物流企業TNTなどが標的となった。GRUが開発したとされている。

⇒GRU、マルウェア

ノバートル

　新しい（ノーボエ）、平面（トリット）というロシア語の組み合わ

せ。外国で新しく獲得したエージェントのこと。

ノビチョク（Novichok）

ロシア語で「新人」を意味し、1970年～80年代にソ連が極秘に開発した神経剤の一種。2種類の物質を混ぜてできる「バイナリー兵器」で、毒性は神経剤VX（2017年2月に金正男殺害で使用）の5～8倍とされる。混合前の物質（前駆物質）はほとんど無害な上、製造・保管していても、化学兵器禁止条約の規制対象リストに含まれないため条約違反にならない。またVXやサリンと異なり、分解後に特有の物質が残らないため使用の立証が難しい。2018年イギリスで元ソ連のスパイだったスクリパリとその娘の暗殺未遂事件で使われた。
⇒スクリパリ暗殺未遂事件

登戸（のぼりと）研究所（旧日本軍）

1939年に「秘密戦資材研究所」が登戸（現・神奈川県川崎市多摩区）に移転し、陸軍第九技術研究所として独立。秘密戦に活用する機材、資材の研究と開発を行った組織。所在地から登戸研究所と呼ばれた。

1919年4月、陸軍火薬研究所が改編され、陸軍科学研究所が戸山ケ原に設置された。火薬研究所には2つの課が置かれ、第1課は物理的事項（力学・電磁気学）、第2課は化学的事項（火薬・爆発）が所掌と定められた。科学研究所の発足により、第1課と第2課が部に昇格し、化学兵器（毒ガス）研究の第3部を加えた組織になった。

1927年4月、陸軍科学研究所の中に「秘密戦資材研究所」、通称「篠田研究所」が設置され、篠田鐐大佐（工学博士）が秘密戦に活用する機材、資材の研究と開発に従事した。

登戸研究所の設立には陸軍中野学校の設立と同様に岩畔豪雄中佐が携わった。陸軍中野学校が1期生と2期生の教育を行っていた1939年1月、軍務局軍事課長に栄転した岩畔大佐（3月に昇任）は、陸軍の兵器行政における大改革を実施し、陸軍省兵器行政本部、陸軍科学研究所をまとめて兵器行政本部を設置し、その下に10の技術研究所を設けた。その中の第九研究所が通称「登戸研究所」であった。所長の篠

田大佐の下、電波兵器と特殊科学材料などの研究開発に従事。それら
の特殊な兵器、機材には怪力光線、殺人光線、人工落雷発生器などや
超小型の特殊無線機、隠し撮り用小型カメラ、紫外線を当てると可視
化する特殊インク、缶詰に偽装した高性能爆弾などがあった。
⇒陸軍中野学校、岩畔豪雄

ノン・ペーパー（non paper）

　正式な外交文書ではない重要なメモ書き。外交交渉でしばしば使用
され、正式の口上書と同様の効果を持つことがある。

【ハ】

バイアス（bias）

　先入観、偏見。思いこみや思想などから考え方が偏っていること。
しばしば分析の失敗の一因となる。
⇒後知恵バイアス、アンカー効果、確証バイアス、過小評価/過大評価、現状維持
志向バイアス、集団思考、認知バイアス、ミラー・イメージング

灰色文書（gray document）

　特定の組織内のみで発行・流通している文書。会員など特定の人以
外のアクセスが制限されている文書。通常は公開情報である。

ハイドリヒ，ラインハルト（Heydrich, Reinhard 1904～1942）

　ナチスの親衛隊（SS）情報機関の長官。ゲシュタポの副長官。1921
年から31年、ドイツ海軍に勤務するが、女性問題を起こして辞職。そ
の後ナチス党に入党。31年8月、SS内部の情報組織「IC部」が設立さ
れ、実質の指揮官（正式の部長はヒムラー）になる。32年7月、同部

が発展して親衛隊情報部「SD」になり長官に就任。ハイドリヒは容姿端麗、性格は暴力・殺人をまったく躊躇しない冷酷無比であった。その後ゲシュタポ副長官となり、ユダヤ人の大量処刑を実行した。

チェコの副総督として派遣されていた1942年、イギリスの特別作戦本部（SOE）の訓練を受けた暗殺団から襲撃を受けた。その時の手榴弾による負傷により感染症を併発、襲撃から1週間後に死亡した。
⇒ゲシュタポ、SOE

ハイブリッド戦争（Hybrid War）

ハイブリッド戦争とは、国家・非国家主体双方が関わるものであり、「その範囲は、通常能力、非正規戦戦術形態、無差別暴力や強制を含むテロリスト、犯罪、秩序攪乱行為など様々な形態に及ぶ」と2007年にフランク・ホフマン米退役中佐によって初めて明確に定義された。この戦争のプロトタイプとして、第二次レバノン戦争が挙げられている。

当時はそのように認識されていたものの、2014年のロシアによるクリミア併合やウクライナ東部への軍事介入以降、その戦争こそがハイブリッド戦争と認識されるようになった。しかし、各国ごとにハイブリッド戦争の捉え方は様々であり、統一された定義はない。また、戦争それ自体にハイブリッド（政治・社会・軍事の混合という）の意味が含まれているため、ハイブリッド戦争という用語は同語反復であり、意味のない概念だという意見もある。

一般的には2014年にロシアがハイブリッド戦争を遂行したと認識され、その戦い方の教義はロシア軍参謀総長の名前にちなんで、ゲラシモフ・ドクトリンと呼ばれることが多い。しかし、ハイブリッド戦争やゲラシモフ・ドクトリンが、ロシアの軍事ドクトリンとして正式に採用されているわけではない。あくまで、ウクライナ危機などを欧米がそう形容しているに過ぎない。したがって、ここではいくつかのハイブリッド戦争またはその前提となるハイブリッド脅威に関する定義を網羅的に紹介する。

「ハイブリッド脅威とは、宣戦布告がなされる戦争の敷居よりも低

ハ

い状態で、国家または非国家主体が、特定の目標を達成するために行う、調整のとれた形態での、強制・破壊活動、伝統的手法、あるいは外交・軍事・経済・技術などの非伝統的手法の混合である」（2016年、欧州委員会）

「ハイブリッド戦争とは、対象国の国内政治に影響を与えるために、通常戦力あるいは核戦略に支援されたうえで行われる秘密または拒絶活動である」（2017年、アンドリュー・ラディン 米ランド研究所）

ロシアにおいては、冒頭に述べた理由からハイブリッド戦争の定義はないが、ロシアの軍事専門家の間では「ハイブリッド戦争は、敵対国の人々の社会・文化的まとまりを削ぎ落す西側諸国の試みであり、究極的には、『カラー革命』によって、非友好的な体制を転換させるもの」と捉えられている。（2018年、オフェール・フリードマン　ロンドン大学キングスカレッジ）

中国においては、トランプ政権発足後の米中関係の悪化を背景に、ハイブリッド戦争（中国語：混合戦争）に関する論考が相次いで発表された。総じて中国はトランプ政権期の対中強硬政策をアメリカ発の混合戦争と捉えていた。中国三大シンクタンクの1つである中国現代国際関係研員の宿景祥によると、アメリカは冷戦終結してから過去30年にわたり、武力の使用を隠蔽する非伝統的な戦争と非軍事的手段「顔色革命（カラー革命）」を軍事介入と組み合わせることで、ユーゴスラビア、イランなどに介入してきた。このように香港における「顔色革命」も、アメリカが中国に混合戦争を仕掛けていると認識している（志田淳二郎『ハイブリッド戦争の時代』）。

ハクティビスト（hactivist）
政治的動機に基づいてハッキングを行うハッカー。
⇒ハクティビズム

ハクティビズム（hactivism）
政治的動機によりハッキングを行う思想。ハッカーもしくはハッキングという言葉自体に特定の思想を主張する意味はないものの、ハッ

カーの中にはインターネットにおける言論の自由やハッキングの自由を主張する個人やグループが存在し、国家や企業を標的にサイバー攻撃を行うことがある。最も代表的なグループとして「アノニマス（Anonymous）」がある。

⇒アノニマス、ハクティビスト

バージェス，ガイ（Burgess, Guy 1911～1963）

　ケンブリッジ・ファイブの一員であるソ連のスパイ。イギリス人。ドナルド・マクリーンやアンソニー・ブラントをスパイに勧誘。卒業後はBBC放送に勤務しながらスパイ活動に従事。1939年1月にMI5での活動を開始。第2次世界大戦中はSOEに勤務。戦後はヘクター・マクニール（BBC時代のバージェンスの友人）の秘書になって新労働党政府の中枢に接近。マクニールの閣僚機密を取り扱うまでになった。

　1950年秋、キム・フィルビーが勤務している在ワシントンイギリス大使館に派遣されるが、51年1月、マクリーンのスパイ容疑を事前察知し、関連逮捕を免れるため、イギリスへの緊急帰国を画策（同年4月帰国）。5月、マクリーンと接触して共にソ連に亡命。亡命後も派手な生活を好んだが、ホームシックにかかり、酒におぼれた。イギリス代表団がモスクワを訪れた際には「母の死目に逢いたい」と帰国を願い出たがかなわず、52歳で動脈硬化により死去。遺体はハンプシャーにある母親の墓に葬られた。

⇒ケンブリッジ・ファイブ、マクリーン,ドナルド、ブラント,アンソニー、MI5、SOE、フィルビー,キム

パズル・パレス（Puzzle Palace）

　アメリカ・バージニア州アーリントンに所在する国防総省の建物であるペンタゴンビルを指す言葉。作家のジェイムズ・バンフォードがNSAの存在を明らかにした著書『The Puzzle Place（邦題：パズル・パレス）』（1982）でペンタゴンを表現する際、この言葉を用いた。

⇒NSA

ハッキング（hacking）

　コンピュータ技術を利用してシステムの解析・改造をする手法。不正な手段でもって他者のコンピュータにアクセスするという意味で使われることも多いが、元来は必ずしも不正行為とは限らず、高度な技術を用いたコンピュータエンジニアリングを指す。不正な手段により他者のコンピュータのデータを改竄や情報を窃取する行為はクラッキングと呼ばれる。
⇒クラッキング

バックキャスティング（Backcasting）

　将来ありそうな目標を設定し、そこから現在を振り返って「いま何をすればよいか」を考える思考法。たとえば地球温暖化が継続すれば、破局的な未来が予測されるため、二酸化炭素の排出を未来から現在のどの時点で、どこまで削減すればよいかなどを検討する際に用いられる。一方、過去の実績やデータに基づいて物事を積み上げ、将来を予測する思考法をフォアキャスティングという。
　バックキャスティングは、情報分析においては「20年後に○○国が覇権を目指している」と予測した場合、20年後から現在までにどのような行動や兆候が現れるかを検討する際などに活用できる。その一般的な手順は次のとおり。
①検討するための短いシナリオまたは将来の結果を案出する。その際、時間軸を明確にする。
②そのシナリオが起こるにはどのようなことが起こる必要があるかを考える。その際、思考に漏れがないようにDIME、PEST、STEMPLESといったフレームワークを活用する。
③シナリオがどのように展開するかタイムラインを作成する。
④タイムラインに沿って生起する行動や兆候を列挙してリスト化する。
⇒DIME、PEST、STEMPLES、タイムライン分析

バックドア（backdoor）

　正規のコンピュータユーザーの許可を得ずに、外部からのコンピュ

ータへのアクセスを許可する機能。たとえばログインＩＤとパスワードを設定しているコンピュータに対して、バックドアを設けることでこれらの認証システムを回避し、外部からの不正アクセスで遠隔操作を行い、システムの改竄やデータの窃取が可能となる。バックドアが設けられる原因は大きく分けて２つあり、システム開発者のミスやバグによって意図せずバックドアが設けられてしまうケースと、マルウェアに感染するなどの不正な攻撃により意図的に設けられるケースがある。一度バックドアを設けられると、そこを通じてほかのマルウェアがインストールされるなどの継続的な攻撃を受ける危険性が高く、コンピュータが長期間危険な状態にさらされることを意味する。

⇒マルウェア

ハードデータ（hard data）

　確かで信頼のおけるデータ（情報）

⇒ソフトデータ

花田仲之助（はなだ・なかのすけ 1860〜1945）

　陸軍軍人。参謀本部第二部の情報将校。陸軍士官学校では明石元二郎の同期。1897年僧侶に偽装してウラジオストクに潜伏。布教と称して、シベリア、満洲、蒙古を偵察。参謀本部第二部長の田村怡与造大佐とロシアへの対応をめぐり意見が対立して退役。1904年、日露戦争が始まると予備役少佐として召集され、対馬警備隊で勤務していたが、満洲における馬賊対策が必要となり急きょ参謀本部に復帰して満洲に派遣された。玄洋社の大陸浪人などと共に満洲義軍を編成し、馬賊をまとめて諜報活動に従事。当時ロシア軍は、満洲での影響力を高めるための工作手段として馬賊を利用しており、これに対抗するために日本軍も馬賊を利用する必要があった。

⇒明石元二郎、玄洋社

ハニートラップ（honey trap）

　美人局。一般的には女性スパイがインテリジェンス機関などの指示

を受けて、秘密情報の入手などを狙い、工作対象者に対し誘惑するなどの手口で接触を図り、工作対象者の弱みを握り、エージェント（協力者）として獲得する手法。邦訳では「蜜の罠」「甘い落とし穴」。同様なものにセクシャル・エントラップメント（性的な囮）がある。男性スパイが仕掛けるケースもある。男性の場合は大ガラスともいう。
⇒スワローズ、セクシャル・エントラップメント

ハニーポット（honey pot）

サイバー攻撃を受けた際の分析のみに使用する囮用のコンピュータ。このハニーポット（コンピュータ）を分析することで、どの程度の不正アクセスが行われるかといった傾向や特徴を調べることができる。ハニーポットで使うコンピュータには、サイバー攻撃の実行者が標的とするような価値があると思われるデータを入れておくことで、侵入者をおびき寄せる。

バノン，スティーブ（Stephen Bannon 1953～）

アメリカの政治戦略家、元投資銀行家、ブライトバート・ニュースの元会長。ドナルド・トランプ米大統領の政権下で、トランプの任期の最初の7カ月間、ホワイトハウスの首席戦略官を務め、国家安全保障会議（NSC）の常任メンバーにも就任。Facebookにおけるデータスキャンダルに関与したデータ分析会社ケンブリッジ・アナリティカ（CA）の役員も務めた。バノンは2008年の大統領選挙で共和党副大統領候補だったサラ・ペイリンを擁護する映画など、1991年から2016年に数々の政治映画を製作した。10年に大統領選出馬を考えていたトランプと出会い、バノンはトランプの選挙協力の要請に応じた。12年、「ブライトバート・ニュース」の会長に就任し、この頃からヒラリー・クリントンに対する情報戦を本格化させた。
⇒ケンブリッジ・アナリティカ

パブリック・アフェアーズ（Public Affairs）

組織体の社会的・公的責任を認識し、社会に対して積極的に貢献す

るために行う広報活動。1970年代以降に顕在化した企業と消費者間に
生じたトラブルなどを背景に、パブリック・リレーションズに代わる
概念としてアメリカで使われるようになった。
⇒パブリック・リレーションズ、広報

パブリック・リレーションズ（Public Relations）

　組織体が社会や大衆との良好な関係性を維持するために、様々な情
報をあらゆる表現手段を通じて伝えて説得し、公衆の理解と支持を得
ようとすること。
⇒パブリック・アフェアーズ、広報

パープル（Purple）暗号

　機械式暗号の一種。1939年２月から敗戦まで、日本の外務省が使用して
いた暗号「暗号機B型」（通称：九七式欧文印字械、97は皇紀2597〔西暦
1937〕年からとられたもの）による外交暗号に対して、アメリカ軍がつけ
たコードネーム。パープル暗号から得られた情報を「マジック（Magic）」
と呼称した。ちなみに39年以前の暗号は「レッド」と呼ばれていた。
⇒マジック

ハルナック，アーヴィド（Harnack, Arvid 1901〜1942）

　反ナチス共産主義者のスパイ網「赤いオーケストラ」のベルリング
ループの指揮官の１人。1919年から23年までドイツで法律を学び、26
年から28年までアメリカで経済学を学ぶ。その後、ドイツに帰国して
経済省に入省。36年、ハーロ・シュルツェ・ボイゼンのグループと合
流。ハルナックとボイゼンは空軍省、陸軍省、陸海空軍総司令部、外
務省、宣伝省、ベルリン市庁などに幅広いスパイ網を構築。ゲシュタ
ポに逮捕され、ボイゼンと共に死刑に処せられた。
⇒赤いオーケストラ、ゲシュタポ

ハレル，イッサー（Harel, Isser 1912〜2003）

　イスラエル建国前のユダヤ人軍事組織ハガナーの情報局シャイで幹

部を務め、1948年から52年までイスラエル治安機関シャバク（ISA）の初代長官を務めたのち、52年から63年までモサド長官に就任。CIAと協力関係を結び、モサドを世界有数のインテリジェンス機関に育てる。ナチス官僚のアドルフ・アイヒマンの逮捕などで活躍。モサド長官時代、事実上ISAを指揮下に置き、国防軍インテリジェンス機関（アマン）に対する越権行為など、独断専行が目立った。長官辞任後、国会議員を経てビジネス界に転身した。

⇒ISIS、ISA、CIA、IDI

潘漢年（はん・かんねん 1906～1977）

　中国共産党の大物スパイ。胡越明の別名がある。5人グループ（康生、広恵安、柯慶施、陳雲）の1人として1931年の中国共産党の特務機関の編成に従事。36年の西安事件では中心的な役割を果たす。39年、中央社会部の副部長（1950年代初頭、中央社会部アジア局長）、上海市局長などを歴任。39年、毛沢東の指示により、上海にある外務省の出先機関「岩井公館」に出入りし、岩井英一（当時上海副領事）へのスパイ活動を行ったとされる。

⇒康生

バンクロフト，メアリー（Bancroft, Mary 1903～1997）

　第2次世界大戦時、スイスで活動した女性スパイ。スイスでのアレン・ダレス（のちのCIA長官）の愛人。ボストンの上流階級の家に生まれ、父親は『ウォール・ストリート・ジャーナル』紙の発行者。1934年、スイス人ビジネスマンの夫に伴ってスイスに赴任。ダレスとは42年12月に出会う。ダレスの重要なエージェントであるハンス・ベルント、ギゼヴィウスとも交際し、彼らとダレスの連絡役も務める。

⇒ダレス,アレン、ギゼヴィウス

坂西利八郎（ばんざい・りはちろう 1871～1950）

　陸軍軍人。最終階級は中将。青木宣純の後継者として対清国諜報・謀略活動を担当。1902年、参謀本部部員として清国に派遣され、日露

開戦後、04年2月から08年5月まで青木のあとを継いで袁世凱の顧問として北京に駐在。11年の辛亥革命の発生に伴い再び清国に赴き、23年、黎元洪の顧問となる。27年、中将で予備役に編入されるまで支那に滞在し、坂西機関を指揮。27年から46年まで貴族院議員。坂西機関当時の部下が土肥原賢二である。

⇒青木宣純、土肥原賢二

反スパイ法（反間諜法：中国）

旧国家安全法を改正した中国の法律。2014年11月1日施行。スパイ行為についての具体的な定義、スパイ取り締まりの基本方針と実施主体、スパイ取り締まりに対する人民の権利義務、スパイ取り締まりに関わる守秘義務などを定めている。

⇒国家安全法

ハンセン，ローバート・フィリップ（Hanssen, Robert. Philip 1944～）

ロシアの二重スパイ。約25年間ワシントンでFBIの防諜任務に従事しながら、断続的に20年以上にわたり、アメリカの国家機密をKGBおよびその後継機関のSVRに提供したスパイ。FBI入局から3年後の1979年、ソ連のGRUの活動拠点となっていたニューヨーク・マンハッタンの貿易会社を訪れ、ソ連のスパイになることを申し出て、二重スパイとして活動を開始。ワシントンにあるロシア大使館の地下に埋設された盗聴用トンネルの詳細な情報やアメリカがロシア内で運用するエージェント数十人の正体を漏らしたりするなど、「FBI史上最も害を及ぼしたスパイ」と評されている。定年退職2カ月前の2001年2月に逮捕され、同年7月、司法取引により終身刑を言い渡された。

⇒二重スパイ、FBI、KGB、SVR、GRU

バンデラ，ステパン（Bandera, Stepan 1909～1959）

1909年、オーストリア＝ハンガリー帝国のガリツィア地方に属していたスタルィーイ・ウフルィーニウ村（現・ウクライナのイヴァー

ノ＝フランキーウシク州）で生まれた。29年、ウクライナ民族主義者
組織（OUN）に入党。ポーランド政府がウクライナ西部で行った同化
政策とウクライナ人弾圧に対抗してテロリズムを提唱。34年、ポーラ
ンド警察により、ポーランドのブロニスラフ・ピエラキ内務大臣暗殺
事件に関与した容疑で逮捕。39年9月、第2次世界大戦が勃発し、ポ
ーランドが消滅すると、ドイツ軍により解放される。41年、OUN総裁
に就任。独ソ開戦（1941年6月）直前、ソ連に敵対するドイツ側を支持。
　1941年6月30日、ウクライナ西部のリヴィウでウクライナ独立を宣
言したが、ウクライナ独立を認めないドイツ軍により逮捕される。戦
後、ウクライナ西部でソ連軍に抵抗するウクライナ蜂起軍の司令官と
連携。59年10月15日、ミュンヘンでKGBのボグダン・スタシンスキー
により暗殺される。バンデラの評価は「過激民族主義者」「ファシス
ト」から「ウクライナ独立の英雄」「ウクライナ民族主義運動の指導
者」まで大きく割れている。
⇒KGB、スタシンスキー,ボグダン

反テロおよび効果的死刑法（Antiterrorism and Effective Death Penalty
Act of 1996：アメリカ）

　アメリカへの脅威となるテロを企てる国外組織を外国テロ組織とし
て認定した上で当該組織に対する支援を禁じる法律。同法により外国
テロ組織を指定する制度が設けられた。1996年施行。国内組織は指定
対象にしておらず、あくまでも外国テロ組織として認定した国外の組
織に対する支援を禁止するものである。

反テロリズム・犯罪・保安法2001年（Anti-Terrorism, Crime and Security
Act 2001：イギリス）

　2005年3月までの時限法。テロ組織の資金調達、移動の監視、航空
産業や原子力施設の安全確保、警察の捜査権限強化、インテリジェン
ス機関による通信事業者の通信データへのアクセスを明記したイギリ
スの法律。問題点として外国籍のテロ容疑者に対する無期限の拘束処
分があった。ロンドンがイスラム過激派の活動拠点となっているとの

指摘があったため立法された。01年11月19日成立。イギリス内外にまたがる国際的なテロリストネットワーク活動を取り締まる多くの規定が設けられている。

反テロリズム法（反恐怖主義法：中国）

　国家安全法のテロリズムに関する事項を具現化させた中国の法律。2016年1月1日施行。ウイグル族過激派による独立運動を背景に、1997年の刑法全面改正においてテロ組織の取り締まりなどに関する規定が拡充され、アメリカの2001年9.11同時多発テロ事件を契機に関連規定の整備が強化され続けている。
⇒国家安全法

ハンドリング（handling）

　ケース・オフィサーなどがエージェントを運用すること。
⇒ケース・オフィサー

【ヒ】

ピアニスト（pianist）

　第2次世界大戦前後のソ連諜報網の無線送信員の隠語。

ヒス，アルジャー（Hiss, Alger 1904～1996）

　アメリカ国務省の高級官僚で、ソ連のスパイ。ジョンズ・ホプキンズ大学およびハーバード大学ロースクールを卒業した後、最高裁判事オリバー・ウェンデル・ホームズの秘書などを務め、1933年にはニューディール政策のもとで農業調整局に勤務。36年から国務省に勤務。45年2月のヤルタ会談に国務省を代表して参加。46年の第1回国際連合総会にアメリカ代表団首席顧問として参加。48年8月にウイタカー・チェンバーズの告発でスパイ容疑がかけられ、アメリカ下院非米

活動委員会の公聴会で証言を求められる。50年、偽証罪で有罪。ヒスは行き過ぎた「赤狩り」の犠牲者として世間の同情を集めたが、再審には至らなかった。「ヴェノナ文書」によれば、ヒスはソ連赤軍第4部のスパイ網に属していた。

⇒チェンバーズ,ウイタカー、非米活動委員会、ヴェノナ

ビッグデータ（big data）

巨大なデータ群のことで、特定のコンピュータ・アルゴリズムにより、データ群の中にパターン、傾向、関連を見いだすために解析される。インターネットによりビッグデータが得られるようになった。進歩したAIとビッグデータが現状分析や未来予測などに活用されるようになっている。

⇒人工知能、AI

ピッグス湾事件（Bay of Pigs Invasion）

1961年4月、CIAによって勧誘・訓練された約1,400人の亡命キューバ人をピッグス湾から上陸させ、キューバにおける反カストロ革命を企てた作戦。同年1月20日大統領に就任したジョン・F・ケネディは、前任のアイゼンハワー政権時代にCIAを中心に進められていたキューバ侵攻計画を承認。同年4月15日にキューバ軍機に偽装したアメリカ軍爆撃機がキューバ空軍飛行場を攻撃し、17日から亡命キューバ人の上陸部隊がピッグス湾から上陸侵攻を開始したが、ソ連の援助を受けたキューバ軍は19日まで反カストロ軍（第2506部隊）の上陸部隊をピッグス湾に封じ込め、上陸部隊は19日に投降、114人が戦死し、1,189人が捕虜となった。この作戦を主導したアメリカは世界から非難され、ケネディ政権はキューバ政策で大きくつまずいた。この事件の直後、キューバ政府はソ連への接近を強め、翌62年、秘密裡に軍事協定を結び、核ミサイルを持ち込もうとした結果、同62年10月にキューバ危機が起きた。

⇒CIA、キューバ危機、マングース作戦

非米活動委員会 （HUAC：The House Committee on Un-American Activities：アメリカ）

通称「ダイズ委員会」。アメリカ国内の反体制的、非米的活動を取り締まる調査・立法を行うために設置された下院委員会。1938年、特別委員会として設置。45年常設委員会に昇格。当初は国内のナチス活動が主たる対象だったが、戦後は共産主義勢力が対象となった。ハリウッドの映画俳優を含め、多数の文化人が喚問され、冷戦期のいわゆる「赤狩り」の舞台となった。のちに大統領となるリチャード・ニクソンやロナルド・レーガンは同委員会で反共活動に専念したことで知られる。1975年廃止。

秘密作戦 （clandestine operation）

秘密または隠密裏に政府機関や組織、またはそれらに支援された人や組織により行われる作戦。秘密作戦は準軍事作戦か軍事作戦か極めて曖昧な位置付けにある。秘密工作活動（コバート・アクション）との違いも曖昧だが、秘密工作活動が計画や実行について明確に特定の国家や組織の関与を否定、または曖昧にすることを主眼とするのに対し、秘密作戦は少なくとも実行するまでは、その作戦自体を隠すことに主眼を置くという点で異なる。
⇒コバート・アクション

秘密戦 （旧日本軍）

旧日本軍の用語で、歴史に記録されない裏面の戦争の総称。陸軍中野学校では防諜・諜報・謀略・宣伝に区分していた。
⇒陸軍中野学校、防諜、諜報、謀略、コバート・アクション

秘密保護関連法 （戦前日本）

戦前、日本の軍事上の秘密保護に関する法令は、日露戦争後の明治末頃までには一応の整備がなされた。その法体系は、軍機保護法（1899年）と各種法令の条項から構成されていた。その後、第1次世界大戦の影響、満洲事変から日中戦争へと国際情勢が緊迫するにつ

ヒ

れ、日本の軍事秘密保護法体制は急速に拡大・強化されていくこととなった。その骨格となったのが、改正軍機保護法（1937年）、軍用資源秘密保護法（1939年）、国防保安法（1941年）であった。

⇒改正軍機保護法、軍用資源秘密保護法、国防保安法

ヒムラー，ハインリヒ（Himmler, Heinrich 1900〜45）

親衛隊（SS）長官。親衛隊をヒトラーの個人的ボディガードから強力な党の武力組織に発展させた。ミュンヘン生まれ。1925年頃にナチスに入党。30年に国会議員、36年に警察長官、43年に内務大臣、44年に国内予備軍司令官。ゲシュタポを組織して、ユダヤ人の組織的抹殺に関与したことで知られる。45年、連合軍に捕らえられ、リューネブルクの収容所で服毒自殺。

⇒ゲシュタポ

ヒューストン計画（Huston Plan：アメリカ）

正式名称は「国内情報収集計画：分析および戦略（Domestic Intelligence Gathering Plan : Analysis and Strategy）」だが、立案者トム・チャールズ・ヒューストンの名前をとってヒューストン計画の名で知られるようになる。1970年代ニクソン政権において、アメリカ国内の反戦活動家を監視する目的で立案された計画。

ヒューズ＝ライアン法（Hughes-Ryan Act：アメリカ）

CIAの活動に一定の制限を設ける法律。1974年12月30日制定。主な内容は海外におけるCIAの秘密活動のすべてを議会に報告すること、大統領は国家安全保障の必要性からのみ海外での秘密工作を許可することなどである。76年に両院に情報活動を監視する情報特別委員会が設置された。

⇒CIA

ヒューミント（HUMINT：Human Intelligence）

人的な情報源から直接収集される情報により作成されるインテリジ

ェンス。ヒューミント活動の主体はスパイであるが、必ずしもスパイ
だけがヒューミントではない。在外公館の外交官などが公然と収集し
た情報や外国を訪問した一般人を通じて得た情報に基づくインテリジ
ェンスもヒューミントに含まれる。ヒューミント活動は伝統的な情報
収集手段であり、公然・非公然に入手される。テキント（技術的情
報）では入手できない情報を収集することが可能である。
⇒インテリジェンス、インフォメーション、テキント、スパイ、工作員

ヒューリスティック（heuristic）

　意思決定、あるいは判断を下す際に用いる思考法の１つで、厳密な
論理で一歩一歩答えに迫るのではなく、素早く直感的に答えに到達す
る手法をいう。たとえばベテランの医者が患者の容態を見ただけで病
名を当てるように、ベテランの分析官が初期のインフォメーションだ
けで情勢の見通しを述べたりすることをいう。答えの精度は、必ずし
も保証されないが、答えに至るまでの時間が短縮される。

　これに対し、問題を解くための手順を定式化したかたちで表現した
ものを「アルゴリズム」という。ベテランの分析官でなくても手順を
踏んでいけば、答えにはたどり着くが、ヒューリスティックに比べて
答えに至るまで時間を要する場合が多い。このため分析の失敗を軽減
させるためには、ヒューリスティックとアルゴリズムを適宜に組み
合わせることが重要である。
⇒アルゴリズム

評価
⇒アセスメント

氷山分析（Iceberg analysis）

　国際情勢を「氷山モデル」に喩えて分析する手法。水面上に見える
事象は氷山の一角であり、その下には背景や歴史的因縁などが横たわ
っているとして、水面下の構造を解明する思考法。

　原型はハーバード大学のマクレランド教授（心理学）による研究の

ヒ

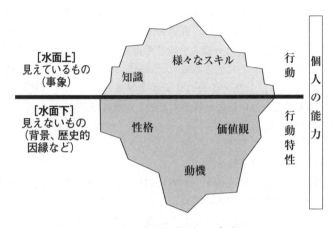

図44 氷山分析（氷山モデル）

成果に基づく。1971年、マクレランド教授はアメリカ国務省から「外交官の採用時のテスト成績と配属後の業績に相関が見られない」ことに関する調査依頼を受けて研究した。その結果、業績を差別化するのは語学力でも文化的な知識でもないことに気づいた。その業績を差別化する能力をコンピテンシー（competency：行動特性）と名づけた。その後、この考え方は発展し、コンピテンシーを示す図は「氷山モデル」と呼ばれるようになった。業績を差別化する能力は、水面上に出ている知識やスキルと水面下に隠れて見えない個人の性格、動機、価値観などの行動特性から構成されているという考え方である（図44参照）。

標的型サイバー攻撃（targeted cyber attacks）

　特定の標的を対象に実行されるサイバー攻撃。不特定多数を狙った攻撃に比べて、攻撃手法が洗練されているケースが多い。たとえば事前に個人情報を調べた上で、標的と関連性がありそうな実在の人物や組織名を使用したメールを送ることで、メールに添付されたマルウェアを開かせる手法などがある。この標的型攻撃が発展すると、特別に

カスタマイズされたマルウェアを用意するなど、より高度な攻撃手段が用いられ、APT（Advanced Persistent Treat：持続的標的型）攻撃とみなされる。
⇒APT攻撃、マルウェア

開かれた質問／閉ざされた質問 （open question and closed question）

開かれた質問とは「1H5W」の内容を含む質問のこと。一方、閉ざされた質問とは、相手が「イエス」「ノー」のように一言で答えられる質問。情報分析を行う際には、情報要求に基づいて、適切な問いを立てることが必要であるが、カスタマーは往々にして「〇〇について知りたい」といった漠然とした要求をする場合がある。その際は、分析官がカスタマーの視点に立って、イエス・ノーで答えられる質問ではなく、いつ、どこで、なぜのように開かれた質問に変換し、その質問に答える形で、プロダクトを作成したほうがカスタマーの情報要求に応えやすい。
⇒キークエスチョン

平文 （ひらぶん：plaintext, cleartext）

暗号化された文章（暗号文）に対して、何も処理されていない生の文章を平文という。略して「ひら」ともいう。画像や音声など、文字ではないデータでも暗号化されていない状態を平文ということがある。
⇒暗号文

【フ】

ファイアウォール （fire wall）

セキュリティ上の理由で特定の通信を遮断するシステム。火災の延

焼を阻止するために設けられる防火壁に由来している。内部ネットワークとインターネットのような外部の異なる2つのネットワーク間で、通信を監視し、不正な通信や悪意のあるソフトウェア（マルウェア）の流入を防ぐ、または内部ネットワークの情報が外部へ漏洩することを防ぐのがファイアウォールの役割。

⇒マルウェア

ファイブ・アイズ（Five Eyes）

アメリカ、イギリス、カナダ、オーストラリア、ニュージーランドの5カ国によるインテリジェンス同盟。アメリカおよびイギリス連邦構成国で結成され、世界中に展開する施設を利用することで広範囲のシギント活動を行っている。ファイブ・アイズが運用しているシギントシステムはエシュロンと呼ばれ、2001年の欧州議会の報告書でも言及されている。この5カ国の間ではUKUSA協定が締結されている。

⇒エシュロン、UKUSA協定、シックス・アイズ

ファイルレス攻撃（fileless attack）

パソコンOSのウインドウズなどに組み込まれているパワーシェル（Power Shell）などのツールを乗っ取り攻撃する手法。従来のマルウェアによる攻撃とは異なり、攻撃するパソコンにソフトウェアをインストールする必要がなく、攻撃を検知するのが難しい。

⇒マルウェア

ファクトチェック（fact checking）

「事実確認」と訳されることも多いが、「真偽検証」が実態を表している。フェイクニュースの急激な増加に伴い、社会に広がっている情報、ニュース、言説が事実に基づいているかどうか調べること。

⇒フェイクニュース

フィシント（FISINT：Foreign Instrumentation Signal Intelligence）

国外の宇宙空間、地上、地下の機器から放射された電磁波を傍受して得られるインテリジェンス。テリントとほぼ同じ意味で使用されることもある。

⇒電磁波、テリント

フィッシャー，ルート（Fischer, Ruth 1895〜1961）

ドイツ共産党の元指導者。のちに共産主義者から自由主義者に転向。コミンテルン指導者のゲルハルト・アイスラー、著名な作曲家ハンス・アイスラーの姉。ウィーン大学で哲学と経済学を学ぶ。1918年、オーストリア共産党の結成に参加、19年、ドイツ共産党に移る。24年にドイツ共産党の指導者、国会議員（28年まで）を務める。

その後、コミンテルンのやり方に反発し、一時、モスクワに召喚されて軟禁されるが、1933年、パリに亡命。その後アメリカに移住して市民権を得る。40年代末に下院非米活動委員会で、弟のハンスとゲルハルトが共産党の工作員であると証言。53年以降「アリス・ミラー」の偽名でアメリカのスパイとして働く。55年、パリに戻り、スターリン体制を批判した著書『スターリンとドイツ共産主義』を発表。

⇒アイスラー,ゲルハルト、非米活動委員会

フィッシング（phishing）

オンラインバンクやオークションサイトなどのウェブサービスと偽って、パスワードやクレジットカード情報などを盗み出す手法。特にメールを利用して偽サイトに誘導することで個人情報を盗み出す手法は多く見られる。この時、実在する企業名を騙るケースもあり、送信元のメールアドレスやURLが本物であるかどうか確認する必要がある。

フィードバック（feedback）

カスタマー、ユーザー、読者などからの反応、意見、評価、手応え、反響。インテリジェンス・プロダクトの提供を受けた政策決定者はプロダクト作成者に対し、継続的にフィードバックを行い、何が有

益で、何が有益でなかったか、どの分野のインテリジェンスを継続して重視すべきか、あるいは注目度を減らしてよいかなどを示すことが望ましい。それによりインテリジェンス・サイクルをより円滑に回すことができる。

フィールド, ノエル (Field, Noel 1904〜1970)

　アメリカ国務省の外交官。イギリス生まれ。クエーカー教徒。理想主義からファシズムに反対し、共産主義に共鳴。ハーバード大学卒業、1926年に国務省入りするも、ジュネーブの国際連盟で働くために退職。スイスの難民救援団体ユニタリアン援助委員会で勤務。そこでソ連の諜報機関のウォルター・クリヴィツキーが運用するスパイ網に勧誘される。第2次世界大戦中はスイスで難民の支援を続けながら、アレン・ダレスの戦略諜報局（OSS）による対独謀略活動を支援。やがてOSSからドイツ共産党との接触を命じられる。戦後、アメリカに戻り、1948年のアルジャー・ヒスの裁判で、自らのスパイ容疑が発覚する直前に妻と共にチェコスロバキア、ハンガリーに逃亡。49年、ハンガリー秘密警察によってCIAのエージェットとして逮捕され、5年間拘束される。54年の釈放後もハンガリーに残り、同地で死去。

⇒ダレス,アレン、OSS、CIA、クリヴィツキー,ウォルター

フィルビー, ハロルド・キム (Philby, Harold. Kim 1912〜1988)

　ケンブリッジ・ファイブの1人。イギリス人。イギリスのインテリジェンス機関SIS（MI 6）に所属したソ連の二重スパイ。ケンブリッジ大学在学中の1933年に共産党活動に一生を捧げることを決意。大学卒業後、ジャーナリズムの道に進み、ソ連NKVDに勧誘されてスパイ活動を開始。36年7月のスペイン内戦ではジャーナリストとしてスペインに潜入、ソ連のためのスパイ活動に従事。その後、対外インテリジェンス機関のMI 6に転職し、順調に昇進し、MI 6長官候補となる。51年にドナルド・マクリーン、ガイ・バージェスがソ連に亡命した以降もフィルビーはスパイ活動を継続していたが、西側に亡命したKGB高官のアナトリー・ゴリツィンの証言で、フィルビーのスパイ容疑が発覚し、63年

1月にソ連へ亡命。ソ連ではKGBへの貢献が認められ、レーニン勲章を受章（1980年）、ソ連の切手（1990年）の肖像となり顕彰された。
⇒ケンブリッジ・ファイブ、SIS、MI6、二重スパイ、NKVD、マクリーン,ドナルド、バージェス.ガイ、KGB

フーヴァー，ジョン・エドガー（Hoover, J. Edgar 1895〜1972）

FBI長官（1935〜72年）。29歳でFBIの前身である司法省捜査局の局長に就任、1935年にFBIが創設されると同長官に就任し、77歳で死亡するまで約半世紀にわたり長官を務めた。弱小機関だったFBIを世界有数の捜査機関に育て上げた功績から彼の名前が本部ビルにつけられたが、死後、フーヴァーの評価は大きく低下した。彼が盗聴で得た情報による脅しで地位を築き、自己保身していたことが判明したからである。政治家や有名人の会話や通信を盗聴した内容が記録された「秘密ノート」には、ケネディ、ジョンソン、ニクソンら歴代大統領の弱味が書かれていたため、誰もフーヴァーを解任させることができなかったという。またマフィアがらみの収賄も明らかとなり、人種差別主義者ともされた。事実、彼の在任当時は有色人種はほとんどFBI捜査官に登用されなかった。
⇒FBI

フェイクニュース（fake news）

社会を混乱させ、利益誘導などをしたりするために発信された真実ではない虚偽の情報。偽情報や報道は古くからあったが、近年、フェイクニュースと呼ばれて社会問題となっている背景にはSNSの急速な普及がある。またトランプ元米大統領が好んで使用したことから、この言葉は相手を攻撃する意味合いが強くなっている。フェイクニュースの増大で、情報の正確性・妥当性を検証するファクトチェックという言葉も流通している。

フェイクニュースは「情報が正しいか誤っているか」「個人・組織・国家に害を加える意図があるかないか」の基準で、「誤情報」（Misinformation、過失などの誤りの情報であるが害を加える意図は

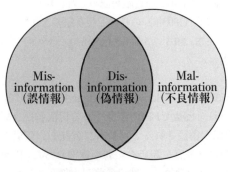

図45 虚偽情報の3つのタイプ

ない)、「偽情報」（Disinformation、個人・組織・集団に危害を加え
るために意図的に作成された虚偽の情報)、「不良情報」（Malinfor-
mation、個人・組織・国家に危害を与えるために利用される事実に基
づいた不十分な情報）の3つの概念に区分されている（図45参照)。
⇒ファクトチェック

プエブロ号事件（Pueblo incident, Pueblo crisis）

　1968年1月23日、北朝鮮東岸の元山沖の洋上で電波情報収集任務に
就いていた米海軍情報収集艦プエブロ号（AGER-2）が領海侵犯を理
由に北朝鮮警備艇などから攻撃を受け、乗員1人が死亡。残る乗員82
人は全員身柄を拘束されて北朝鮮当局の取り調べを受け、約11カ月間
の捕虜生活を余儀なくされた事件。

　この艦は元は陸軍の沿岸輸送船だったが1966～67年にかけて電子情
報収集艦（ELINT）に改造された。運用は海軍が担当していたが、
NSAの指揮下にあり、乗船している技術者はNSAの職員だった。

　アメリカ政府はアメリカ空軍に戦闘準備を命じ、海軍空母部隊を日
本海に展開してプエブロ号の乗組員の解放を要求したが、北朝鮮はこ
れをはね付け、逆に領海侵犯を謝罪するよう求めた。アメリカは1953
年7月27日に署名した朝鮮戦争の休戦協定を破るわけにはいかず、ま

たベトナム戦争が拡大し続ける中であり、戦線の拡大は「ソ朝友好協力相互援助条約」に基づく北朝鮮の同盟国であるソ連の自動参戦を招きかねないことを懸念した。結局、アメリカは外交的解決として、板門店での会談で北朝鮮の用意したスパイ活動を認める謝罪文書に調印することとなった。1968年12月、乗員は解放されたが、プエブロ号の船体は返還されず北朝鮮の管理下に置かれて、平壌市内の大同江で一般向けに公開され、反米宣伝に利用された。

⇒エリント、NSA

フェンロー事件（Venlo Incident）

　2人のイギリスのインテリジェンス機関員がドイツ親衛隊保安部によって拉致された事件。1939年11月9日、ドイツに近いオランダ南東部の都市フェンローで発生。この事件の首謀者はヴァルター・シェレンベルク。同事件はナチスドイツによって「オランダが中立国であるにもかかわらず、イギリス軍人にスパイ活動の便宜を供与した」として、40年5月10日に行った中立国のオランダへの侵攻を正当化するのに利用された。

⇒シェレンベルク,ヴァルター

フォルト・ツリー解析（FTA：Fault Tree Analysis）

　安全性・信頼性を解析する手法の1つで「故障の木解析」ともいう。あるシステムに起こり得る望ましくない事象（特定の故障・事故）を想定し、その発生原因を上位のレベルから順次下位に論理展開して、樹木図を作成する。最下位の問題事象の発生頻度（確率）から最終的に現出した特定の故障・事故の発生確率を算出すると共に故障・事故の因果関係を明らかにする手法（図46参照）。

　FTAの始まりは1950年代に米空軍が開発中だった大陸間弾道弾「ミニットマン・ミサイル」の発射管制システムの信頼性評価に関する研究をアメリカのベル研究所に委託したことによるとされる。米空軍の要求は機器の故障だけでなく、ヒューマンエラーや外部からの妨害を含めた総合的な発射成功および失敗の確率を把握する方法

フ

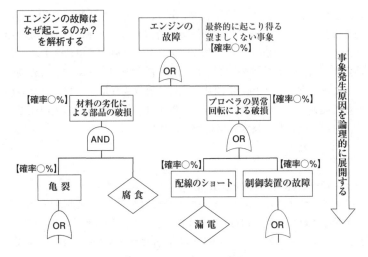

図46 フォルト・ツリー解析
（エンジンの故障はなぜ起こるのかを解析）

であった。この要請に応えてベル研究所は61年にFTAを提案した。

　今日では航空宇宙だけでなく、原子力産業、自動車、電気・電子、通信、情報・ソフトウェア、鉄道、建築など数多くの分野で事故対策や品質管理、業務改善などにも活用されている。似たような分析手法として関連樹木法がある。

⇒関連樹木法

フォースフィールド分析（Force Field Analysis）

　社会心理学の父とも呼ばれ、グループ・ダイナミクスや体験学習などを生み出したクルト・レヴィンによって提唱された分析の手法。

　目標達成や課題解決に向けた取り組みにおいて、その集団の中には、この取り組みを推進（する）力（Driving Forces）と抑止（する）力（Restraining Forces）が働く。この2つの力が均衡している場合、中央で現状維持となる。これは一見安定しているように見えるが、2つの力がせめぎ合っている状態でもあり、何かの拍子に良

い方向にも悪い方向にも転じる状態といえる。

あるアイデアについて、推進力（推進すべき理由・論点）、抑止力＝抵抗力（反対する理由・懸念の論点）の両方を列挙して、それぞれの強さを評価した上で、アイデア展開の是非や展開方法について考えるというもの。両サイドから推進力と抵抗力が向かい合い攻め合うような格好になっていることから力（Force）が戦う場（Field）ということで、Force Field Analysisと名づけられた。

情勢分析においては、今後情勢がどちらの方向に進展するかを分析する際に活用できる。その手順は次のとおり（図47参照）。

①T字型に線を引き、真ん中が現状

②望ましい状態（例：S国の内戦が収束する）を右端に記載

③望ましい状態を推進する力「推進力」を左に、それを妨げる力「抵抗力」を右に書き出す。

④書き出した推進力と抵抗力の大きさのトレンドを段階で評価し記載（例：1〜5）。

⑤それらの評価を合計することにより数字の大きい方向へ情勢が動

この例では、推進力が抵抗力より強く、S国は現在物価が安定傾向で国際機関の関与も増大が見込まれることから、今後内戦は収束する傾向にあると分析される

図47 フォースフィールド分析

くと予測する。その際、どの力が情勢に影響を及ぼすかを可視化できる。4、5の力に注目。

　推進力と抵抗力の大きさを数値化する際、客観的に判断することは困難であり、どうしても主観的な判断にならざるを得ない点が問題になる。したがって、その情勢などに詳しい人を必ず参加させた上で、仮に5段階の真ん中の数字の3を基準として、それよりも強いか弱いかの意見を聞きながら、複数の人間で相対的に点数を判断するなどの方法が用いられる。

フォーティテュード作戦（Operation Fortitude）
　堅忍不抜作戦。
⇒ボディガード作戦

福島安正（ふくしま・やすまさ 1852～1919）
　陸軍軍人。最終階級は大将。司法省翻訳官を経て、文官として陸軍に入隊するが、軍人として参謀本部に配属され、ドイツ駐在武官などを歴任。ドイツからの帰国時、単騎シベリア横断の冒険旅行（1892～93年）と称して、諜報活動を実施。日露戦争で満洲軍司令部の情報幕僚として、シベリア鉄道沿いの諜報網の運用や謀略活動を展開。

福本亀次（ふくもと・かめじ 1895～1982）
　陸軍軍人。最終階級は陸軍少将。陸軍中野学校（後方勤務要員養成所）の創設者の1人。1936年の二・二六事件当時は東京憲兵隊特高課長で取り調べを担当。その後、秋草俊らと後方勤務要員養成所を創立し、のちに中野学校幹事に就任。45年、第6方面軍憲兵隊司令官兼漢口憲兵隊長（少将）となり終戦を迎える。明石大佐の復命書を発掘し、秘密戦教育のための資料を作成した。
⇒陸軍中野学校、秋草俊、明石元二郎

ブケリッチ，フランコ（Vukelic, Branko 1904～1945）
　ゾルゲ・スパイグループの1人。ユーゴスラビア人。記者のカバー

で日本に滞在し、ゾルゲに協力。来日時に帯同したデンマーク人の妻と別れ、日本人の山崎淑子と再婚。逮捕後、無期懲役の判決を受けて、網走刑務所に収監されるが、健康悪化により獄死。

⇒ゾルゲ,リヒャルト、カバー

藤原岩市 (ふじわら・いわいち 1908～1986)

　陸軍軍人、陸士43期 (1931卒)、陸大50期 (1938卒)。歩兵第37連隊中隊長、第21軍参謀を歴任。39年大本営参謀本部に転任。第8課で広報・宣伝を担当。41年タイ・バンコクに赴任、南方軍参謀兼任の特務機関 (F機関) 機関長として活動を開始。主な任務はマレー、スマトラ、インドの独立運動の支援と対日融和政策の推進。英印軍将校モハンシンらと共にINA (インド国民軍) の創設、インド独立運動のリーダー、チャンドラ・ボースの招聘などの成果を上げる。

　戦後は、47年復員局の戦史部に在籍した後、公職追放を経て55年10月、陸上自衛隊に入隊。陸上自衛隊調査学校の2代目校長、第12師団長、第1師団長を歴任。

⇒特務機関

不正アクセス

　本来アクセス権限のないコンピュータにインターネットなどを通じて侵入をする行為。通常コンピュータは正規のユーザー以外に使用されないようにIDやパスワードなどのアクセス権限を設定することが多いが、何らかの手段でそれらを解除してコンピュータの不正操作や情報の窃取を行うこと。

フックス，クラウス (Fuchs, Klaus 1911～1988)

　理論物理学博士。共産主義者。ソ連のスパイ。ドイツ系イギリス人。1933年、ナチス党が支配するドイツからイギリスに亡命、原子物理学の博士号を取得。イギリスではウルスラ・クチンスキーによって運用される。39年9月、ドイツがポーランドへ侵攻すると、敵性外国人として収容される。ドイツ、イギリスへの憎悪を抱く。43年にマン

ハッタン計画に参加するためアメリカに渡る。ニューヨークでハリー・ゴールドなどのソ連工作員と接触し、以後、アメリカの原子力開発の情報をソ連に提供。戦後はイギリスに帰国し、ハウエル原子力研究所の理論物理学部長として勤務しながらソ連のスパイ活動に協力。イーゴリ・グーゼンコのカナダ亡命をきっかけに50年1月に逮捕される。フックスの自供が一連の「原子力スパイ事件」の全容解明へとつながった。50年4月、懲役40年の刑を受けるが、59年6月に釈放され、東ドイツで科学者として活動。
⇒クチンスキー,ウルスラ、ゴールド,ハリー、グーゼンコ,イーゴリ

物的保全、物理セキュリティ（physical security）

物理的手段による保全。権限のない人間が許可なく装備、施設、資料および文書にアクセスしないようにすること、およびそうした対象をスパイ、サボタージュ、破壊、窃取から守ること。

フートン，ハリー（Houghton, Harry 1905～1985）

「ポートランド・スパイ事件」の首謀者の1人。1937年にイギリス海軍に入隊し、第2次世界大戦に従軍。戦後の51年に海軍駐在武官部の事務官としてワルシャワに配属。52年10月、イギリスに帰国し、ドーセット州ポートランドの海軍省水中研究所で勤務し、恋人のエセル・ジーを使って、機密文書などをKGBに漏洩していた。

亡命したポーランド情報官による「イギリス海軍省にスパイがいる」との告発により、1960年、ロンドン警視庁がフートンを監視下に置いたところ、フートンがゴードン・ロンズデールと定期的に会っていたのが確認された。さらにロンズデールの追跡から、モーリス・コーエンの逮捕につながった。フートンとジーは禁固15年、コーエン夫妻は同20年、ロンズデールは同25年の刑に処された。
⇒KGB、ロンズデール,ゴードン、コーエン,モーリス

踏み台（springboard）

サイバー攻撃を行うために不正に乗っ取られたコンピュータ。また

は乗っ取ったコンピュータを利用して別の標的を攻撃する手法。

　踏み台を利用する目的はいくつか考えられるが、その代表的なものは不正利用の中継役として、本来司令となるコンピュータの存在を隠蔽することである。踏み台を利用することで、実質的に攻撃しているコンピュータの身元は判明しにくくなり、犯人検挙が困難になるだけでなく、踏み台に利用されたコンピュータユーザーの誤認逮捕などの副次的被害も発生しうる。ほかにDDoS攻撃に使われるボットネットのように大量に不正操作するコンピュータが必要な時に用いられることもある。こうしたコンピュータは、長期間遠隔操作が可能になった状態が続いたまま対策がとられないケースも多く、ゾンビコンピュータとも呼ばれる。

⇒DDoS攻撃、ボットネット、ゾンビコンピュータ

フュージョン（fusion）
　より確度の高いインテリジェンスを生成するため、利用可能なあらゆる情報源から得られるインフォメーションを吟味し、統合するプロセス。

⇒オールソース・アナリシス

プライム，ジェフリー（Prime,Geffrey A. 1938～）
　1956年、イギリス空軍入隊。ソ連のスパイとなり、KGBにイギリスの暗号を含む機密情報を渡したGCHQの暗号官。空軍在籍中にロシア語を学び、ワルシャワ条約機構国の軍事通信を傍受する部隊に配属。その頃、KGBに勧誘を受けた。68年から77年までGCHQの職員として、イギリスが傍受したソ連軍のシギント情報業務に関わっていた。77年、GCHQを退職したが、多数の機密文書を保持しており、81年までにそれらをKGBに売り渡していた。プライムは小児性愛者で、多くの少女の情報をインデックスカードに記録していた。82年、少女暴行事件で逮捕されたが、その際の妻の証言でソ連のスパイであることが判明。彼の自宅からは、2,287枚のインデックスカードと共にマイクロドットの使用法に関する書類など、スパイ機器が発見された。プライムは機密情報の漏洩の罪で禁固35年、さらに性的暴行で禁固３年が追

加されたが、2001年に仮釈放されている。プライムがソ連に提供した最も機微な情報は、ソビエト潜水艦の秘密の無線通信を追跡するプログラム「プロジェクトサンボ」の暴露だった。プロジェクトサンボでは、UKUSA諸国がSOSUS（音響監視システム）および哨戒機を連携させることで、ソ連潜水艦を追跡して情報収集することが可能であり、大きな成果を上げていた。プライムの事件に関する報告書でインテリジェンス機関へのポリグラフ検査の導入が提言された。

⇒KGB、GCHQ、シギント、マイクロドット、SOSUS、UKUSA、ポリグラフ検査

ブラウダー，アール（Browder, Earl 1891～1973）

　アメリカの政治家。アメリカ共産党書記長（1930～45年）。NKVDおよびGRUのために活動したスパイ。1929年、上海に赴任し、ゾルゲと交流。35年、ソ連コミンテルンの指導で人民戦線路線を採用し、党内の指導体制を強化。36年と40年には共産党の候補者としてアメリカ大統領選挙に出馬。第2次世界大戦中、共産党不要論を主張してアメリカ共産党を政治組織に格下げした。45年に共産党が再建されると解党主義と批判され、46年、党を追放される。アメリカ共産党を党員8万人まで増大する一方、ソ連コミンテルンやKGBのために働くアメリカ政府内のスパイ網の強化に努めた。

⇒NKVD、GRU、ゾルゲ,リヒャルト

ブラック・スワン（black swan）

　黒鳥。無駄な努力を表わす言葉として「黒い白鳥（ブラック・スワン）を探すようなものだ」という表現があるように、従来、黒い白鳥は存在しないと信じられていたが、1697年オーストラリアで黒い個体が発見されたことにより、鳥類学の常識が大きく崩れた。以来、「ブラック・スワン」とは従来からの知識や経験では予測できない極端な事象が発生し、その事象が人々に多大な影響を与えることを総称したメタファー（隠喩）として使われるようになった。

ブラック・バッグ・ジョブ（black bag job）

　黒カバンの行為。盗聴器の設置や文書類のコピーなどを令状なしに行う不法侵入行為。

ブラック・プロパガンダ（black propaganda）

　黒色宣伝の偽情報。嘘や作り事で構成された宣伝。秘密組織が特別の目的をもって行う。
⇒グレー・プロパガンダ、ホワイト・プロパガンダ

ブラック・リスト（black list）

　カウンター・インテリジェンス担当者が作成した要注意人物リスト。公然・非公然活動の敵対的な協力者、スパイと思しき人々のリスト。
⇒カウンター・インテリジェンス

ブラッシュ・コンタクト（brush contact）

　瞬間接触。すれ違いざまに接触すること。工作員とその組織のエージェントが路上などで接触して会話を交わさず、命令・指示・金銭および情報の受け渡しを行うこと。通常、人の多い場所、ラッシュ時の駅内などの人混みの中で行われる。日本の外事警察ではフラッシュ・コンタクト（flash contact）という。

フラップ・アンド・シール・アーチスト（flap and seal artist）

　開封専門家。封書などの秘密開封を行う技術支援専門工作員。

プラミング（pluming）

　配管工事。水漏れ（情報漏れ）を防ぐという意味。CIAの秘密工作を支援する要員の獲得訓練、また隠れ家（セーフハウス）や帳簿外資金の管理、調査要員や監視チームの配置などの支援工作をいう。
⇒CIA、アセット、隠れ家

フランスのインテリジェンス・コミュニティー

　フランスのインテリジェンス・コミュニティーは、内務、国防、経済・財務相の管轄下にある6つの主要なインテリジェンス機関からなる。約1万2,000人が直接インテリジェンス機関に勤務し、そのほかに陸海空軍の特殊部隊約4,000人が軍事情報活動に従事している。コミュニティー全体を統括するのは国家情報調整官と国家情報会議である。

　2008年、国家情報会議（CNR）が創設され、同会議の準備などを行う国家情報調整官のポストが新設された。同調整官は大統領に対するインテリジェンス機関の窓口で、大統領官房に属し、小規模の支援組織を持つ。大統領が主宰する国家情報会議には首相、内務相、国防相、外務相、経済財務相が常任の委員として参加、扱う問題により他省庁の代表も加わる。さらに国家情報調整官、各インテリジェンス機関の長も出席。国家情報会議は各インテリジェンス機関に割り当てる大まかな方針を決定する。現在、国家インテリジェンス戦略において特に脅威と見なされているのは、テロリズム、経済スパイ活動、大量破壊兵器拡散、サイバー攻撃、組織犯罪などである（図48参照）。

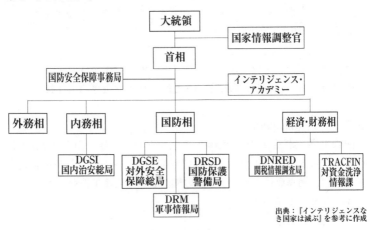

出典：『インテリジェンスなき国家は滅ぶ』を参考に作成

図48 フランスのインテリジェンス・コミュニティー

プラント（plant）

　植え付け。訓練した優秀なスパイを対象とする目標に近い地位に潜り込ませること。投入工作ともいう。一般的には最初は地位の低いところにスパイを浸透させ、長い期間をかけて、政府や軍部の中枢の職場や役職などに就かせる。東ドイツHVAの浸透スパイであるギュンター・ギョームは20年の期間をかけて西ドイツの首相補佐官に就任した。
⇒HVA、ギョーム,ギュンター

ブラント，アンソニー（Blunt, Anthony 1907〜1983）

　「ケンブリッジ・ファイブ」の1人。イギリス人。ソ連のスパイ。「女王陛下側近のスパイ」として有名。ケンブリッジ大学在学時にケンブリッジ・ファイブの一員であるガイ・バージェスに勧誘されてスパイとなる。1939年、イギリス陸軍の諜報部隊で活動。第2次世界大戦中の40年から45年の間、MI5に勤務し、バージェスの共犯者として、解読されたドイツ軍のエニグマ暗号文をソ連側に渡すなどした。戦後にMI5を辞職し、64年に美術史研究に関する才能を認められて、72年まで王室所蔵の絵画類の管理（美術顧問）にあたり、ロンドン大学教授としても勤務。

　1964年、ブラントはイギリスのインテリジェンス機関の尋問を受けた時、訴追免除を条件に大戦中のスパイ活動や、51年にソ連へ亡命したマクリーンとバージェスの逃亡の手引きをした事実を自供した。王室側はこの詳細な報告を受けながら、その後も彼に美術顧問の地位を与えていた。ブラントのスパイ活動は、歴史家アンドリュー・ボイドの著書で公表され、ついにサッチャー首相は79年に議会でブラントがソ連のスパイであったことを報告。同年、王室は「サー」の称号を剥奪した。
⇒ケンブリッジ・ファイブ、バージェス,ガイ、MI5、マクリーン

プリゴジン，エフゲニー（Yevgeny, Prigozhin）

　2018年2月にロシアゲート疑惑で大陪審から起訴されたロシア人。この時、ロシアの3団体とロシア国籍13人が起訴されたが、インターネット・リサーチ・エージェンシー（IRA）を含む3団体は

いずれもエフゲニー・プリゴジンが「コンコード・マネジメント＆コンサルティンググループ」を通じて管理していた。プーチン大統領向けのケータリング会社も運営していたため、「プーチンのシェフ」とも呼称されていた。

2008年5月のメドヴェージェフ大統領の就任式の食事関連もすべて担当し、この頃にはクレムリンのトップリーダーとの関係を築いていたとされる。プリゴジンは、2010年代以降、軍の食事、清掃サービスにも民間企業として初めて参加した。しかし、13年にセルゲイ・ショイグがロシアの国防大臣に就任すると、プリゴジンとの民間委託契約を打ち切った。それが、彼のビジネスの方向性を変化させ、IRAを運営し、ロシアのハイブリッド戦争を現場で支えた民間軍事会社（PMC）の中でも特に規模が大きい「ワグネル」（2014年設立）にも出資するようになった。ワグネルはロシア連邦軍参謀本部情報総局（GRU）と緊密な関係にあり、事実上のロシア軍別動隊ともいわれており、ワグネルを通じてプリゴジンは軍との密接な関係を築いたという見方がある。

⇒ロシアゲート、インターネット・リサーチ・エージェンシー

フリードマン，ウィリアム（Friedman, William 1891〜1969）

アメリカの暗号解読官。日本の外交暗号を解読。ロシア系ユダヤ人。コーネル大学の遺伝子学部を卒業、農場の生産技術を向上させるため、シカゴ出身の織物商人ジョージ・フェビアンに雇われた。

暗号学に関心を持っていたフェビアンは、シェイクスピア劇は実はフランシス・ベーコンが書いたものだということを証明するため、暗号研究所「シェイクスピア・コミューン」（リバーバンク研究所）を主宰していた。フリードマンは同研究所で暗号研究に没頭。1917年、アメリカが第1次世界大戦に参戦した時、新設の陸軍暗号解読班に士官として採用される。ハーバート・ヤードレー率いるMI 8（ブラック・チェンバー）が閉鎖（1929年）後の30年に新設された陸軍通信諜報部（ASIS）の長に任命された。43年にイギリスの暗号解読に協力。52年、NSAに加わる。妻も暗号解読官だった。

⇒ヤードレー,ハーバート、MI8、ASIS、NSA、マジック、パープル

ふるまい検知

　プログラムの挙動によってマルウェアの判定を行う手法。ウイルス定義ファイルを用いた検出方法の場合、新種や亜種のマルウェアに対応できないケースがあるため、プログラムのパターンではなく、挙動によってマルウェアかどうか判断する方法を「ふるまい検知」と呼ぶ。ヒューリスティック分析ともいわれる。

⇒マルウェア、ウイルス定義ファイル、ヒューリスティック

ブルームーン（blue moon）

　1962年10月に実施された米空軍U-2偵察機によるキューバ上空の高々度偵察任務を指すコードネーム。

⇒キューバ危機

ブレイク，ジョージ（Blake, George 1922～）

　MI6の情報官から転向したKGBのスパイ。本名はジョージ・ベハル。ロッテルダム生まれ。第2次世界大戦中は、イギリス特殊作戦執行部（SOE）のオランダ部隊に勤務。戦後ケンブリッジ大学でロシア語を専攻し、1950年、外交官として韓国に赴任中、朝鮮戦争が勃発。北朝鮮軍によって抑留された時、KGBに勧誘されたとみられる。

　1953年釈放。帰国後、MI6情報官となり、スパイとして活動を開始。ソ連はブレイクをMI6内で出世させるため、自国内のスパイを逮捕させるなどのサポートをした。ブレイクのスパイ活動は61年に逮捕されるまで続いた。

　1955年からベルリンで勤務していた時期、連合国が盗聴を目的にトンネルを秘密裏に掘ったこと（黄金作戦）やオレグ・ペンコフスキーGRU大佐が組織を裏切っていることをソ連に警告した。60年、アラビア語研修のためベイルートに派遣される。同年10月、彼と一緒にベルリンで勤務したゲーレン機関員のホルスト・アイスナーがソ連のスパイとして逮捕されたことから、61年、ブレイクも本国に召還。調査の

結果、42年の懲役刑に処せられる。66年10月、刑務所から脱走。67年の英紙はソ連で母親と一緒にいる写真を報道。その後、FSBのスパイ養成機関の上級課程の教官を務める。

⇒MI 6、KGB、SOE、GRU、ゲーレン機関、FSB

フレミング，イアン（Fleming Ian 1908〜1964））

1939年からイギリス海軍のインテリジェンス・オフィサーとして勤務。第 2 次世界大戦中はゴールデンアイ作戦などを指揮。45年に退役し、ゴールデンアイと名づけたジャマイカの邸宅に居住し、それまでの経験をもとにスパイ小説を書き始める。架空のスパイ、ジェームズ・ボンドを生み出した作家として広く知られる。

⇒007

フレームワーク（framework）

骨組み、構造といった意味から分析する際の枠組みや手順。ある問題について、あれこれと思いつくままに考察するのではなく、決められた枠組みや手順に沿って行うと無駄が省け、思考の洩れをなくすことができる。

⇒DIME、BESTMAPS、分析手法

ブレインストーミング（ブレスト：brainstorming）

1938年頃アメリカの広告代理店の副社長アレックス・オズボーンにより考案された問題解決法の一種。あるテーマをめぐって自由奔放に意見やアイデアを出し合う会議。ブレイン（頭脳）で問題にストーム（突進）するという意味からネーミングされた。一般的に会議では批判的な発言が多く、非生産的なものになりやすいとの反省から生み出された。その後、この方法を基にいろいろな派生形が生まれている。

一般的な実施要領は次のとおり（図49参照）。

1）アイデアを出すための場を設定する。①グループ（5〜10人以内で多様な考えの人を参加させる）を作り、進行役（中立的な立場の人）を決定する。②雰囲気作り（場所の設定、アイスブレイキングなど）

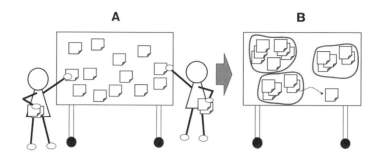

図49 ブレインストーミング

２）参加者はアイデアを考え、付箋紙にキーワードを記入（アイデア１件につき１枚）。

３）進行役が付箋紙を回収して、１枚ずつ読みながら、あるいは参加者が自ら読み上げ、ホワイトボードなどに貼り出す（図のA）。

４）アイデアが出つくしたところで、進行役は参加者と共にアイデアをグループ分けし、重複や設問にそぐわないものを除外する（図のB）。

　自由な発想を引き出すために以下の４つのルールがある。①全員平等（この場では参加者の立場は平等）、②批判厳禁（他人のアイデアを笑わない、評価しない、批判しない）、③質より量（多くの自由な発想のアイデアから質のいいものが出てくる）、④便乗歓迎（他人のアイデアに便乗する形で連想ゲームのようにアイデアを広げる）

フレンド（friend）

　友人の意味からインテリジェンス機関のメンバーや協力関係にあるインテリジェンス機関を指す一般的俗語。

フレンドリー・コンタクト（friendly connection）

　友好的人物。トラステッド・コンタクトの次のランク。スパイと知らずに友人関係にある協力者。
⇒トラステッド・コンタクト

フロー （flow）

インテリジェンス機関やその活動、組織や個人、施設などに関する秘密事項を不用意に漏洩すること。ブロー（blow）も同様の意味に用いる。

プロキシサーバー （Proxy Server）

プロキシは代理の意味。インターネットのウェブサーバーに通信する際に、直接操作するコンピュータでアクセスするのではなく、中継として利用するために使われるサーバー。プロキシサーバー自体は、不正使用が前提のサーバーではないものの、中継サーバーという役割から、発信者の身元を隠すために用いられることもある。たとえば国外のコンピュータから日本国内のウェブサーバーに接続する際に日本国内のプロキシサーバーを経由することで、接続先からは国内のIPアドレスから通信されていると認識される。

プロパガンダ （propaganda）

宣伝。宣伝は政治や戦争遂行の重要な手段であり、特に第三者をして、わが方に利益をもたらし、相手側には損失を与えるような行動を仕向ける狙いがある。国家が偽装せずに計画的に行う「ホワイト（白色）」、主体は公然かつ明白であるが、一定の効果、目的を達成するように重点的に行う「グレー（灰色）」、秘密組織が特別の目的をもって行う「ブラック（黒色）」に区分される。
⇒グレー・プロパガンダ、ブラック・プロパガンダ、ホワイト・プロパガンダ

プロプライアテリー （proprietary）

所有物という意味からCIAが秘密工作を実施する場合、その工作を支援する目的で設立した会社。社員は情報要員。CIA支局などが運営する偽装の官営会社。いわゆる持株会社。
⇒CIA

分析 （analysis）

ある物事を分解して、それを成立させている成分・要素・側面を明

らかにすること。インテリジェンス・サイクルの中では、インフォメーションをインテリジェンスに転換する重要なプロセスで、インフォメーションの中から意味のある事実を抽出したり、判断することにより結論を導き出す体系的な考察のこと。さらにインテリジェンスにおける分析には現状を（分解して）解明するだけでなく、将来を推測・予測する意味も含まれる。政策決定者や意思決定者がインフォメーションの分析に期待するのは、現状の解明よりも、将来どうなるかということが最も知りたいことだからである。

⇒インテリジェンス・サイクル、インフォメーション、インテリジェンス

分析手法（analytic tradecraft）

　分析的な思考法、事象の調査方法、エビデンスの評価の方法、プロダクトの文章作成技術、プレゼンテーション技法といった分析業務に関わる技術や方法の総称。狭義にはストラクチャード・アナリティク・テクニック（構造的分析技法）を指す。これは社会学的な研究要領に基づく経験的分析のやり方を定式化したものである。この分析技法は1950年代から米CIAで採用され、初心者でも手順を踏めば分析できるとされてきた。しかし、ある程度経験を積めば、直感的に結論にたどり着けるものを、手順を踏んで実施しなければならないため時間がかかることから分析の現場では敬遠されていた。しかし、2001年の9.11テロなどを契機として、インテリジェンス全体が見直しされ、バイアスを軽減し、説得力のある見解や解釈を提示するための方法として分析手法が再び評価されるようになった。

　このように一時期、インテリジェンス機関で敬遠された分析手法だが、元分析官などがビジネス界で活用するようになったため、ビジネス・インテリジェンスとして進化した。その後、ビジネス界で発展した分析手法が、今度はインテリジェンス機関でも使用されるようになった。今後、情報分析においては人工知能（AI）をいかに活用していくかが大きな課題となろう。なお、tradecraftには、英和辞典で「スパイ活動に必要な知識・技術」などといった訳があてられている。

⇒ストラクチャード・アナリティク・テクニック

【へ】

米国愛国者法（USA Patriot Act）

　正式名称は「2001年のテロリズムの阻止と回避のために必要かつ適切な手段を提供することによりアメリカを統合し強化するための法律（Uniting and Strengthening America by Providing Appropriate Tools Required to Intercept and Obstruct Terrorism Act of 2001）」。頭文字をとって「米国愛国者法（USA Patriot Act）」と呼ばれる。2001年9月11日の同時多発テロをきっかけに、テロ対策強化に向けた立法機運が高まり、同年10月26日に成立。本法律第215条「外国諜報監視法に基づく記録及び他の情報の入手」は「テロとの戦い」の名目で、NSA（国家安全保障局）が膨大な国内通話記録を一括収集するための法的根拠とされた。

　第215条は、その他15の条項と共に2005年12月31日までの時限立法とされた。ブッシュ政権は「テロとの戦い」でこれらの項目が今後も必要として恒久化を求めたが、再延長を経て、09年12月31日までの時限立法として改正され、06年3月9日にブッシュ大統領が署名して成立。愛国者法は、プライバシーの侵害に該当すると国内外から批判の的となったが、09年1月に発足したオバマ政権は同法を支持し、11年5月26日、愛国者法日没条項延長法に署名。アメリカ愛国者法の重要な3つの条項、すなわち、①FISC（外国諜報活動監視裁判所）の命令により、あるものを特定するために必要のないすべての公共の電気通信事業者と第三者に対する盗聴の命令を意味する「ロービング・タップ」、②企業活動の記録の捜査（図書館帯出記録条項）、③テロリスト集団ではなく、テロリストと関係がある疑いのある個人を意味する「ローンウルフ」に対する監視の指揮について4年間延長された。延長期限切れの15年6月1日、米国愛国者法は失効。

⇒NSA、外国諜報活動監視裁判所

米国自由法（USA Freedom Act）

　テロ対策で拡大し過ぎた通信傍受活動の権限を制限するために2015

年6月2日に成立。正式名称は「2015年通信監視活動に係る実効的原則の確保および人権の充足によりアメリカを統合し強化する法律」。（Uniting and Strengthening America by Fulfilling Rights and Ensuring Effective Displine Over Monitoring Act）」。頭文字10文字をとって、「米国自由法（USA Freedom Act）」と呼ばれることが多い。同法の目的は外国諜報監視法（FISA：The Foreign Intelligence Surveillance Act of 1978）の基本的な枠組みを維持しつつ、①大量収集プログラムを停止し、②情報収集の範囲と情報保存期間を限定し、対象者への影響を最小限にとどめ、③通信監視活動およびFISC（外国諜報監視裁判所）の透明性を高めることである。

⇒外国諜報監視法、外国諜報監視裁判所

米国保護法（Protect America Act）

1978年に制定された外国諜報監視法（FISA）を改正し、令状なしでアメリカの通信網を介した外国人との通信を電子的な手法で監視できる法律。2007年8月5日成立。米国保護法は180日間の時限立法であり、同法は08年の改正外国諜報監視法（FISA Amendments Act of 2008）の成立につながった。ブッシュ大統領は、国家安全保障のために必要な場合、令状なしの通信傍受を認め、政府に協力する通信会社に対しても、過去に遡って免責を与えるべきとしてFISAの改正を議会に促していたという背景がある。

⇒外国諜報監視法

ベネトレイション（penetration）

浸透。目標の組織内にエージェントを獲得するか、またはエージェントを潜入させること。盗聴器などを密かに取り付ける作業も含む。

ペーパーカンパニー（paper company）

本当の目的を偽装するため、インテリジェンス機関の要員が名目上の経営責任者となったり、秘密工作支援のため実際に営業活動を行う会社。カバー会社ともいう。

ベリヤ，ラヴレンチー （Beria, Lavrenty 1899〜1953）

　ソ連の軍人、政治家。NKVD長官（1938年11月〜45年12月、1953年3月〜6月）。グルジア（現ジョージア）生まれ。スターリンの故郷グルジアで秘密警察長官に就任するなどスターリンの支持を受けて順調に昇進。1938年11月、ニコライ・エジョフに代わりNKVD長官に就任、ほぼ同時に政治局員候補となる。エジョフを逮捕し、精神病院に収容した。トロツキーの逮捕もベリヤが指揮し、40年に彼の暗殺に成功。第2次世界大戦中はスターリンを情報の側面から支援。スターリンの大粛清の主要な執行者と見なされている。41年に副首相に就任、45年7月にソ連邦元帥、46年3月にソ連共産党政治局員となる。

　スターリン死後、第一副首相兼内相となり、秘密警察とインテリジェンス機関を掌握し、権力奪取を試みたが、ニキータ・フルシチョフとの政争に敗れ逮捕される。53年12月に処刑されたが、彼が育成した組織は残り、54年に改組してKGBとなった。

⇒NKVD、KGB

ベリングキャット （Bellingcat）

　2014年7月、イギリス人のエリオット・ヒギンズにより、ネット上の画像などの公開情報（オシント）を収集して調査し報道するために立ち上げられたウェブサイトの名称。中立性を保つためクラウドファンディングにより資金を調達して運営されている。

　ヒギンズは、元々は本格的なゲーマーだったが、大学中退後、銀行、石油関連会社などを経てある会社に務めていた。しかし、2013年に解雇され無職となった。失業後は、毎日450本以上のYouTubeを観て武器などの知識を得た。13年、シリアでアサド政権が化学兵器を使用したことを、現場で撮影された写真や動画を基に明らかにした。その情報の正確さから、ニューヨーク・タイムズの記者も、情報源として記事に引用するようになっていった。

　ヒギンズの手法は、Facebook、Twitter、Google Earthといったネット上に公開された動画、写真、地図などの情報を組み合わせて分析する方法で、「アームチェア分析」と呼称される。サイト立ち上

げと同時期に東ウクライナで発生したマレーシア航空機（MH17）撃墜事件に関する調査ですぐに成果を発揮した。この事件に関し、ロシア政府は親ロシア派による対空ミサイルの誤射説を否定し、ウクライナ軍の戦闘機による撃墜情報を流布していたが、ベリングキャットはSNSなどの公開情報を詳細に検証し、ロシアの主張が偽情報であることを示す調査結果を次々に発表した。その後もベリングキャットは、独自の視点でフェイクニュースを公開情報で検証・公開する作業を続けている。また、手法を紹介するためのワークショップも開催している。2018年スクリパリ暗殺未遂事件の際には犯人解明のため、英インテリジェンス機関へ協力を行いつつ犯人に関する情報を公開した。ベリングキャットとは、イソップ物語の「ネズミの相談」の中のフレーズ「ネズミが猫の首に鈴をつける（Bell the Cat）」に由来。本来は「実行するのは至難のわざ」の喩えだが、ヒギンズは、勇気を持ってフェイクニュースを明らかにして世の中に警鐘を鳴らそうという意味でネーミングしたとしている。

⇒オシント、スクリパリ暗殺未遂事件

ベル，ガートルード（Gertrude, Bell 1868〜1926）

　イギリスの女性スパイ、考古学者、登山家。イギリス生まれ。「アラビアの女ロレンス」といわれた。1915年11月、外務省が管轄するカイロのアラブ局情報機関に召集され、そこでトーマス・エドワード・ロレンスと共にオスマントルコに対するアラブの反乱に参加した。

⇒ロレンス,トーマス

ベルジン，ヤン（Berzin, Yan 1889〜1938）

　赤軍情報部第四局（GRU）長官（1924〜38年）。ラトビア生まれ。1919年のボリシェヴィキ革命に参加。35年から37年まで極東赤軍司令官。37年6月、スターリンに召喚され、GRU長官に復帰したが、1年足らずでスターリンの粛清により、38年7月に処刑。ベルジン在任時、GRUはリヒャルト・ゾルゲやレオポルド・トレッペルなどを運用した。

⇒GRU、ゾルゲ,リヒャルト、トレッペル,レオポルド

ペルソナ・ノン・グラータ（persona non grata）

「好ましからざる人物」。派遣された外交使節または外交官に準じた人物に対し、スパイ行為が疑われること、その他外交的に受け入れ国が好ましくないと判断した場合、派遣国にその旨を通告する外交用語。一般的には通告されたのち国外退去を命じられる。

ベルリン・トンネル（Berlin Tunnel）作戦

1950年代、MI6（英）とCIA（米）が共同して行ったソ連の通信傍受作戦の一般的な呼称で、この作戦には「ゴールド作戦」（Operation Gold）というコードネームが付けられている。

この作戦は1954年から58年9月まで続けられ、西ベルリンから東ベルリンにかけて、深さ6メートル、全長450メートルのトンネルを53年から1年がかりで掘って、埋設してある地下ケーブルからソ連の通信を盗聴していた。トンネルの掘削にはCIAの資金が用いられたが、作戦の詳細は、今もって明らかにされておらず信頼に足る資料も乏しい。その理由は、53年にこの計画を許可したアレン・ダレスCIA長官が、記録は最小限にとどめるように指示したからである。

盗聴の内容は、ベルリン近郊のツォッセンにあるソ連軍司令部を往来する通話、東ベルリンのソ連大使館とモスクワとの通話、東ドイツとソ連政府職員との通話など膨大な内容が含まれていたとされる。

この作戦はアメリカを中心に秘密裏に進められたが、その情報は計画段階からMI6内にいたソ連の二重スパイのジョージ・ブレイクによってソ連側に筒抜けになっていたが、KGBは偽情報を流すための有効な手段として、この作戦を阻止しなかった。

なおMI6は1949年からウィーンのソ連軍司令部の通信を盗聴する「シルバー作戦」（Operation Silver）を行っていた。その活動はまったく知られることなく、オーストリアが完全な主権を回復する55年まで続けられた。51年、CIAがベルリンで類似の活動を計画した時、イギリスはシルバー作戦について初めてアメリカに明らかにし、両国は共同でゴールド作戦を実施することになった。

⇒MI6、CIA、ダレス,アレン、二重スパイ、ブレイク,ジョージ、KGB

ペンコフスキー，オレグ（1919～1963）

　ソ連軍参謀本部情報総局（GRU）の大佐でイギリスとアメリカのスパイ。1961年から62年にかけて米英に秘密情報を流し続けた。ペンコフスキーの情報によりソ連のミサイル数がフルシチョフの誇張であることもわかった。またキューバにおけるミサイル発射サイトの計画案もアメリカに提供され、この情報に基づいてU-2がミサイルサイトを撮影し、キューバにおけるミサイル基地建設を確認した。

　1962年、KGBによりスパイであることが露見し、63年に処刑された。生前ひそかに書きつづっていた極秘メモが『The Penkovsky Papers』（1965年）として各国で出版された（邦題『ペンコフスキー機密文書』、改訂版は『寝返ったソ連軍情報部大佐の遺書』）。

⇒GRU、キューバ危機、KGB

ベントリー，エリザベス（Bentley, Elizabeth 1908～1963）

　ソ連のスパイ。のちにFBIの協力者となる。アメリカ生まれ。1935年にアメリカ共産党入党、38年にソ連スパイのヤコブ・ゴロスと出会い、スパイ活動を開始。43年にゴロスが死亡し、彼女の属するスパイ網がKGB要員のアフメロフ・イスハークの直接指揮を受けることに不満を抱く。FBIの捜査が迫っていることを察知して45年11月7日、FBIニューヨーク事務所に出頭。48年に下院非米活動委員会で、ハリー・デクスター・ホワイトがスパイだったと証言した。

⇒ゴロス,ヤコブ、KGB、アフメーロフ,イスハーク、FBI、非米活動委員会、ホワイト,ハリー

【ホ】

保安組織法（Security Service Act 1989：イギリス）

　イギリス情報局保安部（MI5）の根拠法。1989年12月18日施行。87年、元MI5職員によって、その存在が明らかにされたことから制定された。しかし同法の条文では、組織体制や任務について触れているだけで、MI5の行政権限についてはほとんど明記されていない。

⇒MI5

防衛省情報本部（DIH：Defense Intelligence Headquarters：日本）

　防衛省情報本部。防衛省の中央インテリジェンス機関であり、日本における最大のインテリジェンス機関。電波情報、画像・地理情報、公刊情報などを自ら収集・解析すると共に、防衛省内の各機関、関係省庁、在外公館などから提供される各種情報を集約・整理し、国際・軍事情勢など、日本の安全保障に関わる動向分析を行う。総務部、計画部、統合情報部、分析部、画像・地理部および電波部の6部と6カ所の通信所で編成されている（図50参照）。

　情報本部創設以前の防衛庁では、内部部局、統合幕僚会議、陸海空幕僚監部がそれぞれ国際軍事情勢などを収集・分析しており、防衛庁全体としてインテリジェンス活動を実施する体制は不十分だった。

　1995年制定された防衛計画の大綱（07大綱）では、「情勢の変化を早期に察知し、機敏な意思決定に資するため、常時継続的に警戒監視を行うとともに、多様な情報収集手段の保有及び能力の高い情報専門家の確保を通じ、戦略情報を含む高度の情報収集・分析等を実施し得ること」と明記された。翌96年5月の「防衛庁設置法の一部を改正する法律」により情報本部の設置が認められ、97年1月20日、防衛庁内の複数のインテリジェンス機関を統合して、情報本部が統合幕僚会議の下に新編された。2006年3月27日の統合幕僚監部発足に合わせて長官直轄の組織として改編、その際、緊急・動態部

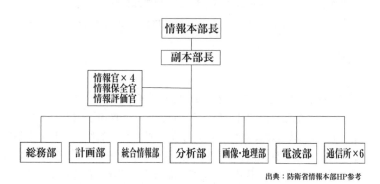

出典：防衛省情報本部HP参考

図50 防衛省情報本部（DIH）組織

を廃止し、統合情報部を新設。また同日、各幕僚監部の調査部は廃止され、新たに陸上幕僚監部と航空幕僚監部には運用支援・情報部情報課が、海上幕僚監部には指揮通信情報部情報課が新設された。

さらに2007年、防衛庁の防衛省昇格に伴い長官直轄から大臣直轄の機関となった。情報本部の職員数は、発足時は約1,500人だったが次第に増員され、21年度は約2,500人。

⇒日本のインテリジェンス・コミュニティー

防衛秘密保護法（Defense Secret Act：アメリカ）

国防関連施設にアクセスする権限を有しない人物が、国防に関する情報を得るため、艦船、海軍工廠、海軍基地を含む軍事施設に接近することを禁じたアメリカの法律。1911年成立。

⇒防諜法

防諜（旧日本軍）

外国政府や軍による諜報活動、謀略（宣伝を含む）に対して自国の国防力の安全を確保すること。カウンター・インテリジェンスに相当する旧日本軍の用語。「積極的防諜」と「消極的防諜」に区分され、積極的防諜は「外国の諜報活動、もしくは謀略の企図、組織、またはその行為、もしくは措置を探知、防止、破壊」することであり、主として憲兵や警察などがその任にあたった。具体的手段として、不法無線の監視や電話の盗聴、物件の窃取・強奪、談話の盗聴、郵便物の秘密開緘などがあった。

消極的防諜は「個人、もしくは団体が自己に関する秘密の漏洩を防止する行為、もしくは措置」のことで、軍隊、官衙（役所、官庁）、学校、軍需工場などが自ら実施するものであった。主な施策としては、①防諜観念の普及、②秘の事項、または物件を暴露しようとする各種行為、もしくは措置に対する行政的指導、または法律による禁止、もしくは制限、③ラジオ、刊行物、輸出物件および通信の検閲、④建物、建築物などに関する秘密保全措置、⑤秘密保持のための法令および規程の立案とその施行であった。

⇒カウンター・インテリジェンス

防諜法 (Espionage Act：アメリカ)

　軍事や国防の秘密を保護するために、スパイ行為に刑事罰を科すことを目的とする法律。アメリカの第1次世界大戦参戦から2カ月後の1917年6月に成立。スパイ防止法、諜報活動取締法とも呼ばれる。

　1911年の防衛秘密保護法が基礎。17年以降、数次にわたり、条項の修正と追加がなされた。本来公然たるスパイ行為の防止とその処罰を目的とするものであり、そのために戦時と平時の区別、合衆国に対する加害の意図・認識、故意・過失、伝達・通報の相手方などにつき細かな要件を設定することによって、刑罰の発動に一定の縛りをかけている。一方で、防諜法の保護対象である「国防に関する情報」の意味内容が条文上ではあいまいという問題点もある。

⇒防衛秘密保護法

謀略 (旧日本軍)

　間接あるいは直接に敵の戦争指導および作戦行動の遂行を妨害する目的を持って、公然の戦闘員でない者、戦闘団隊に所属しない者を使用して行う破壊行為、もしくは政治、思想、経済などに対する陰謀ならびにこれらの指導、教唆に関する行為。謀略のための準備、計画および勤務を謀略勤務という。

　『諜報宣伝勤務指針』には、宣伝と謀略は特に密接な関係にあるので、両者は同一の目的に対して、相互に連携して実施することが必要であること、相互に補完して、その効果を増大する必要があること、よってこれらの計画および実施は最も緊密な連携の下に遂行し、その進展を円滑にしなければならないことなどが記されている。

⇒諜報宣伝勤務指針、宣伝

ホーエンローエ, フォン・シュテファニー (Hohenlohe,Von.Stepahnie 1891〜1972)

　ドイツの女性スパイ。ユダヤ系ハンガリー人。ヒトラーから「親愛なるプリンセス」と呼ばれた。1925年以後、イギリスの新聞業界の大

物ロザミア卿の代理人を務め、ヒトラーとイギリスとの連絡業務に従事。36年頃からヒトラー副官のヴィーデマンと恋仲になり、これがリッベントロップ外相の嫉妬を生み、彼の策略により、ヒトラーから疎外される。39年9月、英独戦争が始まるとアメリカに移住。アメリカでもドイツのスパイとしてFBIの監視を受けた。

　アメリカが第2次世界大戦に参戦すると同時に敵性外国人として強制収容所に4年間拘束される。戦後はスイスに移住し、ドイツ新聞業界で女性記者として働く。1972年スイスの病院で死去。

北斗衛星導航系統（BeiDou Navigation Satellite System）

　中華人民共和国が独自に開発、展開している衛星測位システム（GNSS）。1991年の湾岸戦争以後、中国はアメリカのGPSに依存しない独自システムの構築を目指し（一説では96年の台湾海峡危機で中国が発射した弾道ミサイル3発のうち2発がGPS追尾が不能となり、これをアメリカの意図的な信号遮断によるものとしたことが北斗開発の強い動機になったという）、2000年から試験衛星を打ち上げ、装備を逐次、北斗対応へ切り替えたとされ、12年12月27日にアジア太平洋地域での運用を開始した。18年12月27日、全世界向けのサービス開始を発表、20年6月、最後の55基目の北斗用人工衛星を打ち上げて、北斗衛星測位システムを完成させた。GPSと異なり、信号の送信だけでなく地球上にある対応機器との送受信が可能で、その位置情報を追跡可能である。

ホスピタル

KGBの隠語で監獄。

⇒KGB

ボットネット（botnet）

　サイバー攻撃に利用する目的で、第三者に乗っ取られたコンピュータ同士が接続することで形成されるネットワーク。ボットとは人間の代わりに自動で作業するプログラムを意味し、ロボットから派生した

言葉。DDoS攻撃やスパムメールの送信といったサイバー攻撃の作業を効率化、大規模化するためにボットネットが利用されるほか、司令塔となるコンピュータの存在を秘匿する目的もある。

⇒DDoS攻撃、スパムメール、踏み台

ボディガード作戦（Operation Bodyguard）

　第2次世界大戦で連合国がヨーロッパ侵攻前に採用した欺瞞作戦全体を指すコードネーム。この作戦は、1944年6月6日（D-Day）のノルマンディ上陸作戦の時間と場所などに関してドイツ軍の司令部を誤認させることを目的とした。

　複雑な欺瞞作戦は、20委員会によって立案された。同委員会は、イギリスで活動していたドイツのエージェントを転向させて二重スパイとし、侵攻に関する250以上の偽のメッセージをドイツに伝えさせた。特に上陸地点を欺瞞する作戦はフォーティテュード作戦（Operation Fortitude）と呼ばれた。作戦は北部（フォーティテュード・ノース）と南部作戦（フォーティテュード・サウス）に分けられていた。

　フォーティテュード・ノースは、ノルウェー駐留のドイツ軍団を現地に釘付けにするため、スコットランドを拠点とするイギリス陸軍の架空の第4軍がノルウェー侵攻作戦を準備中のように見せかける作戦。一方、フォーティテュード・サウスは、ノルマンディ上陸作戦を直接欺瞞するもので、連合軍のノルマンディ上陸は、単なる陽動作戦に過ぎず、本格的な侵攻はパ・ド・カレー正面で展開されると思わせるものだった。つまり、ドイツの第15軍をパ・ド・カレー正面に拘束して、同軍団を約350km南のノルマンディ正面に兵力転用させないための作戦であった。架空の11個師団からなるアメリカ陸軍第1軍集団（FUSAG：First United States Army Group）が対岸に駐留しているように欺瞞した。フューサグ軍集団はドイツ側が最も恐れるアメリカ軍のジョージ・パットン将軍が指揮しているように見せかけ、駐留地域には実物大の模型の飛行機、ゴム製のシャーマン戦車や偽の司令部などが配置された。この欺瞞作戦により、Dデイから2週間経過しても、少なくともドイツ軍の19個師団がカレーにとどまっていた。

ボディガードというコードネームは、ウィンストン・チャーチル首相の言葉「戦時において真実は貴重極まりないものであり、嘘というボディガードに常に守られていなければならない」に由来しているとされる。

⇒20委員会、二重スパイ

ポポフ，デュスコ（Ppov, Dusco 1912～1981）

ドイツのインテリジェンス機関アプヴェーアに所属しながら、イギリスのために働いた二重スパイ。ユーゴスラビア出身の貿易商。プレイボーイで、007のモデルの1人とされる。ゲシュタポにより投獄され、大のナチス嫌いになったことが、二重スパイになった動機とされる。

1940年12月、アプヴェーアの命令でイギリスに入国。20委員会からコードネーム「三輪車（トライシクル）」を与えられ、ドイツ側に偽情報を流した。41年6月、アプヴェーアはポポフにアメリカでの諜報網の構築を命じ、同盟関係のあった日本側の求めに応じて、真珠湾に関する詳細情報を収集するよう指令書を渡した。ポポフは、この指令書をFBIに見せたが、フーヴァー長官は、ポポフはドイツのスパイであり、イギリス側が騙されているとしてポポフの受け入れを拒絶した。この指令書をフーヴァー長官が無視しなければ、アメリカは真珠湾が第一の攻撃目標なることは十分に予見できたであろうとの見解があるが、反論意見もある。

⇒二重スパイ、アプヴェーア、007、20委員会、FBI

ホームグロウン・テロリスト（homegrown terrorists）

国外の過激主義に感化され居住国でテロを行う自国育ちのテロリスト。

堀栄三（ほり・えいぞう 1913～95）

陸軍軍人。陸士46期、陸大56期。1943年、大本営陸軍参謀となり第2部（情報部）のドイツ課、ソ連課、米英課に勤務。その間、在フィリピン第14方面軍（山下奉文司令官）の情報主任参謀も務める。米英課（第6課、当時の課長は杉田一次大佐）勤務時代、情報分析によっ

て米軍の侵攻パターンを的確に予測したため、「マッカーサーの参謀」の異名をとった。戦後、米軍の活動をなぜ的確に予想できたのか、米軍の情報が漏れていたのではないかとの疑念から49年、郷里で暮らしていた堀はGHQに呼び出され取り調べを受けた。その後、54年に自衛隊に入隊。陸上幕僚監部第2部で国外班長、ドイツ防衛駐在官、統合幕僚会議事務局第2幕僚室（情報室）室長など、終始情報畑で勤務した。その「情報職人」としての個人的体験記『大本営参謀の情報戦記—情報なき国家の悲劇』を発表。
⇒杉田一次

ポリグラフ検査（polygraph test）

　一連の質問に対する脈拍や呼吸などの身体反応をモニターする機械（ポリグラフ）を用いた検査。アメリカでは犯罪捜査やインテリジェンス機関において容疑者の尋問などに使用されることが多い。しかし、ポリグラフ検査も完全ではなく、CIA職員で退官後も中国に情報提供しようとしていたラリー・ウタイ・チンやCIAに勤務し1985年から9年間ソ連およびロシアのためにスパイ活動を行ったオルドリッチ・エイムズなどは、対米スパイ活動に関わっていた時期にポリグラフ検査を通過している。ポリグラフで検査されることをアメリカでは俗語で「箱に乗せられる（being put on the box）」ともいう。
⇒チン,ラリー・ウタイ、エイムズ,オルドリッチ

ポリシー・メーカー（policy maker）

　政策決定者。政策立案者。多くの場合、戦略インテリジェンスの情報要求者であり、顧客、ユーザーでもある。

ホール，ヴァージニア（Hall, Virginia 1906～82）

　第2次世界大戦中、イギリスの特殊作戦執行部（SOE）の下で、特殊作戦任務に従事した女性スパイ。同大戦で最も多くの勲章を授与されたアメリカ人女性。メリーランド州生まれ。大学卒業後に国務省に入省し、外交官になる道を歩んでいたが、事故で義足になったことか

ら、外交官を断念し、国務省を辞職。大戦開始時、ニューヨーク・ポスト紙の特派員としてパリに居住。アメリカの参戦に先だって、志願してSOEに入所。41年8月からヴィシー政権下のフランスで、同紙特派員のカバーで地下活動に従事。44年のノルマンディ上陸作戦に備えて、アメリカの戦略諜報局（OSS）でスパイ網の構築に協力するなど、多くの成果を上げる。戦後はOSSやCIAの特別活動課に所属。

⇒SOE、カバー、OSS、CIA

ホールデン協定（Holden Agreement）

1942年10月2日にイギリス政府暗号学校（GC&CS）とアメリカ海軍通信情報部（OP-20-G）との間で結ばれた通信傍受の共有を定めた協定。GC&CSがドイツ海軍の暗号に関する情報を担当し、OP-20-Gが日本海軍の暗号解読を担当して相互に情報提供することを定めた。

⇒GC&CS、ウルトラ、マジック、パープル、BRUSA協定

ボールへの集中

情報収集において、緊急で新たな収集対象が発生した場合、すべてのリソース（資源、資力）を新たな対象に集中してしまう状況を子供のサッカーに喩えて「ボールへの集中」という。

ボルマン，マルティン（Bormann, Martin 1900〜1945）

ドイツの政治家。ヒトラーの側近。個人秘書。最終階級は親衛隊大将。ナチス副総統のルドルフ・ヘスの失脚後、官房長となり、党のナンバー2となった。ヒトラーの政治的遺書によって党担当大臣として指名されたが、ベルリン陥落の混乱の中で消息を絶った。戦後長い間、行方不明とされたが、総統官邸地下壕脱出の際に服毒自殺していたことが近年確認された。

ポレツキー，エリザベート（Poretski, Elisabeth 1898〜1976）

1920〜30年代に活動したソ連の大物スパイ・イグナス・ライスの妻。別名はエルザ・ライス、エルザ・ベルノー。ポーランド生まれ。

1921年、モスクワで医学を専攻中にライスと知り合い結婚。37年7月スターリンの命により夫が暗殺され、41年にアメリカに移住。第2次世界大戦後、パリに戻る。69年、夫ライスの生涯とソ連共産党の活動実態を描いた著作『絶滅された世代—あるソヴィエト・スパイの生と死』を発表。

⇒ライス,イグナス

ホワイト，ハリー・デクスター（Harry, Dexter. White 1892〜1948）

　アメリカの経済学者。ユダヤ系アメリカ人。スタンフォード大学で経済学博士を取得。ロークリン・カーリーとは生涯の友人関係。1934年から財務省に勤務。42年に財務省次官補。戦後は国際通貨基金創設の中心人物。日本に対する最後通牒となった「ハル・ノート」の原案となった対日交渉案を作成するなど、アメリカの対日政策に大きな影響を及ぼした。48年8月16日、下院非米活動委員会でソ連のスパイだった容疑を否定した直後に急死。

⇒カーリー,ロークリン、非米活動委員会

ホワイト・プロパガンダ（white propaganda）

　白色宣伝。正しく確認できる情報源により、事実で構成された宣伝。偽装せずに国家が計画的に行う。

⇒ブラック・プロパガンダ、グレー・プロパガンダ

香港国家安全維持法（中国）

　正式名称は中華人民共和国香港特別行政区国家安全維持法。略称は国安法。国家安全法の香港への適用であり、香港特別行政区における国家安全維持に関する中国の法律。中国は2019年6月以降、香港において「逃亡犯罪人条例」改正に反対する抗議行動が大規模・長期化したことから、香港管理のための法制度を強化することに着手し、20年6月、香港国家安全維持法を制定、施行した。同法は、「国家分裂、政権転覆、テロ、外国との結託等により国家安全に危害を及ぼす行為・活動」などを処罰対象としており、最高刑は死

刑。同法に基づき、中国政府の出先の治安機関として新たに国家安全維持公署が新設された。
⇒国家安全維持公署、国家安全法

【マ】

マイクロターゲティング（microtargetting）

　選挙運動やマーケティングなどで、対象とする個人に関する情報を詳細に分析し、嗜好や行動パターンを把握することによって、より効果的な戦略を構築する手法（デジタル大辞泉）。SNS、ビッグデータ、AI（人工知能）の発達が、ビジネス上での多様化する顧客のニーズや変化を効果的に捉えることを可能にしている。

　マーケティングでは「誰に、どんな価値を、どのように提供するか」を定めることが重要であり、この戦略を立てる手順が「STP」である。これはS（セグメンテーション）、T（ターゲティング）、P（ポジショニング）の3つからなる。つまり、①不特定多数の人々を同じニーズや性質を持つ小さな顧客グループに分ける（セグメンテーション）。②細分化したグループの中から、どの顧客に狙いを定めるかに決定する（ターゲッティング）。③顧客に対して、競合他社と比較して自社が魅力ある優位な立ち位置を占めるにはどうするかを決定する。情報分析と戦略立案との関係からいえば、情報分析がセグメンテーションに相当する。

　ICTの発達で、セグメントメンテーションやターゲティングが進化し、マーケティングのターゲティングはマイクロターゲティングと呼称されるようになった。SNS上の情報から、ユーザーの政治思想、支持政党などが分析できるようになり、選挙などの政治分野でも活用されるようになってきた。しかし、有権者1人ひとりをプロファイリングし、ある種のマインド・コントロールにも似た手法で

マ

あることから、政治的にコントロールすることは警戒視されている。マイクロターゲティングの選挙活用は2000年代から行われていたが、特に16年の米大統領選挙で注目された。この選挙ではイギリスの「ケンブリッジ・アナリティカ」という会社がマイクロターゲティングを活用して、トランプ政権の誕生を企図したとされる。
⇒ビッグデータ、人工知能、ICT、ケンブリッジ・アナリティカ、セグメンテーション

マイクロドット（Microdot）

秘密情報を伝達するため、重要書類を写真撮影してそれを小さな点（ドット）レベルに縮小して文書の中に潜ませる方法。ドイツ人の発明とされるが、普仏戦争（1870～71年）でフランス人も使っていたとされる。第2次世界大戦でもドイツ、イギリス、ソ連などで用いられた。

マイス（MICE）

エージェントの候補者になりやすい動機や要因を表わす略語。Money（金）、Ideology（イデオロギー）、Compromise（名声や信用を失墜させること、スキャンダルの対象になる事実）、Ego（自尊心）の頭文字。

マインドセット（mindset）

経験、教育、先入観などから形成される思考様式、心理状態のこと。暗黙の了解事項、思い込み（パラダイム）、価値観、信念などがこれに含まれる。

マインド・マップ（mind map）

イギリス人教育者のトニー・ブザン（1942～2019）によって考案された発想法、思考整理法の一種。ブザンは「マインド・マップとは『心の地図』の意味で、『脳の地図を描く』ことである」と説明している。人間の脳は捉えた刺激を常に全方位的に放射状にネットワーク化していくことが知られており、この脳の働きを自然に近い形で表現する方法。マインド・マップは、講義や会議のノート取り、企画、計画、スケジュール作成など幅広く活用できるが、情報分析

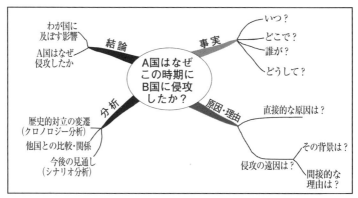

図51 プロダクト作成に活用できるマインド・マップ

やプロダクトの作成にも役立てることができる。図51は「A国はな
ぜこの時期にB国に侵攻したか？」についてのプロダクト作成のた
めのマインド・マップの一例。主な手順は次のとおり。
①テーマを最も印象的な形（簡潔な言葉、イメージなど）で中央に書く。
②中央から放射状に太い枝を伸ばし、関連情報を絵、文字で記入。
③この太い枝からさらに何本もの細い枝を伸ばし、この枝にも関連し
た情報を書き込む。

マクリーン，ドナルド（Maclean, Donald 1913～1983）

　ケンブリッジ・ファイブの1人。ソ連のために働いたイギリス人ス
パイ。ケンブリッジ大学で共産主義に傾倒し、スパイの勧誘を受け
る。その後、ソ連NKVDに採用され、その指示で1935年10月にイギリ
ス外務省に入省。ボルドウィン首相が出席した36年12月の帝国国防委
員会の議事録の全文を入手し、NKVDに送った。また暗号解読に関す
る情報、政府暗号学校（GC&CS）がコミンテルンやアメリカ、フラ
ンス、ドイツの外交通信を解読していることをNKVDに通報。在米大
使館一等書記官の時代には、原爆製造の秘密情報を入手してソ連に送
った。48年、スパイ容疑が浮上し、ワシントンからカイロに異動。こ
こで精神的ストレスから飲酒に溺れ、ロンドンに復帰。51年、外務省

マ

のアメリカ課長に就任していた時、アメリカの暗号解読によってスパイ容疑が再浮上し、同年5月、ガイ・バージェンスと共にソ連に亡命。同地で死亡したが、遺灰はバージェス同様にイギリスに戻された。

⇒ケンブリッジ・ファイブ、NKVD、GC&CS、バージェンス,ガイ

マクロウイルス（macro virus）

マクロ機能を使用しているソフトウェアに組み込まれているコンピュータウイルス。マクロ機能とはソフトウェアの操作のうち、本来複数の手順が必要なものを簡略化・自動化した手順にまとめることを意味する。マクロ機能は文書ファイルや業務ソフトでは広く使われている機能であるが、マクロウイルスが組み込まれているファイルを開くとウイルスが自動的に起動する仕組みとなっている。

マジック（Magic）

アメリカ陸海軍が日本の外交暗号（パープル）解読によって得られたインテリジェンスの呼称。マジックは機密性が高いことから厳重に管理され、アメリカ大統領以下、限られた政府高官しか閲覧が許可されなかった。

⇒パープル

マシント（MASINT：Measurement and Signatures intelligence）

計測・痕跡情報。シギント、イミント以外のテキント。レーダー、音響・地震、核爆発、電磁波、レーザー、化学物質、生物、廃棄物、破片などを科学的変化を分析して得られるインテリジェンス。目的物の位置を特定したり物質の特徴を捉えることができる。比較的最近になって実用化された情報収集手段。たとえば2006年10月16日のアメリカ国家情報長官（DNI）の声明によれば、同年10月9日の北朝鮮の核実験を確認したのは、米空軍機が北朝鮮周辺の大気中でサンプリング活動の結果、キセノンガスを検知したことによる。このキセノンガスの採取などがマシントによるものである。

⇒シギント、イミント、テキント、DNI

マタ・ハリ（Mata Hari 1876〜1917）

世界的、歴史的に有名な女性スパイ。本名マルグリット・ゲルトルート・セレ。オランダ生まれ。18歳の時にオランダ植民地軍将校と結婚し、バリ島に移住。その後、1905年にプロのダンサー「マタ・ハリ」となって、パリなどのサロンや劇場の舞台に立つ。ほぼ全裸で踊るエキゾチックな東洋風の魅力で上流階級の間で評判となる。

第1次世界大戦中、フランス軍に所属するロシア人将校マスロフ大尉と恋仲になり、彼の面会許可を得るため、ドイツに対するスパイ活動を行うことを約束。オランダなど各国を経てスペインに渡り、そこでドイツのための二重スパイとなる。その後、スパイとしての価値なしと判断したドイツは、わざと解読されている暗号を使って彼女の動向を打電。その結果、フランスに戻るとすぐに逮捕され、形式的な裁判を経て1917年10月に処刑された。マタ・ハリのスパイとしての活動はレベルが低く、自由奔放に生き、恋愛とスパイを楽しんだだけだったとの評価もある。

⇒二重スパイ

マッシング，ヘード（Massing, Hede 1900〜1981）

オーストリア生まれ。ソ連のスパイ。のちにFBIに協力。1921年、ゲルハルト・アイスラーと結婚。アイスラーとの生活の中で反ファシズムと共産主義思想に共鳴する。23年、離婚。28年1月、ポール・マッシングと結婚。29年、ゾルゲを通じてイグナス・ライスと出会い、ライスの下でスパイ活動を開始。33年から夫ポールと共にアメリカに移住し、そこでソ連のためのスパイ活動に従事し、ノエル・フィールド、アルジャー・ヒスと接触。ライスの暗殺により身の危険を感じ、46年にFBIに自首。49年11月、ヒスの裁判に重要証人として召喚され、ヒスがソ連のスパイであることを証言する。

⇒FBI、アイスラー,ゲルハルト、ゾルゲ,リヒャルト、イグナス,ライス、フィールド,ノエル、ヒス,アルジャー

マトリックス分析（Matrix Analysis）

　マトリックスは、分析や比較する際に行列（いわゆる表）にデータを入れて相互関連などを読み取る有益なツール。データや選択肢が膨大かつ複雑で、可視化しなければ一度にその概念が捉えられない場合に極めて有効である。多くの分析でマトリックスが活用されており、それらを総称してマトリックス分析ということもでき、4つの仮説（4象限マトリックス、2軸分析）、ACH（競合仮説分析）、SWOT分析、クロスインパクト・マトリックス分析などがある。ビジネス界ではボストン・コンサルティング・グループ（BCG）が1970年代に経営資源を最適に配分すること（ポートフォリオ）を目的として作り上げた「BCGマトリックス」がよく知られている。
⇒クロスインパクト・マトリックス、4つの仮説、SWOT分析

マルウェア（malware）

　不正かつ有害に動作させる意図で作成された悪意のあるソフトウェアや悪質なコードの総称。malicious（マリシャス：悪意のある）とsoftware（ソフトウェア）を組み合わせた造語。マルウェアには、ウイルス（コンピュータウイルス）やワーム、トロイの木馬、スパイウェアなどがあり、これらがユーザーのデバイス（電子機器、端末）に不利益をもたらす。
⇒トロイの木馬

マルチドメイン作戦（MDO：Multi-Domain Operations）

　陸上、海上、航空の領域（ドメイン）に加え、宇宙、サイバー、電磁波といった新たな領域を含めた多領域作戦をいう。類語としてクロスドメイン作戦、オールドメイン作戦も使用されており、これは若干のニュアンスの違いはあるがほぼ同意義。マルチドメイン作戦が有事の戦いの主流になると共に情報の価値が増大している。

マングース作戦（Operation Mongoose）

　1961年4月のピッグス湾侵攻作戦失敗後に立案されたキューバの指

導者フィデル・カストロの排除を主目的とした秘密作戦。1961年11月にケネディ大統領が承認。

⇒ピッグス湾事件

満鉄調査部（日本）

　戦前に南満洲鉄道株式会社（満鉄）に設立された調査部の略称。満鉄内の当該部局の名称は時期によって「調査部」「調査課」「調査局」などと異なる。民間機関でありながら、国策に深く関与して調査活動を展開した数少ない調査機関の１つであり、しばしば当時の日本が生み出した最高のシンクタンクであると形容される。

　満鉄調査部は、発足当初は初代総裁・後藤新平らの力により優秀な人材を集め、積極的調査活動を展開したが、当初の国際状況の厳しさが過ぎ去ると同時に縮小された。ところがソ連の誕生と共に、その体制を調査する必要性から、満鉄調査部は再び脚光を浴びた。1920年代から30年代初めにかけて調査部は多くのソ連調査書を発表した。31年の満洲事変から満洲国誕生の中で、同調査部は、経済調査会を設立して、満洲国の経済国策の立案にあたった。さらに37年の日中戦争から太平洋戦争を通じ、調査部はその規模を拡大して総合調査を立案し実施した。しかし、42年から急速に強化された戦時統制下で、国策に深く関与していた調査部は、国策当事者たちとの摩擦と軋轢を深め、42～43年には多くの部員が検挙された（満鉄事件）。その後は大規模な調査活動を展開することなく、45年の敗戦と共に終焉を迎えた。

【ミ】

ミステリー（mystery）

　存在自体が不確かなもの。

⇒シークレットとミステリー

水飲み場型攻撃（watering hole attack）

　正規のウェブサイトを改竄することで、そのサイトを利用するユーザーにマルウェアを感染させるサイバー攻撃の手法。偽ウェブサイトへ誘導するフィッシングと異なり、正規のウェブサイトを利用するため一般のユーザーでは攻撃に気づきにくい。また特定のユーザーが使用するウェブサイトを改竄することで標的型攻撃として用いられることもある。

⇒マルウェア、フィッシング、標的型サイバー攻撃

ミッドウェー海戦における暗号解読

　ミッドウェー海戦は、1942年6月5日から7日にかけてミッドウェー島をめぐって行われた日米の戦いであるが、日本海軍の暗号が事前に解読されており、ミッドウェー島の攻略を企てた日本海軍をアメリカ海軍が迎え撃つかたちで発生した。日本の機動部隊とアメリカの機動部隊およびミッドウェー島基地航空部隊との航空戦の結果、日本海軍は機動部隊の航空母艦6隻のうち4隻とその艦載機を多数一挙に喪失する大損害を被り、その後の戦争における主導権を失った。一方アメリカ側はこれを機に本格的な反攻を開始した。

　アメリカは開戦前から外務省の暗号（アメリカ側呼称「パープル」）の解読に成功し、日本海軍の業務用暗号（海軍D暗号）をほぼ解読していた。アメリカ軍は、ミッドウェー海戦前に通信量が増大したことに「何かある」と警戒していた。日々交信される暗号文の中に「AF」という符合が頻出することに注目し、ミッドウェー島守備隊からハワイに向け、飲料用の蒸留水が不足しているとの偽情報を平文で発信させた。これを傍受した日本の潜水艦がすぐに暗号電文を発信。この暗号電文をアメリカ軍が解読したところ「AFでは飲料水が不足」と判明。AFがミッドウェーであることが確認された。

⇒パープル、マジック

見積り情報（estimative intelligence）

　将来の動向（起こるかもしれないこと）に関するインテリジェンス。特に敵の能力および活動が、我の軍事作戦の計画や実行に対する影響を予測するインテリジェンスのこと。

ミトロヒン文書（Mitrokhin Archive）

　1992年4月、イギリスに亡命した元KGBの幹部のワシリー・ミトロヒンがロシアから持ち出した膨大な量の機密文書。ケンブリッジ大学のインテリジェンス研究家であるクリストファー・アンドリュー教授がミトロヒン文書として発表した。

⇒KGB

ミナレット（Minaret：アメリカ）

　1969年7月1日に策定された通信傍受の計画名。この名称自体が機密にされていた。ベトナム反戦運動への関与が疑われるアメリカ在住の外国人および自国民による外国との通信を傍受するために立案された。計画では「大衆暴動、反戦運動およびデモ、反戦運動に参加中の脱走兵に関係する個人または組織の通信」を傍受するとされている。

ミュージシャン（musician）

　無線送信士。「赤いオーケストラ」などと共に用いられたソ連のスパイ用語。西側のトランスミッターと同義。

⇒赤いオーケストラ、トランスミッター

ミュラー，ハインリヒ（Muller, Heinrich 1900～？）

　ドイツ軍人、最終階級は親衛隊中将。ゲシュタポ局長。ナチスの指導者としては、逮捕されず死亡も確認されていない唯一の人物。ラインハルト・ハイドリヒに勧誘され、1934年に親衛隊（SS）に入隊。ヴィルヘルム・カナリスの機関と競合し、コミュニストのスパイ組織「赤いオーケストラ」にスパイを潜入させ、偽情報をソ連に流した。

　第2次世界大戦中は、アイヒマンなどを使って、ホロコーストの計

ミ

画と遂行に主導的役割を果たした。1945年、ドイツ敗戦と共に行方不明となる。60年にイスラエルによって逮捕されたアイヒマンが裁判において、ミュラーの南米逃亡を証言した。

⇒ハイドリヒ,ラインハルト、カナリス,ヴィルヘルム、赤いオーケストラ

ミラー・イメージング（mirror imaging）

鏡像効果。自分の考えを鏡に反射するように投影させ、相手も自分と同じような考えをするであろうと思い込むこと。1962年のキューバ危機においては、当初ケネディもフルシチョフも互いに相手も同じように考えているだろうと思い込み、相手の反応を読み誤ったとされている（ドン・マントン、デイヴィッド・A・ウェルチ『キューバ危機―ミラー・イメージングの罠』）。

ミールケ，エーリヒ（Mielke, Erich 1907～2000）

東ドイツの国家保安省（MfS）長官（1957～89年）。最終階級は上級大将。ベルリン生まれ。1925年に共産党に入党。30年代にナチスドイツから逃れた。50年にMfSが創設されると次官に就任し、57年に長官就任。ベルリンの壁が崩壊する89年まで長官に就任して、MfSの組織発展に多大な貢献を果たした。

⇒MfS

ミンギス，サー・スチュアート（Menzies, Sir.Stewart 1890～1968）

イギリス秘密情報部（MI6）の長官（1939～52年）。第1次世界大戦時はイギリス軍の軍事将校としてフランスで戦った。大佐時代にMI6長官のサー・ヒュー・シンクレア海軍大将の副官となり、シンクレアの死去後、同長官に就任。暗号解読業務の推進に熱心で、ドイツのエニグマ暗号解読に貢献した。

⇒MI6、シンクレア,サー・ヒュー、エニグマ

ミンスミート作戦（Operation Mincemeat）

第2次世界大戦中の1943年にイギリスがドイツに仕掛けた欺瞞工作

の1つ。イギリス軍は連合軍の真の上陸目標であるシチリア島からドイツ軍の関心を逸らすため、身元不明の死体をイギリス軍将校に偽装し、彼が作戦計画の重要な機密書類を携行して運ぶ途中に航空機事故に遭ったように見せかけた。その書類には連合軍の上陸目標がバルカン半島であることが示されていた。ドイツ軍はこの偽の作戦計画により、連合軍の上陸目標を錯誤し、シチリア島の防衛配備を怠った。

⇒五間

【ム】

村井順（むらい・じゅん 1909〜1988）

　日本の内務・警察官僚で初代の内閣官房調査室（内調）の室長。1935年、東京帝国大学を卒業後、内務省に入省。戦前は中国大陸での特高警察活動などに従事。戦後、第1次吉田内閣で内閣総理大臣秘書官、内務省警保局公安一課長、国家地方警察本部の初代警備課長などを歴任。キャノン機関の司令官であったジャック・Y・キャノン少佐の推薦もあり、52年4月、初代の内調室長に就任。内調の人事をめぐる外務省との対立（ボン事件）に巻き込まれ辞職。その後、九州管区警察局長を最後に警察庁を退官。64年の東京オリンピック組織委員会事務局次長となり、65年に日本初の民間警備会社である綜合警備保障株式会社を設立した。

⇒内閣官房内閣情報調査室、キャノン機関

ムーンライトメイズ（Moonlight Maze）

　1998年3月にアメリカ国防総省やNASAに対して行われたサイバー攻撃の通称。軍事技術、部隊構成、軍で使用する地図などの安全保障に関する情報が窃取され、アメリカ政府はロシア政府に関係するハッカーによる攻撃とみなした。ソーラーサンライズ事件と並んで、軍事用ネットワークや安全保障関連の知的財産に関する脆弱性に対する危機感が高まった事件である。

⇒ソーラーサンライズ

ム

【メ】

メイ，アラン・ナン（May, Allan. Nunn 1911〜2003）

　イギリスの物理学者。イギリス生まれ。ソ連のスパイ。青年時代から共産党員。ケンブリッジ大学で物理学専攻して博士号を取得後、研究者になる。1943年初め、通称「テューブ・アロイ」計画の原爆研究に参加するためカナダに入国。モントリオール実験所の部長格で勤務。カナダに入国後まもなくソ連大使館軍事部の要員と接触し、原爆情報を提供。メイは「ソ連が原爆を持てば、アメリカは原爆を使用できないようになるだろう」という考えから、アメリカの「マンハッタン」計画についてもソ連側に情報を提供したとされる。45年9月、イーゴリ・グーゼンコが亡命するとすぐにイギリスへ帰国したが、翌46年2月に逮捕される。

⇒グーゼンコ,イーゴリ

メルカデル，ラモン（Mercader, Ramon 1914〜1978）

　トロツキーを暗殺したスパイ。バルセロナ生まれ。スペイン共産党員。母親がソ連NKVDの大物スパイのナウム・エイチンゴンの愛人であったことからトロツキーの暗殺計画に参加。エイチンゴンから資金援助を受けて、1939年9月、ニューヨークに渡り、トロツキストのシルヴィア・アゲーロフに接近。彼女の姉はかつてトロツキーの秘書で、同年10月、アゲーロフと共にメキシコに入国。トロツキーの秘書となったアゲーロフを通じてトロツキーに接近し、40年8月、暗殺に成功。60年5月、釈放され、ソ連に帰国。ソ連邦英雄の称号とレーニン勲章を授与される。ソ連共産党への入党は許されず、70年代、カストロの招待によりキューバに移住し、同地で死去。

⇒NKVD、エイチゴン,ナウム

【モ】

網電一体戦（中国）

　一体化ネットワーク電子戦（邦訳）。中国はサイバー戦（ネットワーク戦）と電子戦は密接不可分な関係にあるとして、それらを融合したものを「網電一体戦」と呼称し、これが情報化戦場の主流になると予測している。

モグラ（mole）

　相手側の組織の中枢に潜入し、然るべき地位に就き活動するスパイ。浸透工作員。一般には組織階級、役職の下部から浸透し、長期間をかけて組織の高位、要職に昇進する。東ドイツHVAのギュンター・ギヨームは約20年間かけて、西ドイツのブラント首相の補佐官になった。この「モグラ（mole）」という言葉はスパイ小説家のジョン・ル・カレが流行させたとされる。
⇒HVA、ギヨーム,ギュンター、ジョン・ル・カレ

問題を明確化する手法

　問いの理解、課題の理解ともいう。カスタマーの情報要求に適切に応えるため、以下の手順で「問い」を明確にする。①問いを言い換える、②問いの理由と答えを突き詰めて考える、③問いの焦点を拡大する、④問いの焦点を絞る、⑤問いの焦点を変える、⑥問いを180度回転させる。
　たとえば「○○国の海洋進出の状況について知りたい」という情報要求があった場合は次のように考察する。
①言い換え：○○国はいつからどのように海洋進出を進めているか？
②問いの深掘り：なぜ○○国は海洋進出を進めているか？→当該地域で海洋資源を獲得したいから→なぜ海洋資源を獲得したいか？→資源を獲得して覇権を握りたいから。
③問いの拡大：○○国はどこまで海洋進出をしようとしているか？

④焦点を絞る：○○国の△△海域における海洋進出の状況は？

⑤焦点を変える：○○国の周辺島嶼における海上基地建設の状況は？

⑥180度回転：○○国の周辺国は海洋進出をしているか？

　このような手順を経ることでカスタマーの要求に適切に応えられる問いを見いだす。

【ヤ】

野外要務令（旧日本軍）

　日本最初の体系的な陸軍教範。1882（明治15）年に陸軍教範がフランス式からドイツ式に切り替わり、87年のドイツの「野外要務令」を翻訳した『野外要務令草案』が89年に作成され、91年に『野外要務令』が制定された。同要務令はのちに参謀次長として日露戦争の準備を取り仕切る田村怡与造が中心になって作成し、この要務令により日本はロシアに勝利できたとされる。

　『野外要務令』は第1部「陣中要務」と第2部「秋季演習」からなる。陣中要務とは「軍陣での勤務」、すなわち戦場勤務のことである。第1部では、司令部と軍隊間の命令・通報・報告の伝達、捜索勤務、警戒勤務、行軍、宿営、行李、輜重（兵站）、休養、衛生などの実施要領などが記されている。同要務令は日露戦争（1904年）の戦訓を踏まえて1907（明治40）年に改訂され、大正時代に、第1部「陣中要務令」と第2部「秋季演習」に分離した。

　1907年の改定野外要務令では、情況、情状、敵情、事情などの「情」がつく用語が随所に登場するが、「情報」が登場する箇所はわずかであり、「……このごとき情報を蒐集するは主として最前線にある騎兵の任務に属す……」「情況を判決するには直接に敵を探偵観察して得たる情報と他の諸点より得たる認識推測を集めてなれる証迹（証跡）とをもってするを最も確実なるものとする……」などの使用法が確認できる。

⇒陣中要務令、情報（旧日本軍における情報）

役に立つ馬鹿（useful idiot）

　策略家などから見て「尊敬に値しないが、利用できる人間」を指す。行動力があり影響力を持っていて、政治工作などの道具として利用できる相手。自らは良いことをしていると信じて行動し、プロパガンダなどに自分が利用されていることに気づかないような人を指す蔑視的表現。

ヤゴーダ，ゲンリフ（Yagoda, Genrikh 1891〜1938）

　ユダヤ人。初代のNKVD長官。1907年、ボリシェヴィキに入党。革命時、国内戦で赤軍の指揮官として南部、東部戦線で戦う。20年にチェーカー委員、23年に後継機関の合同国家保安部（OGPU）の副長官、34年に長官に就任。同年7月、OGPUがNKVDに統合され、初代のNKVD長官に就任し、スターリンによる大粛清の実行責任者となる。

　1936年、スターリンによりすべての役職から解任される。同年3月、反革命的陰謀に関与していたとしてニコライ・エジョフに非難され、同年4月に逮捕。38年3月15日、ブハーリンなどと共に銃殺される。

⇒NKVD、エジョフ,ニコライ

ヤードレー，ハーバート（Yardley, Herbert 1889〜1958）

　アメリカの暗号官。陸軍情報部第8課（MI8）、通称ブラック・チェンバーの創設者。1912年電信技術者として、国務省に入省。1917年、中尉に任官して陸軍の情報部に移る。第1次世界大戦時、MI8の長を務める。29年ヘンリー・スティムソン国務長官がMI8を廃止したことを恨み、自著『ブラック・チェンバー—米国はいかにして日本の外交暗号を盗んだか』（1931年）を発表した。これにより、彼のグループが日本の外交暗号を解読し、21年から22年のワシントン会議でアメリカが交渉を優位に進めたことが判明した。のちに中国国民党政府が日本の暗号を解読するのを支援し、カナダ政府が暗号部門を創設するのに協力した。

⇒MI8

ヤ

山本舜勝（やまもと・きよかつ、1919～2001）

　陸軍軍人、陸士52期、陸大59期。参謀本部付勤務（支那課）を経て、1945年3月、陸軍中野学校研究部員兼教官に就任し終戦を迎えた。戦後、警察予備隊に入隊。その後、アメリカの特殊戦学校に留学。帰国後、自衛隊調査学校の「対心理情報課程」創設に携わる。67年「楯の会」の指導を通じて三島由紀夫と知り合い、交友を結ぶ。69年7月、自衛隊調査学校副校長に就任、陸将補に昇進。72年、陸上自衛隊を退職。

⇒陸軍中野学校

【ユ】

熊光楷（ゆう・こうかい 1939～）

　中国人民解放軍の情報担当の元副総参謀長。上将。駐ドイツ大使館付武官などで14年間海外勤務。1988年から軍事科学院高級課程を経て、総参謀部第2部長。同時期に国防大学や国際関係学院で教官を務める。国際戦略学会の会長を長く務めたことでも知られる。

⇒総参謀部第2部

熊向暉（ゆう・こうき 1919～2005）

　中国共産党の秘密党員。申健、陳忠経と共に周恩来が「後三傑」として称賛する人物の1人。1936年12月、清華大学在学中に共産党入党。周恩来の指示で、国民党の胡宗南将軍の部隊に13年間スリーパー（休眠スパイ）として潜入し、適時、国民党軍の延安進撃などの情報を党中央に送った。建国後は外交官として勤務し、メキシコ大使などを歴任。ほかに中央調査部副部長、統一戦線部副部長などを務めた。

⇒スリーパー、中央調査部、中国共産党中央統一戦線工作部

誘出（elication）

　情報を入手する側が面談や会話の意図を明らかにすることなく、個人または集団から情報を得ること。

兪強声（ゆ・きょうせい 1940〜？）

　中国国家安全部の元外事局長。別名は兪真三。父親の兪啓威（元国家技術委員会主任）の友人の聶栄臻は江青（毛沢東夫人）の元愛人であった。強声の弟は元共産党中央政治局常務委員の兪正声。強声は父親の死亡後、康生の養子となる。四人組の1人、汪東興の失脚後に自分も失脚することを恐れ、1986年にアメリカに亡命。強声が亡命して、中国人CIA職員であるラリー・ウタイ・チン（金無忌）が中国国家安全部の二重スパイであることを暴露したことから、チンが逮捕された。

⇒国家安全部、康生、チン,ラリー・ウタイ、二重スパイ

ユーザー（user）

　使用者。インテリジェンスの使用者、利用者のこと。

⇒カスタマー、コンシューマー、ポリシー・メーカー

【ヨ】

横川省二（よこかわ・しょうぞう 1865〜1904）

　明治期の新聞記者。日露戦争開戦時の特別諜報員。岩手県盛岡生まれ。自由民権運動に投じ、加波山事件に連座して禁錮刑に処せられる。1890年、東京朝日新聞記者となり、93年、郡司成忠大尉の千島探検に特派記者として同行、占守島探検の様子を報道。日清戦争では海軍従軍記者となり、台湾征討にも従軍。1901年、内田康哉が公使とし

て北京に赴任する時、推薦されて同行。北京の東文学舎に入る。04年2月から、青木宣純率いる特別任務班の行動隊第1班（途中で伊藤班6人と横川班6人に分派）の横川班の長となって、蒙古人に変装して満洲に潜伏し、同年4月東清鉄道の橋梁爆破を試みたが、爆破直前にロシア軍に発見され、沖禎介と共に捕われ、その後ハルビンに送られて銃殺される。処刑される時、所持していた1千ルーブルをロシア赤十字社に寄付し、目隠しを断わり微笑を浮かべながら銃弾を浴びた。ロシア軍将兵も、その潔い最期に感嘆し、ハルビン、その他の新聞も日本人の勇敢沈着な最期の情景を詳しく報道して称讃した。

⇒青木宣純、沖禎介

吉川猛夫（よしかわ・たけお 1912〜1993）

日本海軍軍令部第三部に所属する情報将校。真珠湾攻撃のための諜報活動に従事。1941年3月、外務省職員の「森村正」としてホノルル領事館に着任し、情報収集にあたる。真の身分を知っているのは喜多長雄総領事のみであった。41年10月、貨客船「龍田丸」で連絡に来た軍令部の中島少佐から渡されたメモには97項目の質問があり、吉川の回答は「A情報」と呼ばれ、この情報がなければ、真珠湾攻撃の成功はなかったとされる。

吉川は情報収集のため、真珠湾を見下ろす高台にある日本料亭に通い、眼下のアメリカ艦隊の動向を監視したり、釣り人を装って真珠湾内の水深を測定したりした。真珠湾攻撃の数時間前に「真珠湾には空母はいないが主力艦艇はいる」などの情報を日本に送った。

吉川の活動については、彼の自伝『真珠湾スパイの回想』のほか、ロバート・スティネット著『真珠湾の真実』に詳述されている。『真珠湾の真実』では、吉川の活動はアメリカ側の通信傍受活動によって筒抜けであったとして、彼の情報活動を辛辣に批判している。

ヨーン，オットー（Otto, John 1909〜1997）

ドイツの防諜機関であるBfV（憲法擁護庁）の初代長官。KGBのスパイ。1954年7月20日、ヴォルフガング・ボルゲムート医師と共に西

ベルリンから失踪。当初、ヨーンは誘拐されたものと考えられていたが、7月23日、東ドイツのラジオで東ドイツに亡命したとする表明が放送された（ヨーン事件）。55年12月、西ドイツに帰国。連邦裁判所はヨーンに禁固4年を言い渡したが、1年半後に恩赦で釈放された。その後、同行したボルゲムート医師が眠っていた自分を東ドイツに連れ出したと主張して名誉回復を試みたが、認められなかった。
⇒BfV、KGB

【ラ】

ライス，イグナス（Reiss, Ignace 1899〜1937）

1920〜30年代にかけて第三国で活動したソ連の大物スパイ。ユダヤ系ウクライナ人。本名はイグナス・ポレツキー。偽名は「ルードヴィク」。ウォルター・クリヴィツキーと幼なじみだった。ゾルゲと関係があり、彼を通じてヘード・マッシングを紹介され、彼女をスパイとして教育し運用した。

1917年のロシア革命に感動し、共産主義革命の信奉者となる。第3インターナショナル結成式（19年3月）のポーランド代表として参加。ここでジェルジンスキーに会い、21年からスパイ活動を開始。当初は赤軍参謀本部第四局に所属したが、32年にはNKVDの要員に異動。37年7月17日、ソ連共産党中央委員会宛の訣別の手紙を投函。その後、妻と子供を伴ってスイスのローザンヌに潜伏したが、スターリンの命令により、同年9月4日に暗殺された。
⇒クリヴィツキー,ウォルター、ゾルゲ,リヒャルト、マッシング,ヘード、ジェルジンスキー、NKVD

ラ

ライブ・ドロップ (live drop)

スパイなどが情報交換する際の技術の一種。関係者が接触して情報を伝達する方法。目立たない人間、たとえば商店員、清掃員など、誰が話しかけても不自然でない人物に扮して情報を受け渡す、あるいは犬や猫にマイクロチップやタグを埋め込んで行う場合もある。これに対しデッド・ドロップ（隠し場所）がある。

⇒デッド・ドロップ

羅瑞卿 (ら・ずいけい 1906〜1978)

中国公安部の初代部長。中国人民解放軍大将。1928年に入党し、34年からの長征に参加。その後、国務院副総理、国防部副部長、総参謀長などを歴任。彭徳懐国防部長の失脚後も軍の近代化を支持したため、林彪国防部長と対立。文化大革命中の65年に失脚し、飛び降り自殺を図り瀕死の重傷を負う。文革後に名誉回復するが、間もなく療養中のドイツで死去。

羅青長 (ら・せいちょう 1918〜2014)

中国共産党中央調査部の元部長。長期にわたって、中国の情報工作と台湾工作に従事。1938年7月に中央党校を卒業後に中央社会部（中央調査部の前身）の情報訓練班で教育を受けたのち、中央社会部の秘密幹部として情報工作に従事。毛沢東や周恩来に中央社会部室長として国民党の動態情報の「日日報告」を行うことで頭角を現す。中国建国後は周恩来の総理事務室の副主任、国務院副秘書長として勤務。66年に中央調査部副部長、78年に部長などを歴任。息子は論客で知られる中国人民解放軍軍事科学院世界軍事研究副部長の羅援少将。

⇒中央調査部

ラド，アレクサンダー (Rado, Alexander 1899〜1981)

赤軍参謀本部のスパイ。「赤いオーケストラ」の「ルーシー・スパイ網」を運用。ハンガリー人。ウィーン大学で地理学を専攻。1935年、赤軍参謀本部の局員となり、37年にスイスに派遣される（暗号名

「シシリー」）。ゲオプレス地図製作会社を設立し、これをカバーにして諜報活動に従事。ラドはスイスのソ連スパイ網のリーダーとなり、指揮下にルドルフ・レスラーら約50人の工作員を使い、ドイツに関する情報を収集。42年までにラドがソ連に送信した情報は月平均にして800件にのぼったという。日本で情報収集にあたっていたゾルゲと同様にラドもドイツのソ連侵攻の正確な日時をつかみ、報告していたが、スターリンはこれらの情報を無視した。

⇒赤いオーケストラ、レスラー,ルドルフ、ゾルゲ,リヒャルト

ラドゥー，ジョルジュ （Ladou, Georges 1875～1933)

　1914年からフランス軍情報部第2局を指揮。陸軍大尉。マタ・ハリ、マルト・リシャールを運用するが、リシャールの発言により彼自身がフランスとドイツの二重スパイの疑いがかけられるが、のちに無実が証明される。

⇒マタ・ハリ、リシャール,マルト、二重スパイ

落花流水 （らっかりゅうすい)

　陸軍中野学校創設時、教範を作成する際に参考にしたとされる資料の1つ。明石元二郎の復命書。1905年、参謀総長に提出された。日露戦争の最重要史料、陸軍内で機密とされた。38年にも外務省調査局が対ソ謀略用内部資料としてこれをタイプ印刷したが、終戦時に焼却された。62年7月、元陸軍少将の明石泰二郎（元二郎の甥）が原本の写しを防衛庁戦史室に寄贈。

⇒明石元二郎

ラポール （rapport)

　フランス語で「親密な関係」「信頼関係」の意。特に共感に基づく信頼関係のこと。臨床心理学の用語としては、カウンセリングや社会調査など対面して話をする場面で、信頼関係を構築するため重要とされる。インテリジェンス活動においても人的情報収集活動における収集相手との信頼関係が重要である。

ラ

⇒ヒューミント

ラングレー（Langley）

CIAを指す時に用いられる隠語の1つ。CIA本部の所在している場所（ヴァージニア州マクリーン郊外のラングレー）に由来する。
⇒CIA

ランサムウェア（ransomware）

コンピュータ内のデータやコンピュータの使用そのものを不正に制限した上で何らかの要求をユーザーに突きつけるマルウェア。身代金（ランサム）要求型マルウェア（ウイルス）とも呼ばれる。最近の特徴としては以下が挙げられ、これまで以上に警戒が必要となってきている。①情報をロックして金銭を要求する「ばらまき型」から情報を搾取し、情報を公開すると脅す「2重脅迫型」に手法が変化している。②ダークネット上で、ランサムウェアやサービスを売買するランサムウェア・アズ・ア・サービス（RAAS）というビジネスモデルが確立し、ハッカーや国家的組織が活用している可能性がある。③攻撃目標はこれまで金銭搾取であったが、アメリカのパイプラインなどの重要インフラが攻撃され、多くの市民が被害を受ける事案が発生するなど、金銭搾取だけではなく、直接システムを停止させる攻撃が発生する危険性が高まっている。

ランプライター（Lamplighter）

情報作戦の支援要員を指すイギリスの隠語。スパイ小説作家のジョン・ル・カレの小説で知られるようになった。
⇒ジョン・ル・カレ

【リ】

リエゾン（liaison）

つなぎ役。連絡係。または他国のインテリジェンス機関との間で行

われる情報交換のこと。

リオライト（Rhyolite）衛星

ソ連および中国国内の拠点間短波通信傍受（コミント）および弾道ミサイルの試験時のテレメトリーを傍受（テリント）するアメリカの人工衛星。TRW（Thompson Ramo Wooldridge）社が開発・製造し、1970年に1号機、78年に4号機が発射された。リオライト衛星はインドネシア上空の高度約36,000キロメートルの静止軌道を周回した大型の人工衛星で貨車の半分程度の大きさ、重量は700kg、アンテナは直径20m以上。収集したコミント/テリントのデータはオーストラリア、イギリス、アメリカの地上局に送信され、イギリスのGCHQとアメリカのNSAにより分析された。イギリスのジェフリー・プライムとアメリカのTRW社社員のクリストファー・ボイスとその友人アンドリュー・D・リーが、リオライト計画に関する機密情報をソ連のインテリジェンス機関に売り渡した。1977年、ボイスとリーは逮捕された。その後リオライトはアクアケイド（Aquacade）と改名された。
⇒コミント、テリント、GCHQ、NSA

リーガル（legal）

合法的スパイ。インテリジェンス機関の要員が大使館員などに偽装して、合法的に当該国に駐在している者。
⇒NOC、イリーガル

リーク（leak）

秘密の情報を故意に漏らすこと。
⇒ウィキリークス、スノーデン事件

陸軍中野学校（旧日本軍）

諜報、防諜、謀略、宣伝などの秘密戦に関する教育や訓練を目的とする日本陸軍の教育機関。陸軍中野学校は1938年7月に後方勤務要員養成所として創設され、45年8月の終戦時は疎開先の群馬県富岡町お

および静岡県磐田郡二俣町に所在した。校名は39年4月から45年4月まで東京都中野区に所在したことに由来する。

　陸軍中野学校は1938年1月の創設から終戦による閉鎖・廃校までわずか7年の歴史であったが、卒業生は2,000人以上に及び、国内外で情報勤務という特殊な任務にあたった。

　当時、すべての陸軍管轄の学校は教育総監（陸軍大臣、参謀総長と並ぶ三長官の1人）が所掌していたが、中野学校は陸軍大学校などと共に最後まで教育総監部に所属しなかった。

　一般軍隊においては「百事、戦闘をもって基準とすべし」と定められているが、中野学校においては「百事、秘密戦を以て基準とすべし」の鉄則に基づき、秘密戦を基準として学校全体が動いていた。いわば組織的な正規武力戦を除き、それ以外のあらゆる戦闘行為を教育する学校という言い方もできる。

　秘密戦要員を養成する学校が世に存在するのを秘匿するため、当時、正式（勅令）の学校名は「後方勤務要員養成所」および「陸軍中野学校」であったものを、それぞれ「陸軍省分室東部第三十三部隊」「陸軍省分室軍事調査部」とした。九段にあった愛国婦人会の別館入り口の看板は「陸軍省分室」で、学校の存在を秘匿するため、軍部外の教官による教育は市内随意の場所が選定されて行われた。

　中野に移転後も学校の存在は秘匿され、看板は「陸軍省分室陸軍通信研究所」とされた。教官、職員、学生の身分を欺瞞・秘匿するため、校長以下の学校関係者は全員長髪とし、軍服を着用せず、背広を着用した。

⇒明石元二郎、秋草俊、岩畔豪雄、小野田寛郎、田中隆吉、諜報宣伝勤務方針、登戸研究所、秘密戦、福本亀次、山本舜勝

リクルーター（recruiter）

　採用担当者。スパイ候補の発掘係。スパイのスカウト担当。

李克農（り・こくのう 1899〜1962）

　中国共産党中央社会部の元部長。周恩来の腹心の部下、康生の補佐

として特務工作に従事。1920年代に顧順章の下で特務工作に従事、30年代に国民党の特務機関に潜入。32年に統一戦線部の部長に就任。38〜46年まで中央社会部で勤務、康生の一時失脚（49年）から没年（61年）まで、中央社会部部長兼外交部副部長としてインドシナ問題などに関するジュネーブ会議に中国代表として参加。また軍の副総参謀長を兼任するなど一時期は絶大な権力を保持した。

⇒康生、中国共産党中央統一戦線工作部

リシャール，マルト（Richard, Marthe 1898〜1982）

　第1次世界大戦時のフランス人女性スパイ。夫が第1次世界大戦で戦死した後、マタ・ハリを運用したフランス情報部のラドゥー大尉の勧誘でスパイとなる。スペインに派遣され、フォン・クローン海軍大佐の愛人となり、ドイツの重要情報を入手した。

　大戦後、イギリスに移り、1926年、ロスチャイルド家の財務担当秘書のイギリス人紳士トマス・クロムプトンと結婚。クロムプトンがジュネーブで客死（28年）したことで、莫大な遺産を相続。45年にレジスタン活動をアピールしてパリの市議会議員選挙で当選。46年、娼婦街を閉鎖する売春禁止法を成立させた。33年にフランス政府からレジョン・ドヌール勲章を授与される。

⇒マタ・ハリ

李震（り・しん 1914〜1973）

　中国国家公安部の元部長。1937年、中国共産党に入党し、八路軍の政治委員。72年3月謝富治公安部長が死亡し、その後任として公安部長に就任するも、73年に死去したが、アメリカに亡命した国家安全部外事局長の兪強声が関与した暗殺との疑いもある。

⇒公安部、国家安全部、兪強声

リスト型攻撃（list based attack）

　何らかの手段で入手したID・パスワードなどのアカウント情報をリスト化して、別のウェブサービスに不正アクセスを試みる手法。複数

のウェブサービスを利用しているユーザーが同じID・パスワードを使い回すケースは多く、ある１つのパスワードが流出した場合、ほかのウェブサービスも不正ログインされる可能性が高まる。

李善実（リ・ソンシル 1916〜2000）

北朝鮮最高位の女性スパイ。北朝鮮の人気TVドラマ『名なしの英雄』のモデル。日本に渡って在日韓国人に偽装し、韓国に合法的に潜入するという手法を確立した。1980年、韓国に入国し、その後約10年間、一般市民になりすまして工作活動に従事。82年２月、最高人民会議第７期代議員に選出される（以来、10期まで継続して選出）。92年９月、北朝鮮政権樹立44周年記念行事の際、朝鮮労働党機関紙「労働新聞」に政治局候補委員として序列22番目に名前が掲載された。94年７月の金日成の葬儀では国家葬儀委員会委員の１人に任命された。

リーチバック（reach back）

遠隔情報支援。遠方の海外に派遣された部隊などが作戦地域で収集したインフォメーションを、より専門的な見地から分析できる本国のインテリジェンス機関に送り、それを処理して部隊に戻すことで派遣部隊の情報活動を支援すること。

リトビネンコ，アレクサンドル（Litvinenko, Alexander：1962〜2006）

元ロシア連邦保安局（FSB）の中佐。2006年11月23日、放射性物質ポロニウム210により毒殺された。1998年、リトビネンコはロシア国内で同僚数人と記者会見を開き、FSBの上司から元ロシアの新興財閥オリガルヒの代表的人物・ボリス・ベレゾフスキーの暗殺を指示されたと告発していた。その暗殺を指示した当時のFSB長官はプーチンだった。告発から間もなくリトビネンコは職権濫用罪で逮捕されるが、2000年にトルコ経由でイギリスに亡命。ロンドンからプーチン政権の暗部を告発する情報を発信するなど、ボリス・ベレゾフスキーと連携してイギリスを拠点に反プーチン活動を行っていた。

リトビネンコ暗殺の実行犯としてロシアの２人の元KGB要員アンド

レイ・ルゴボイとドミトリ・コフトゥンが特定されている。2人は元KGBの第9局（KGB要人警護）の要員で、連邦警護庁（FSO）を経て民間でセキュリティ・ビジネスを行っていた。逃げ戻ったロシアでは政府に優遇され、うち1人はのちに下院議員になっている。

この事件は英露間の外交に深い亀裂をもたらし、イギリス内務省の公開調査委員会は10年に及ぶ調査の結果として16年1月21日、リトビネンコ暗殺をプーチン大統領が「おそらく承認した」との結論を下した。

⇒FSB、KGB、FSO

離反者（defector）

他国にとって有益な情報を有し、祖国を裏切った者。

リベットジョイント（Rivet Joint）

アメリカ空軍が冷戦期に立案した計画で、C-135輸送機を改造してエリント任務に就かせるというもの。改造された機体はRC-135V/Wと呼称された。C-135には多くの派生型がある。

⇒エリント、RC-135

リモートワイプ（remote wipe）

遠隔操作によってスマートフォンやノートパソコンなどのモバイル端末のデータを削除する機能。主にモバイル端末が紛失や盗難の被害を受けた場合、情報の流出を防ぐ目的で用いられる。

劉復之（りゅう・ふくし 1917〜2013）

広東省出身。中国国家公安部の元部長。1938年中国共産党に入党。抗日戦争時、八路軍の政治将校として活動。中華人民共和国建国後、公安部弁公室主任、公安部長、政法委員会副書記を歴任。第12期党中央委員。

⇒公安部

凌雲（りょう・うん 1917〜2018）

中国国家安全部の初代長官（1983〜95年）。1937年中国共産党に入

党し、42年頃から中央社会部で整風運動に参加。中華人民共和国建国後の49年に中央社会部第2局長として李克能に仕えた。50年代から公安部の要職に就き、64年に公安部副部長に昇任。文革期の68年1月に康生により共産党を除名されたが、75年に康生が死亡したことにより、78年に公安部副部長として復権。兪強声事件により辞職。

⇒国家安全部、李克農、康正、兪強声、公安部

量子暗号 （Quantum cryptography）

　量子力学の理論を基にした暗号技術。インターネットで使われている暗号は解読が容易といわれるが、量子暗号では情報が盗聴された場合、その痕跡が必ず残る。さらに情報漏洩を完全に防ぐことができる暗号技術としての発展も期待されている。量子暗号の場合、暗号化と復号化に利用される「共通鍵」のみを量子の経路を使って伝送する。送付データは、共通鍵を使って暗号化され、通常の回線を使い送信する。受信側は量子経路で受信した共通鍵を使って、送られてきたデータを復号化する。これを「ワンタイムパッド暗号化」という。微弱な粒子である光子を利用するため、伝送距離を延ばすのが困難といわれている。

⇒暗号文、共通鍵暗号

リンクチャート分析 （Link Chart Analysis）

　社会、ビジネス活動などにおける人的・組織的関係性を視覚化することで、分析の糸口を得る手法。兵器拡散、兵器システムの開発、テロ対策、麻薬対策など個人と組織の関係が複雑に入り乱れる際の分析に活用できる。

　チャート図を見ることで、今後明確にすべき情報（ネットワークが集中している人物は何者かなど）も明らかになる。ただし、リンクチャート分析では、時間軸の要素が入らないため、関連事象がすべて同時並行的に行われていると誤認する危険性があるので、注意を要する。

　リンクチャート分析の手順は次のとおり。

①各種情報から、個人、組織の活動や相互関係（リンク）などを示す

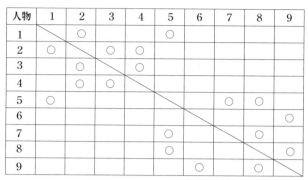

人物	1	2	3	4	5	6	7	8	9
1		○			○				
2	○		○	○					
3		○			○				
4		○	○						
5	○						○	○	
6									○
7					○			○	
8					○				○
9						○		○	

図52-1 リンクチャート分析表

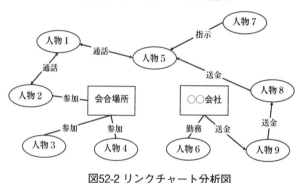

図52-2 リンクチャート分析図

情報を収集・整理する。

②収集・整理した情報を基に人物と行動などの関係の有無について、表（マトリックス）に整理する。付表では人物1は2と5に何らかの関係がある（図52-1参照）。

③このマトリックスと収集した情報を基にして、相互の関係を図示化する（図52-2参照）。

④この図を基に以下のようなことが推測でき、さらなる情報収集項目などがわかる。

●人物7が真のリーダーで、人物5が現場を取り仕切っている人物であろう。

- 活動資金は○○会社から流れているようだ。
- 今後、人物7と○○会社との関係などについて情報収集が必要である。

リンチピン分析（linchpin analysis）

　リンチピンとは馬車や車の車輪が外れないように軸の両端に差すピンのこと。情報分析をする際、まず前提が正しいかどうかを検討しなければならない。前提を間違えると、正しい結論は得られない。前提と思っていたものが、単なる仮説の集合であるかもしれない。この前提を導き出す重要な要素をリンチピンになぞらえて分析する手法。

　1990年のイラクによるクウェート侵攻を予測し損ねた反省をもとに、95年、ダグラス・マキーチンCIA情報本部副部長がリンチピン分析を提唱した。マキーチンは占い師による占いと、分析官が行う予測はどこが違うのかを考察した結果、分析官の予測は「ある将来の姿を論理的に予測させる要素」を評価することで、結論が導き出される点にあるとした。このような要素をリンチピンに喩えた。

　リンチピン分析では、現実は複数のリンチピンが集まって成立し、その論理的帰結として、ある将来の姿が現れてくるものと考え、そこでリンチピンが何かを考察し、リンチピンをリストアップする。各リンチピンが将来的にどのような影響を及ぼすかを評価して予測する。したがって、それらのリンチピンが弱くなったり、消滅した場合は論理的帰結が変わるため、分析は振り出しに戻ってやり直す必要がある。
⇒CIA

【ル】

ルートキット（root kit）

　ネットワーク（コンピュータ）への不正侵入の際に、管理者に異常がないように偽装するツールセット。コンピュータにおいて、システムを管理するために付与される権利をルート権限と呼ぶが、このルート権限を確保しつつ管理者に察知されないようにするためのツールと

して、ルートキットが開発された。偽装手段として、不正操作のログやシステム監視のためのファイルを改竄することが挙げられる。ルートキットは察知されないように不正侵入を助けるのが目的であるため、ウイルスやワームのように自己複製はせず、目立った被害を出さないのが特徴である。

ルピー (rupee)

ソ連のオレグ・ペンコフスキー大佐がもたらした情報資料を指す時に使用されたイギリスの関係者の間で用いられた隠語。
⇒ペンコフスキー,オレグ

ルビャンカ (Lubyanka)

長い年月にわたりロシアおよびソ連の国家保安機関本部があった建物。

ルーフ (roof)

屋根。イリーガル（非合法工作員）に与えられる身分偽装用の合法的身分。
⇒イリーガル

ルン，カトリーナ (Leung, Katrina M. 1954～)

FBIの指揮下で活動しながら、中国のためにスパイ行為をしていた二重スパイ。中国名は陳文英。FBIの捜査官2人と性的関係を結び、中国国家安全部に情報を流していた。1952年頃、中国・広州に生まれ、70年にニューヨークに移住。72年にアメリカの永住権とシカゴ大学の経営修士号を取得。82年8月、FBIの防諜担当官ジェイムズ・J・スミスがレオンに接触、彼女はFBIのエージェントとなった。84年3月、アメリカの国籍を取得。97年11月、江沢民国家主席がロサンゼルスの中国系アメリカ人コミュニティーの年次晩餐会に主賓として招待された時、レオンは通訳と司会進行役を務め、コミュニティーで名を知られるようになった。これは国家安全部が背後で中国要人との人脈形成を支援していたことを物語っている。2003年、ルンの愛人で

もあったスミスと共に逮捕された。

⇒FBI、二重スパイ、国家安全部

【レ】

レイブンズ（Ravens）

　KGBが獲得しようとする女性を色仕掛けで引き込む役の男性。本来の意味はワタリガラス（渡鴉）で、カラスよりも大きく、死や悪病を予知する不吉な鳥とされる。

⇒KGB、スワローズ、つばめ

レインボーウォーリア号事件（The sinking of Rainbow Worrior）

　1985年7月、ニュージーランド・オークランドでフランスの対外治安総局（DGSE）によって、非政府の自然保護団体「グリーンピース」の活動船「レインボーウォーリア号」が爆破され沈没し、死者を出した事件。当時フランスは、南太平洋を核兵器の実験場としていた。これに対し、過激なパフォーマンスで知られるグリーンピースは、フランスの核実験に抗議してしばしばムルロア環礁に接近し、抗議活動を展開していた。85年の核実験に対しグリンピースは、レインボーウォーリア号を旗艦兼補給艦として、同団体以外のヨットなども加えた大規模な船団による抗議行動を実行しようとしていた。

　フランスはこれらを核実験に対する重大な障害とみなした。さらに抗議船団の一部がムルロア環礁への上陸を強行する可能性があり、グリーンピース内部にソ連のスパイがいて、測定機器を船内に持ち込んで実験場に接近し、フランスの核爆弾の情報を得ようとしているという噂も流れていた。そこでDGSEは、グリーンピースの抗議活動を不可能にさせるため、船の破壊工作を計画した。

　7月7日、オークランド港へ入港し係留したレインボーウォーリア号は、現地の反核団体などと交流しながら抗議活動の準備を行っていた。一方、DGSEのエージェントも空路と海路でニュージーランドに入国しており、工作の準備を進めていた。海路で入国した実行

チームは、フランス領ニューカレドニアからヨットで、爆弾と必要な装備を持ち込んだ。実行チームは支援グループと連携しながら海岸沿いにオークランドに接近し、海軍の特殊訓練を受けた潜水のエキスパートがレインボーウォーリア号に爆弾を仕掛けた。この時、オークランドのボートクラブのメンバーたちは、キャンピングカーの乗員と海からゾディアックボート（ゴムボートの一種）で上陸してきた男性が接触するのを目撃していた。

　7月10日23時30分過ぎ、レインボーウォーリア号で爆発が発生。2度目の爆発で大規模な浸水に見舞われたレインボーウォーリア号は沈没した。この爆発でグリーンピースのカメラマン1人が逃げ遅れて死亡した。キャンピングカーのナンバーから、車をレンタルした支援チームの男女2人（マファール少佐、プリウール大尉）が割り出され、12日の車の返却時に逮捕された。

　当初、フランスは事件への関与を全面否定したが、エージェント2人が拘束され、ほかにも様々な遺留品が発見されてフランスの関与が深まり、フランス国内のメディアからも追及の声があがった。9月、フランス政府が事件に無関係という姿勢を貫くのは困難となり、さらに国内では、政府が責任逃れに終始してエージェントを見殺しにしていることについての批判が強まった。最終的に、ピエール・ラコストDGSE局長は解任され、シャルル・エルニュ国防大臣は辞任した。9月22日、ローラン・ファビウス首相はテレビ放送でフランス政府の事件への関与を認めた。

　11月22日、ニュージーランドでエージェント2人に対して禁固10年の判決が下された。裁判に前後して、フランスはエージェントの身柄引き渡しを強く求めたが、ニュージーランドのデビッド・ロンギ首相は、表面的にはフランスの要求には屈しない姿勢を示した。その一方で、ロンギ首相は打開策を模索し、この件をデ・クエヤル国連事務総長の裁定に委ねることをフランスに提案し了承された。

　1986年7月6日、フランスはニュージーランドに1300万NZドルを払い、2人はフランス領ポリネシアのトゥアモトゥ諸島ハオ環礁の施設に3年間居住する裁定内容が決定され、両国は協定を結んだ。

レ

ところが翌年12月にはマファール少佐が健康問題を理由に帰国、88年5月にはプリウール大尉が帰国した。しかもプリウール大尉は妊娠しており、彼女は夫と過ごす時間を与えられていたこともわかった。ニュージーランド政府は2人をハオへ戻すことを強く要求したが、フランスが拒否したため、あらためて事務総長による仲介裁判所が設けられた。90年、フランスの協定遵守義務違反を認定するものの、実際に2人を島に戻すには及ばないとしてフランスがニュージーランドに追加の支払いをすることで落着した。

この事件は国家間の係争解決の事例として国際法の分野でもしばしば引き合いに出される。

⇒DGSE

レジェンド（legend）

偽の経歴。非合法（イリーガル）のスパイに与えられる身分偽装用の経歴。カバーストーリー。

⇒イリーガル、カバーストーリー

レーザー情報（LASINT：Laser Intelligence）

レーザーシステムの観測により得られた位置情報。画像情報の一種。

レジデンス（residence）

ソ連政府が管理する連絡機関。世界各国に駐在する大使館・領事館・通商機関などを含む。そこを基盤に当該国で諜報活動を行う。

レジデント（resident）

外交特権で守られたKGB（現在はSVR）の機関員に対する業界用語。駐日SVR機関の責任者を「レジデント」という隠語で表現することがある。レジデントは外交特権を持たない、身分をカバー（偽装）した非合法（イリーガル）のスパイ、工作員の安全管理を担当する。

⇒KGB、SVR、カバー、イリーガル

レジデント・ディレクター（residnt director）

　現地管理官。対象国内に配置したスパイ組織の指揮官。通常は各大使館組織内のスパイの最高位の者を指す。KGB用語。

⇒レジデント、KGB

レスラー，ルドルフ（Rossler, Rudolf 1898～1958）

　ソ連の二重スパイ。コードネームは「ルーシー」。ドイツ生まれ。第1次世界大戦後、ミュンヘンでジャーナリストとして活動。1928年からベルリンで演劇評論家、39年秋頃からアレクサンダー・ラドのグループに参加。第2次世界大戦中、最も偉大なスパイといわれ、彼が提供したドイツ情報は極めて正確であった。当初は信憑性を疑っていたモスクワも、その情報の正確さからレスラーと継続契約を結んだ。月額1700米ドルという報酬は、ゾルゲグループに支払われた1000米ドルをはるかに超えていた。レスラーの情報はラドを経由してモスクワに送られたが、その情報源は最後まで明かされなかった。戦後は、チェコスロバキアのインテリジェンス機関のスパイとして活動。彼の功績はゾルゲに匹敵すると評価された。

⇒二重スパイ、ラド,アレクサンダー、ゾルゲ,リヒャルト

レター・ドロップ（letter drop）

　郵便中継所。エージェントと工作管理（担当）官との間で、通信連絡を秘密に交換する場所。郵便の場合、私書函または特定の協力者宅が利用される。ポスト・ボックス（郵便箱）ともいう。

レッドチーム分析（Read team analysis）

　レッドチームを敵対者や競争相手と狭義に捉える場合と、既存の計画や見方にあえて異議を唱える立場の人と広義に捉える場合により手法が異なる。狭義の場合、レッドハット分析ともいい、アナリストが敵対者などの立場になって、相手がどのように考えるかを再現することで個人や組織の考え方をモデル化する。

　広義の場合は、代替案を検討するため、あえて従来の考え方（政

レ

策、戦略含む）、一般的な考え方に挑戦する視点を示すことをいい、「悪魔の弁護人」や「デルファイ法」などの手法を適用する。

⇒レッドハット分析、悪魔の弁護人、デルファイ法

レッドハット分析（Red hat analysis）

狭義のレッドチーム分析で、特定の問題について、敵対者や組織のメンバー（赤い帽子）になりきり、彼らがどのように考えるかを再現することで、個人や組織としての考え方をモデル化する手法。その手順は次のとおり。

①敵対者など（分析の対象者）に応じてチーム（レッドチームと呼称）を編成する。レッドチームは対象者が活動する環境、性格、思考スタイルに関する見識を有する専門家が行う。またレッドチームには相手の言語に堪能なだけでなく、できればその文化圏で生活した者、民族的背景を共有した者などを含めることが重要である。

②アナリストは、レッドチームの要員が敵対者の状況に完全に身を置いているとの前提で、外部からの特定の刺激に対してどのように反応するか、以下のような質問をして分析の参考とする。

●○○国があなたの国に制裁を科そうとしている。あなたがその国の指導者ならどう考え、どのような対策を指示するか？

●あなたのグループが○○国の大使館に対して、特定の日にテロ攻撃を仕掛けようとしている。今の状況ならそれはいつか？ なぜその日を選ぶのか？ もしテロを行ったら○○国はどう対応すると思うか？

⇒レッドチーム分析

レッドブック（Red Book）

アメリカ海軍の通信部門によって解読された日本の外交用の二重暗号を指すコードネーム。在ニューヨーク日本領事館において、秘密裡に写真撮影された日本の暗号書を翻訳した資料が、赤い布地のバインダーに綴じられていたことが、レッドブックやレッド（コード）の由来とされる。

⇒二重暗号、パープル、マジック

レードル, アルフレッド（Redl, Alfred 1864〜1913）

　ロシアの二重スパイ。オーストリア・ハンガリー帝国陸軍情報部の防諜責任者（1901〜05年）で、最終階級は大佐。隠しカメラや指紋採取、会話の録音、郵便の検閲方法など、多くのスパイ工作技術を開発。レードルは男色趣味を持っていたため、それを材料にロシア参謀本部第7局に脅迫され、また金銭目的からスパイになる。1902年からスパイ活動に従事し、オーストリア・ハンガリー作戦（セルビア侵攻作戦）の計画書をロシアに漏洩した。

　1913年、レードルの後任者が郵便検閲を強化したところ、巨額の紙幣（ロシアからの報酬）が入った不審な封書が発見された。封書は東プロシアの国境の町から、ある特定の受け取り場所に送られていた。警察が受け取り人を待ち伏せると現れたのはレードルだった。尋問されたレードルはその場で遺書を書き、ピストル自殺した。

⇒二重スパイ

レフチェンコ, スタニスラフ（Levchenko, Stanislav 1941〜）

　ソ連KGBの元要員。1960年代にモスクワ大学などで日本の研究に従事。65年にソ連共産党中央委員会の通訳となり、以後たびたび来日。66年にGRUに所属したのち、71年にKGB第1総局に異動。75年2月、週刊誌『ノーボエ・ブレーミヤ』の東京特派員というカバーで、政治家、自衛隊幹部、財界人など広範囲に日本でスパイ網を構築。やがてKGBの処遇に不満を持つようになり、79年10月、アメリカに亡命。

　1982年12月、アメリカ下院情報特別委員会で日本でのスパイ活動について詳細に証言した。この中で「日本人エージェント約200人を獲得・運用していた」と述べ、その実名を挙げたため、日本中に大反響を引き起こした。レフチェンコのスパイ活動の目的は、日本の世論と政策を親ソ寄りにして、日米関係に影響を与えることにあったという。彼の証言から、この活動がソ連の「アクティブ・メジャーズ（積極工作）」であるとして注目された。

レ

⇒KGB、GRU、カバー、アクティブ・メジャーズ

レポ船

北方領土周辺海域で旧ソ連警備船に日本の防衛・公安などに関する情報や金品を渡し、禁漁区での操業を黙認された日本の漁船。レポはレポートに由来。

レポ役

非合法の政治活動やスパイ活動において情報を提供・連絡を行う者。

連合軍諜報局（AIB：Allied Intelligence Bureau）

第2次世界大戦中、太平洋南西部に展開するマッカーサー司令部の下に設けられたアメリカ・オーストラリア・オランダ・イギリス合同のインテリジェンス機関。

連邦公文書館法（ドイツ）

ドイツ連邦公文書館が保有する記録資料の保存について規定した法律。1988年成立。同法第5条第1項で、申請により作成から30年経過した連邦の記録資料の利用を請求できることが定められている。連邦省では「連邦省における公文書の作成と管理のための記録ガイドライン」によって、公文書の保存期間が30年を超えないようにすることが定められている。保存期間は各連邦省の判断によって決定される。

30年間の期限が設定されない例外事項は次のとおり。①連邦または州の安全が脅かされる恐れがある場合、②第三者の保護されるべき利益に反する場合、③連邦法令によって定められている秘密保持義務を侵害する場合。

連邦情報自由法（ドイツ）

ドイツ連邦行政機関が有する情報の公開について規定した法律。2005年成立。第3条から第6条にかけて、情報開示が認められない事由として、①連邦国軍の軍事的利益およびその他の安全保障に密接に

関連する事象に不利益与える場合、②対内的、対外的な安全に関わる利益に不利な影響を与える場合、③公共の安全に危険を及ぼす恐れがある場合、④国際的な交渉に不可欠な秘密、⑤守秘義務や秘密保持義務または、職業上もしくは特別の職務秘密に服する場合などが挙げられている。

【ロ】

ローエンタール，マーク・M.（Lowenthal, Mark M. 1948〜）

　米国議会調査局、国務省情報調査局課長・次官補代理、下院情報委員会事務局長、中央情報長官室などを経て、中央情報局（CIA）長官補（分析・生産担当、2002〜05年）、国家情報会議副議長など複数の情報部門で勤務すると共に研究者としても活動。米国インテリジェンス・安全保障アカデミー会長も務めた。彼の著作『Intelligence：from secrets to policy（インテリジェンス：秘密から政策へ）』はアメリカの大学や大学院でインテリジェンスの教科書の定番となっている。
⇒CIA

ロシアのインテリジェンス・コミュニティー

　ソ連時代のインテリジェンス機関は大きく分けてKGBとGRUの2つであった。現在のロシアのインテリジェンス機関は大きく分けて3つの組織からなる。KGBの第1総局を継承し対外情報を主とするSVR（対外諜報庁）、KGBの第2総局、第3総局などを継承し連邦内の保安・防諜を行うFSB（連邦保安庁）、そしてソ連軍で軍事情報を担当したGRU（参謀本部情報総局）はそのままロシア連邦軍に引き継がれた。その他に規模は小さいが、KGB第9局を継承し大統領直属の警護・通信保全を専門とするFSO（連邦警護庁）、KGB第15局の後継であり、非常時の政府移動や核シェルターなどの設備を管理するGUSP

ロ

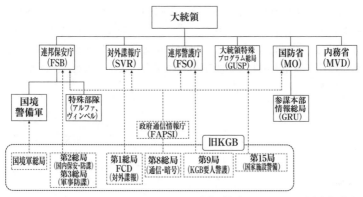

出典：『世界のインテリジェンス』を参考に作成

図53 ロシアのインテリジェンス・コミュニティー

（大統領特殊プログラム総局）がある。MVD（内務省）は国内治安
を担当し、その中に組織犯罪やテロ対処を担当する部署もある（図53
参照）。

⇒KGB、GRU、SVR、FSB、FSO

ロシアゲート（Russiagate）

2016年の米大統領選挙を中心とするトランプ前大統領とロシアと
のつながりををめぐる疑惑。名前の由来は、ニクソン米大統領が辞
任に追い込まれた「ウォーターゲート事件」になぞらえたもの。ト
ランプはロシアによる選挙へのサイバー攻撃などの介入の存在は認
めたが、トランプ陣営とロシアの共謀は否定した。

2018年2月、モラー米連邦特別検察官は、大陪審がロシアの3団
体とロシア国籍13人を起訴したことを発表。起訴された3団体は
「インターネット・リサーチ・エージェンシー（IRA）」などエフ
ゲニー・プリゴジンが関与する会社で、ロシア国籍者13人はいずれ
もプリゴジンを含むIRAに所属する。モラー検察官は起訴状で、IRA
および複数のロシア人が14年から16年の大統領選挙までにトランプ
がヒラリーに対して有利になるよう選挙工作を行ったと発表した。

ロシアの選挙工作は、ハッキング、コンプロマートの暴露、オンライン上の積極工作（アクティブ・メジャーズ）、ロシア支持者の獲得（サポート・クレムリンズ・キャンディデイト）の4段階で行われたと分析されている。ハッキングでは、ヒラリー・クリントン候補（当時クリントンはメール疑惑で物議を醸していた）を貶めるスキャンダル情報が集められた。ロシア側はネット上で暗躍する「Fancy Bear〔ファンシーベア〕、APT28、GRUの指揮下）と「Cozy Bear〔コージーベア〕、APT29、FSVおよびSVRが母体）の両NGOにハッキングを行うよう指示した。次にコンプロマートの暴露では、ウィキリークスや大統領選のために特別に作られた「DC Leaks」や「Guccifer 2.0」といったサイトを利用して、クリントの信用を失墜する情報の暴露を行った。

　オンライン上での積極工作では、あらゆる宣伝媒体を駆使して、スキャンダル情報が流された。その媒体には、ロシア国営の「Russia Today（RT）」と「Sputnik（かつての「ロシアの声」）が利用され、両国営メディアは真実と思われるホワイト・プロパガンダを発した。これに民営のメディアが加わり、陰謀論者が集まる「Infowars」、スティーブ・バノンがCEOを務めていた「Breitbart」、日本の「2ちゃんねる」をもじった「4chan」という掲示板などを通じて、ロシア側のグレー、ブラックのプロパガンダが行われた。ロシア支持候補の獲得では、第一段階から第三段階までの手段を駆使して、ツイッターなどで親トランプ発言がAIや人を動員して拡散した。
⇒コンプロマート、APT、インターネット・リサーチ・エージェンシー、プリゴジン,エフゲニー、GRU、FSV、SVR、ホワイト・プロパガンダ、バノン,スティーブ

ロジック・ツリー（logic tree）

　問題の原因解明や解決策の立案のために樹木図を描いて分析する手法。問題に関連する要素を上位概念（階層）から下位概念に分解していくことで、将来を予測するシナリオを考える際などに活用できる。ロジック・ツリーの手順の一例（中国の台湾武力行使のシナリオ）は次のとおり。

ロ

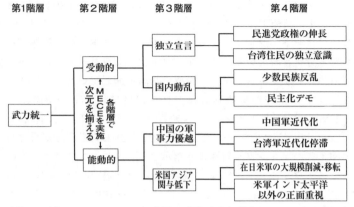

図54 ロジック・ツリーによる中国の台湾武力行使のシナリオの一例

①テーマとシナリオの終着点を明らかにする。
②事例や将来起こり得ることを自由に意見し合う（ブレインストーミングなど活用）。
③それらを基に階層ごとに整理して樹木図に記述する。
④テーマを上位階層に記載する。
⑤テーマを分解し、第2、第3階層に整理し、テーマを具体的に記述していく（図54参照）。
　注意事項は次のとおり。
①各階層においては、MECE（漏れなくダブりなく）に留意する。
②各階層においては概念の次元を揃える（たとえば「ほ乳類」と「桜」ではなく、「動物」と「植物」のように同じレベルで記述する）。
⇒ブレインストーミング、MECE、イベント・ツリー分析、関連樹木法

ロジックボム（logic bomb）
　外部からの指令や時間経過など特定の条件を満たすことで作動し、コンピュータ内部のデータやコンピュータの機能、働きそのものを破壊するマルウェア。データ窃取が目的のマルウェアは所有者に侵入を察知されないように被害与えることが多いが、ロジックボムは攻撃完

了後に証拠を隠滅、あるいは最初から電子的な破壊を目的として使われる。

⇒マルウェア

ローゼンバーグ, ジュリアス (Rosenberg, Julius 1918～1953)

アメリカの原子力開発の情報をソ連に提供した原爆スパイ網の1人。妻はエセル・ローゼンバーグ、共にユダヤ系アメリカ人。1949年、クラウス・フックスの逮捕により、50年5月、ハリー・ゴールドが逮捕された。ゴールドの自白により、グリーグラスとモートン・ソベルの名前が挙がり、グリーングラスの自白から、ジュリアスの姉、エセル・ローゼンバーグと夫のジュリアス・ローゼンバーグが逮捕された。その後、ジュリアスとエセルも逮捕。2人は死刑に処せられたが、長年にわたり冤罪説が絶えなかった。しかし、ヴェノナ文書の公開によって、ジュリアスはソ連のスパイであったことが明らかとなった。

⇒フックス,クラウス、ゴールド,ハリー、ソベル,モートン、ヴェノナ

ロッツ, ウォルフガング (Lotz, Wolfgang 1921～1993)

モサドのスパイ。ユダヤ人の母とドイツ人の父の間に生まれる。1948年のイスラエル独立戦争に参加し、国防軍で少佐まで昇任。金髪で碧眼という父親譲りのドイツ人的風貌、社交的な性格、流暢なドイツ語能力を見込まれて諜報員となる。61年1月、イスラエルと緊張関係にあったエジプトに「元ナチス党員の裕福なドイツ人ビジネスマン」として潜入し、乗馬クラブに入会。親ドイツ的なエジプト軍将校やナチス時代に懐旧的なドイツ人科学者、乗馬愛好者の多い上流社会に人脈を広げ詳細な軍事機密を入手。65年に逮捕されるが、68年に第三次中東戦争で捕虜となったエジプト軍将校9人との交換で解放される。

⇒ISIS

ロ

ロレンス, トーマス・エドワード (Lawrence,Thomas Edward 1888～1935)

考古学者。イギリス軍の情報将校。最終階級は中佐。「アラビアのロレンス」として知られる。ロレンスはオクスフォード大学時代に歴

史を学び、十字軍の遠征ルートをたどる旅を経験。1914年、第1次世界大戦勃発後、語学に堪能なロレンスはイギリス陸軍省作戦部地図課に勤務したのち、外務省管轄のアラブ局へと異動。ここでガートルード・ベルと共にオスマン帝国に対する謀略の一端を担った。ロレンスは反乱の指導者を支援すると共にゲリラ戦を展開した。美男子であったロレンスの活躍は欧米に伝えられ、帰国時には英雄のような扱いを受けた。47歳の時、オートバイ事故で死去。

⇒ベル,ガートルード

ローレンツ，マリタ （Lorenz, Marita 1939～2019）

　女性スパイ。一時期、キューバの革命家・政治家フィデル・カストロの愛人であったことで有名。ドイツ生まれ。カストロとの間に男子を出産するものの、その後CIAに採用され、「オペレーション40」という亡命キューバ人の暗殺団で訓練を受け、カストロの暗殺を試みたとされる。その後ベネズエラの元独裁者マルコス・ペレス・ヒメネスの愛人となり、女子を出産。ケネディ暗殺事件にも少なからぬ関与があったとされるが、詳細は不明。

⇒CIA

ロンズデール，ゴードン （Lonsdale, Gordon 1922～1970）

　ソ連KGBの情報官。「ポートランド・スパイ事件」の首謀者。本名コノン・モロディとの説あり。1955年からカナダ人ゴードン・ロンズデールになりすまし、カナダ経由でイギリスに潜入。本物のロンズデールはカナダからフィンランドに帰国後、行方不明。

　イギリスでは自動販売機会社の経営者のカバーで、ドーセット州ポートランドのイギリス海軍対潜兵器研究所に勤めるハリー・フートン、エセル・ジーの2人をスパイとして勧誘。イギリス初の原子力潜水艦ドレッドノートに関する資料などを入手し、クローガー夫妻（モーリス・コーエン）を通じてソ連に送った。エセルの生活が派手になったため、MI5に疑われ、スパイ事件が発覚した。

⇒KGB、カバー、フートン,ハリー、コーエン,モーリス、MI5

【ワ】

脇光三（わき・こうぞう 1880〜1904）

　新聞記者、日露戦争時の特別諜報員。東京・麹町で出生後、浅岡家から脇家に養子に入る。1901年、日本中学校（現・日本学園中学校・高等学校）卒業後、第二高等学校医学部に入学。すぐに中退し台湾協会学校に入学するが、同校を中退して中国に渡り、東文社に入り中国語の研究に努めた。03年、日本語学校を設立したが、廃校にして天津の北支那毎日新聞社に勤務。日露戦争開戦後、特別任務班員として04年4月12日、横川省三、沖禎介らと共に東清鉄道の橋梁爆破を試みたが失敗。その際、横川、沖は捕らえられ、脇ら4人は逃れたが、4月27日に蒙古のクーロン付近で蒙古兵に襲われ、殺害された。

⇒横川省三、沖禎介

ワールドファクトブック（World Factbook）

　アメリカ政府関係者が使用できるようにCIAによって作成された世界各国の歴史、政治、経済、地理、通信、輸送、軍事などに関する年鑑形式の参照文献。

ワーム（worm）

　ほかのプログラムを媒介せずに自己増殖する機能を持つマルウェア。ワームとして活動するプログラムの侵入経路として最も代表的なものはインターネットなどのネットワークである。ワームに感染したコンピュータは次の感染先を探し、システムの脆弱性を利用して自身の複製を送り付ける。インターネット経由の場合、メールの添付ファイルに入っている場合や、メールを介さず指定したIPアドレスにパケット（ある程度の大きさの送受信データのかたまり）で侵入するケースもある。またUSBメモリを媒介として感染するなど、インターネット経由以外にもルートは存在する。

⇒マルウェア

ワ

索 引

索引

索引

索引

主な参考文献

1 インテリジェンスの基礎

飯塚恵子『ドキュメント誘導工作—情報操作の巧妙な罠』(中公新書ラクレ、2019年)

岩島久夫『奇襲の研究—情報と戦略のメカニズム』(PHP研究所、1984年)

ウエスト, ナイジェル (篠原成子訳)『スパイ伝説—出来すぎた証言』(原書房、1986年)

上田篤盛『戦略的インテリジェンス入門—分析手法の手引き』(並木書房、2016年)

海野弘『スパイの世界史』(文春文庫、2007年)

エーンホーム, E・シュミット&J・アングラー (畔上司訳)『水面下の経済戦争—経済情報をめぐる
　各国情報機関の攻防』(文藝春秋、1995年)

大沢秀介・小山剛編『自由と安全—各国の理論と実践』(尚学社、2009年)

大沢秀介監修／山本龍彦・大林啓吾・新井誠・横大道聡編『入門・安全と情報』(成文堂、2015年)

大辻隆三『生き抜くための戦略情報』(防衛研究会、1981年)

大森義夫『国家と情報—日本の国益を守るために』(ワック、2006年)

落合浩太郎編『インテリジェンスなき国家は滅ぶ—世界の情報コミュニティ』(亜紀書房、2011年)

小野厚夫『情報という言葉—その来歴と意味内容』(冨山房インターナショナル、2016年)

柏原竜一『世紀の大スパイ・陰謀好きの男たち』(洋泉社、2009年)

北岡元『インテリジェンス入門—利益を実現する知識の創造〔第2版〕』(應義塾大学出版会、2009年)

北岡元『インテリジェンスの歴史—水晶玉を覗こうとする者たち』(慶応義塾出版会、2006年)

クリスタル, デイヴィド編『世界人名辞典』(岩波書店、1997年)

ケネディ, ウィリウム・V、リチャード・S・フリードマン&デービッド・ベーカー (落合信彦訳)
　『諜報戦争—21世紀生存の条件』(光文社、1985年)

ケント, シャーマン (並木均監訳)『戦略インテリジェンス論』(原書房、2015年)

小谷賢『インテリジェンス—国家・組織は情報をいかに扱うべきか』(ちくま学芸文庫、2012年)

小谷賢編『世界のインテリジェンス—21世紀の情報戦争を読む』(PHP研究所、2007年)

小林良樹『インテリジェンスの基礎理論〔第2版〕』(立花書房、2014年)

佐藤優『世界インテリジェンス事件史』(双葉社、2016年)

スパイ研究会『世界のスパイ&諜報機関バイブル』(笠倉出版、2010年)

ダレス, アレン (鹿島守之助訳)『諜報の技術』(鹿島研究所出版会、1965年)

塚本勝一『現代の諜報戦争—機構・戦略・スパイ工作法』(三天書房、1986年)

ディーコン, リチャード&ナイジェル・ウェスト (水木光訳)『スパイ！』(ハヤカワ文庫、1984年)

東京スパイ研究会監修『世界スパイ大百科実録99—恐るべき諜報戦争の真実!!』(双葉社、2008年)

中薗英助『スパイの世界』(岩波新書、1992年)

中西輝政『情報亡国の危機—インテリジェンス・リテラシーのすすめ』(東洋経済新報社、2010年)

パース, ジャック (藤井留美訳)『スパイ的思考のススメ』(日経ナショナルジオグラフィック社、2004年)

PHP「日本のインテリジェンス体制の変革」研究会編『日本のインテリジェンス体制—変革へのロー
　ドマップ』(PHP総合研究所、2006年6月)

ファラゴー, ラディスラス (日刊労働通信社訳)『智慧の戦い—諜報・情報活動の解剖』(日刊労働
　通信社、1956年)

フィアルカ, ジョン・J (大蔵雄之助訳)『経済スパイ戦争の最前線』(文藝春秋、1998年)

ブッフハイト, ゲルト (北原収訳)『諜報—情報機関の使命』(三修社、1981年)

ブランデル, N&R・ボア (野中千恵子訳)『世界を騒がせたスパイたち (上・下)』(現代教養文
　庫、1990年)

ポルマー, ノーマン&トーマス・B・アレン (熊木信太郎訳)『スパイ大事典』(論創社、2017年)

松井一洋「『真実』の情報はありうるか」『広島経済大学研究論集』第33巻、第4号（2011年3月）23-37頁

メルトン, H・キース（伏見威蕃訳）『スパイ・ブック』（朝日新聞社、1997年）

毛利元貞『図解スパイ戦争―諜報工作の極秘テクニック』（並木書房、2000年）

吉田一彦『知られざるインテリジェンスの世界―世界を動かす智恵の戦い』（PHP研究所、2008年）

吉野準『情報機関を作る―国際テロから日本を守れ』（文春新書、2016年）

吉原恒雄他訳編『英和和英最新軍事用語辞典』（三修社、1983年）

米盛裕二『アブダクション―仮説と発見の論理』（勁草書房、2007年）

ライト, ピーター（久保田誠一訳）『スパイ・キャッチャー（上・下）』（朝日文庫、1996年）

ローエンタール, マーク・M（茂田宏監訳）『インテリジェンス―機密から政策へ』（慶應義塾大
　　出版会、2011年）

ロッツ, ウォルフガング（朝河伸英訳）『スパイのためのハンドブック』（ハヤカワ文庫、1982年）

『新・警備用語辞典』（立花書店、2009年）

2 インテリジェンスの歴史

有田芳生『私の家は山の向こう―テレサ・テン十年目の真実』（文春文庫、2007年）

石光真清『城下の人―石光真清の手記 1』（中公文庫、1978年）

石光真清『曠野の花―石光真清の手記 2』（中公文庫、1978年）

ヴィントガッセン, アンティエ（渡辺一男訳）『独裁者の妻たち』（阪急コミュニケーションズ、2003年）

ウォレーンハウ, ラッセル（高瀬素子訳）『マタ・ハリ―抹殺された女スパイの謎』（ハヤカワ文庫、
　　1995年）

太田尚樹『紅い諜報員―ゾルゲ、尾崎秀実、そしてスメドレー』（講談社、2007年）

大原俊一郎「プロイセン参謀本部のインテリジェンス体制―組織の欠陥とその克服過程」『軍事史
　　学』第51巻、第82号、（2015年6月）82-99頁

岡部伸『「諜報の神様」と呼ばれた男―連合国が恐れた情報士官・小野寺信の流儀』
　　（PHP研究所、2014年）

小野寺百合子『バルト海のほとりにて』（共同通信社、1985年）

オレグ, ペンコフスキー『ペンコフスキー機密文書』佐藤亮一訳（1966年）

尾崎秀樹『ゾルゲ事件―尾崎秀実の理想と挫折』（中公新書、1963年）

柏原竜一『インテリジェンス入門―英仏白の情報活動、その創造の瞬間』（PHP研究所、2009年）

春日井邦夫『情報と謀略（上）』（国書刊行会、2014年）

加藤哲郎『ゾルゲ事件―覆された神話』（平凡社新書、2014年）

北川衛『東京＝女スパイ』（サンケイ新聞社出版局、1970年）

金賢姫『いま、女として―金賢姫全告白（上下）』（文藝春秋、1994年）

クーパー, H・H・A., ＆ローレンス・J・レドリンジャー（白須英子訳）『防諜と諜報―原則と実践』
　　（心交社、1991年）

熊谷徹『顔のない男―東ドイツ最強スパイの栄光と挫折』（新潮社、2007年）

ゲーレン, ラインハルト（赤羽竜夫監訳）『諜報・工作―ラインハルト・ゲーレン回顧録』（読売新聞
　　社、1973年）

康明道（尹学準訳）『北朝鮮の最高機密』（文春文庫、1998年）

小谷賢『日本軍のインテリジェンス―なぜ情報が活かされないのか』（講談社、2007年）

小谷賢『インテリジェンスの世界史―第二次世界大戦からスノーデン事件まで』（岩波現代全書、2015年）

小松緑『明治外交秘話』（原書房、1976年）

サッチャー, マーガレット（石塚雅彦訳）『サッチャー回顧録（上・下）』（日本経済新聞社、1993年）

産経新聞「ルーズベルト秘録」取材班『ルーズベルト秘録（上・下）』（産経新聞ニュースサービ
　　ス、2001年）

シャート, マルタ（菅谷亜紀訳）『ヒトラーの女スパイ』（小学館、2006年）

サンデー・タイムズ特報部編（宮崎正雄編訳）『フォークランド戦争―“鉄の女”の誤算』（原書房、1983年）

全富億『北朝鮮の女スパイ』（講談社、1994年）

全富億『北朝鮮のスパイ戦略』（講談社、2002年）

杉田一次『情報なき戦争指導―大本営情報参謀の回想』（原書房、1987年）

スティーブン、スチュアート（中村恭一訳）『イスラエル秘密情報機関』（毎日新聞社、1982年）

ステチニアス、エドワード・R.（中野五郎訳）『ヤルタ会談の秘密』（六興出版社、1953年）

スティネット、ロバート・B（妹尾作太男監訳）『真珠湾の真実―ルーズベルト欺瞞の日々』（文藝春秋、2001年）

須藤眞志『ハル・ノートを書いた男―日米開戦外交と「雪」作戦』（文春新書、1999年）

スメドレー、アグネス（阿部知二訳）『偉大なる道―朱徳の生涯とその時代（上・下）』（岩波文庫、1977年）

セス、ロナルド（村石利夫訳）『日本からきたスパイ―日本の秘密諜報組織』（荒地出版社、1965年）

ゾルゲ、リヒャルト『ゾルゲ事件―獄中手記』（岩波現代文庫、2003年）

竹内春夫『ゾルゲ謀略団―日本を敗戦に追い込んだソ連謀略団の全貌』（日本教育新聞社、1991年）

恒石重嗣『心理作戦の回想―大東亜戦争秘録』（東宣出版、1978年）

ディーコン、リチャード（羽林泰訳）『日本の情報機関―経済大国・日本の秘密』（時事通信社、1983年）

ティージェン、アーサー（新岡武訳）『ソ連スパイ網』（日刊労働通信社、1963年）

ドン・マントン、デイヴィッド・A・ウェルチ（田所昌幸、林晟一訳）『キューバ危機―ミラー・イメージングの罠』（中央公論新社、2015年）

中西輝政・小谷賢編『インテリジェンスの20世紀―情報史から見た国際政治』（千倉書房、2007年）

ハスウェル、ジョック（遊佐雄彦訳）『陰謀と諜報の世界―歴史に見るスパイの人間像』（白揚社、1978年）

長谷川慶太郎・近代戦史研究会編『日本近代と戦争Ⅰ―情報戦の敗北』（PHP研究所、1985年）

ハットン、J・B（川島広守訳）『スパイ―ソビエト秘密警察学校』（日刊労働通信社、1962年）

羽田令子『女スパイ、戦時下のタイへ』（社会評論社、2003年）

半藤一利・保阪正康・中西輝政・戸高一成・福田和也『あの戦争になぜ負けたのか』（文春新書、2006年）

ヒス、アルジャー（井上謙治訳）『汚名―アルジャー・ヒス回想録』（晶文社、1993年）

広田厚司『ドイツ国防軍情報部とカナリス提督―世界最大の情報組織を動かした反ヒトラー派の巨人』（光人社NF文庫、2014年）

ファラゴー、ラディスラス（佐々淳行訳）『読後焼却―続智慧の戦い』（日刊労働通信社、1963年）

ファラゴー、ラディスラス（中山善之訳）『ザ・スパイ―第二次大戦下の米英対日独諜報戦』（サンケイ新聞社出版局、1973年）

布施泰和『カストロが愛した女スパイ』（成甲書房、2006年）

ブロイアー、ウィリアム・B（茂木健訳）『諜報戦争―語られなかった第二次世界大戦』（主婦の友社、2002年）

藤田西湖『忍術からスパイ戦へ』（東水社刊、1942年）

古谷多津夫『スパイ戦線―狙われている企業の機密』（大光社、1966年）

ベアデン、ミルトン&ジェームズ・ライゼン（安原和見、花田知恵訳）『ザ・メイン・エネミー―CIA対KGB最後の死闘（上・下）』（ランダムハウス講談社、2003年）

ベル、G・L（田隅恒生訳）『シリア縦断紀行（1）』（東洋文庫、1994年）

ベルトルト、W（小川真一訳）『ヒトラーを狙った男たち―ヒトラー暗殺計画・42件』（講談社、1985年）

ホィールライト、ジュリー（野中邦子訳）『危険な愛人マタハリ―今世紀最大の女スパイ』（平凡社、1994年）

ボイド、カール（左近允尚敏訳）『盗まれた情報―ヒトラーの戦略情報と大島駐独大使』（原書房、1999年）

ホルムズ、W・J（妹尾作太男訳）『太平洋暗号戦史』（ダイヤモンド社、1980年）

ポレツキー、エリザベート（根岸隆夫訳）『絶滅された世代―あるソヴィエト・スパイの生と死』（みすず書房、1989年）

リシャール、マルト（後藤桂子訳）『私は女スパイだった―マルト・リシャール自伝』（文化出版局、1980年）

リチェルソン、J・T（川合湊一訳）『トップシークレット―20世紀を動かしたスパイ100年正史

（上・下）』：太陽出版、2004年)

リッド, トマス（松浦俊輔訳）『アクティブ・メジャーズ：情報戦争の百年秘史』（作品社、2021年)

梁陶『日本情報組織掲秘』（時事出版社、2012年)

ローゼンバーグ, エセル＆ローゼンバーグ, ジュリアス（山田晃訳）『ローゼンバーグの手紙—愛は
　死をこえて』（光文社、1953年)

マッキンタイアー, ベン（小林朋則訳）『キム・フィルビー—かくも親密な裏切り』（中央公論新社、2015年)

マッシング, ヘード『女スパイの道』（日刊労働通信社、1956年)

三宅正樹『スターリンの対日情報工作—クリヴィツキー・ゾルゲ・「エコノミスト」』（平凡社新書、2010年)

三野正洋『ベトナム戦争—アメリカはなぜ勝てなかったか』（ワック、1999年)

吉川猛夫『真珠湾スパイの回想』（朝日ソノラマ、1985年)

吉田一彦『騙し合いの戦争史—スパイから暗号解読まで』（PHP新書、2003年)

ワイマント, ロバート（西木正明訳）『ゾルゲ引裂かれたスパイ』（新潮社、1996年)

『現代史を変えた実録！スパイ大作戦—世界を揺るがせた重大事件の隠された真実！』（洋泉社ム
　ック、2007年)

3 インテリジェンスと法律

宇賀克也『情報公開法—アメリカの制度と運用』（日本評論社、2004年)

今岡直子「諸外国における国家秘密の指定と解除—特定秘密保護法案をめぐって」『調査と情報』
　第806号（2013年10月）1-13頁

右崎正博「アメリカの国家秘密保護法制（上）」『法律時報』第59巻、第5号（1987年4月）49-53頁

鈴木滋「米国自由法—米国における通信監視活動と人権への配慮」『外国の立法』第267号（2016年3月）6-17頁

林武・和田朋幸・大八木敦裕「軍機保護法等の制定過程と問題点」『防衛研究所紀要』第14巻、第
　1号（2011年12月）87-109頁

永野秀雄「米国における国家機密の指定と解除—わが国における秘密保全法制の検討材料として」
　『人間環境論集』第12巻、第2号（2012年3月）1-102頁

中山俊宏「米国におけるインテリジェンス活動の法的基盤—行政特権と国家安全保障令を中心に」
　『米国の情報体制と市民社会に関する調査』（平成14年度外務省委託研究「米国の情報体制と市
　民社会に関する調査」2003年3月31日）76-93頁

平野美惠子「米国の電子政府法」『外国の立法』第217号（2003年8月）1-10頁

廣瀬淳子「アメリカの情報機関と連邦議会の監視機能の強化—2010年度以降の情報機関授権法」
　『外国の立法』第252号（2012年6月）137-142頁

藤生将治「日米重大犯罪防止対処協定の背景と主な内容」『立法と調査』第352号（2014年5月）35-43頁

福好昌治「軍事情報包括保護協定（GSOMIA）の比較分析」『レファレンス』第57巻、第11号
　（2007年11月）129-147頁

三木由紀子「特定秘密保護法—制定の経緯と背景その影響」『自治総研』第438号（2015年4月）1-26頁

水島朝穂編『シリーズ日本の安全保障第3巻立憲的ダイナミズム』（岩波書店、2014年)

柳瀬翔央「我が国の情報機能・秘密保全—特定秘密の保護に関する法律案をめぐって」『立法と調
　査』第347号（2013年12月）15-33頁

「海陸軍刑律」（明治五壬申年二年　兵武省 第四十四）『明治年間法令全書（第五巻2）』（原書房、2008年)

4 宇宙・サイバー・電磁波

アダミー, デビッド（河東晴子・小林正明・阪上廣治・德丸義博訳）『電子戦の技術—基礎編』（東
　京電機大学出版局、2013年)

アダミー, デビッド（河東晴子・小林正明・阪上廣治・德丸義博訳）『電子戦の技術—拡充編』（東
　京電機大学出版局、2014年)

アダミー, デビッド（河東晴子・小林正明・阪上廣治・德丸義博訳）『電子戦の技術―通信電子戦編』（東京電機大学出版局、2015年）

伊東寛『「第5の戦場」―サイバー戦の脅威』（祥伝社新書、2012年）

伊東寛『サイバー・インテリジェンス』（祥伝社新書、2015年）

伊東寛『サイバー戦争論―ナショナルセキュリティの現在』（原書房、2016年）

木村正人『見えない世界戦争―「サイバー戦」最新報告』（新潮新書、2014年）

クラーク, リチャード&ロバート・ネイク（北川智子・峯村利哉訳）『核を超える脅威―世界サイバー戦争』（徳間書店、2011年）

サイバーセキュリティと経営戦略研究会編『サイバーセキュリティ』（NTT出版、2014年）

土屋大洋『サイバー・テロ―日米vs.中国』（文春新書、2012年）

土屋大洋『仮想戦争の終わり―サイバー戦争とセキュリティ』（角川学芸出版、2014年）

西本逸郎・三好尊信『国・企業・メディアが決して語らないサイバー戦争の信実』（中経出版、2012年）

名和小太郎『サイバースペース論争』（情報管理、2009年12月52巻9号）

警察庁組織令（昭和29年政令第180号）施行日：令和元年9月1日（平成30年政令第319による改正）

警察庁ＨＰ

https://www.npa.go.jp/index.html

警視庁ＨＰ

https://www.keishicho.metro.tokyo.jp/

JAXAホームページ

https://www.jaxa.jp/）

トレンドマイクロ「セキュリティ情報」

http://about-threats.trendmicro.com/Glossary.aspx?language=jp

トレンドマイクロ「セキュリティレポート」

http://about-threats.trendmicro.com/securityreports.aspx?language=jp

Symantec「セキュリティレスポンス（セキュリティ用語集）」

https://www.symantec.com/ja/jp/security_response/glossary/

Symantec「Internet Security Threat Report 2017」

https://www.symantec.com/security-center/threat-report

FireEye「脅威情報レポート」

https://www.fireeye.jp/current-threats/threat-intelligence-reports.html

三菱電機「セキュリティ用語集」

http://www.mitsubishielectric.co.jp/security/learn/terms/

内閣サイバーセキュリティセンター「用語集」

https://www.nisc.go.jp/security-site/files/handbook-glassary.pdf

IPA（情報処理推進機構）「セキュリティ用語集」

https://www.ipa.go.jp/security/glossary/glossary.html

IPA「ネットワークセキュリティ関連用語集」

http://www.ipa.go.jp/security/ciadr/crword.html

警察庁「@police-用語集」

https://www.npa.go.jp/cyberpolice/words/index.html

JPCERT/CC「公開資料」

https://www.jpcert.or.jp/menu_documents.html

CERT/CC「Vulnerability Notes」

https://www.kb.cert.org/vuls/

US-CERT「Alerts」

https://www.us-cert.gov/ncas/alerts

5 各国のインテリジェンス

上田篤盛『中国が仕掛けるインテリジェンス戦争―国家戦略に基づく分析』（並木書房、2016年）
上田篤盛『中国戦略"悪"の教科書―『兵法三六計』で読み解く対日工作』（並木書房、2016年）
エフティミアデス, ニコラス（原田至郎訳）『中国情報部―いま明かされる謎の巨大スパイ機関』
　（早川書房、1994年）
岡久慶「英国2006テロリズム法―『邪悪な思想』との闘い」『外国の立法』第228号（2006年5月）82-112頁
岡村志嘉子「中国 反スパイ法の制定」『外国の立法』第262-1号（2015年1月）18-19頁
岡村志嘉子「中国の国家情報法」『外国の立法』第274号（2017年12月）64-70頁
柏原竜一『中国の情報機関―世界を席巻する特務工作』（祥伝社新書、2013年）
ギルボア, アモス＆エフライム・ラピッド編（佐藤優監訳／河合洋一郎訳）『イスラエル情報戦史』
　（並木書房、2015年）
全富億『北朝鮮のスパイ戦略』（講談社プラスアルファ文庫、2002年）
橋本力『軍事研究2007年7月号別冊ワールド・インテリジェンス―ロシア・欧州の情報機関 日本の
　戦後情報史』
春名幹男『秘密のファイル―CIAの対日工作（上・下）』（新潮文庫、2003年）2000年。
春原剛『誕生 国産スパイ衛星―独自情報網と日米同盟』（日本経済新聞社、2005年）
福田充『テロとインテリジェンス―覇権国家アメリカのジレンマ』（慶應義塾大学出版会、2010年）
宮尾恵美「中国 インターネット上での情報保護の強化」『外国の立法』第254-2号（2013年2月）27頁
吉田彩子「フランスのインテリジェンス・コミュニティと近年の改革―日本のインテリジェンス強化
において参考に出来ることは何か」『インテリジェンス・レポート』第84号、（2015年9月）86-103頁
李天民『中共の革命戦略―中共はどうして成功したか』（東邦研究会、1959年）
横山潔「イギリス『調査権限規制法』の成立―情報機関等による通信傍受・通信データの取得等の
　規制」『外国の立法』第214号（2002年11月）47-129頁。
ワイズ, デイヴィッド（石川京子・早川麻百合訳）『中国スパイ秘録―米中情報戦の真実』（原書房、2012年）
ケスラー, ロナルド（中村佐千江訳）『FBI秘録』（原書房、2012年）
ハンナス, ウィリアム他著（玉置悟訳）『中国の産業スパイ網』（草思社、2015年）
ゴールデン, ダニエル（花田知恵訳）『盗まれる大学―中国スパイと機密漏洩』（原書房、2017年）
ハミルトン, クライブ（山岡鉄秀監訳・奥山真司訳）『目に見えぬ侵略 中国のオーストラリ
　ア支配計画』（飛鳥新社、2020年）
渡邉斉志「ドイツにおける議会による情報機関の統制」『外国の立法』第230号（2006年11月）124-131頁
渡辺富久子「ドイツの連邦情報庁法 ―対外情報機関の活動の法的根拠」『外国の立法』第
　275号（2018年3月）55-80頁
譚璐美『柴玲の見た夢―天安門の炎は消えず』（講談社、1992年）
譚璐美『「天安門」十年の夢』（新潮社、1999年）
『軍事研究―ワールド・インテリジェンスVol.3「北朝鮮＆中国の対日工作」』（ジャパン・ミリタ
　リー・レビュー、2006年11月）
『歴史読本―特集「世界謎のスパイ」』（新人物往来社、1998年）
「EU刑事司法共助条約」
https://eur-lex.europa.eu/legal-content/EN/TXT/PDF/?uri=CELEX:32000F0712（02）&from=EN
「重大な犯罪を防止し、及びこれと戦う上での協力の強化に関する日本国政府とアメリカ合衆国政
　府との間の協定」
https://www.mofa.go.jp/mofaj/files/000029769.pdf
「特定秘密保護法」
https://www.cas.go.jp/jp/tokuteihimitsu/
「中華人民共和国保守国家秘密法」国務院法制弁公室（2010年4月30日）

http://www.chinalaw.gov.cn/art/2010/4/30/art_11_88174.html
修改「中華人民共和国軍事設施保護法」の決定（主席令第10号）国務院法制弁公室（2014年6月27日）
http://www.chinalaw.gov.cn/art/2014/9/2/art_11_88222.html
「中華人民共和国反間諜法」国務院法制弁公室（2014年11月6日）
http://www.chinalaw.gov.cn/art/2014/11/6/art_11_88227.html
「中華人民共和国国家安全法」国務院法制弁公室（2015年7月3日）
http://www.chinalaw.gov.cn/art/2015/7/3/art_11_88233.html
「中華人民共和国反恐怖主義法」国務院法制弁公室（2015年12月28日）
http://www.chinalaw.gov.cn/art/2015/12/28/art_11_88242.html
「中華人民共和国網絡安全法」国務院法制弁公室（2016年11月23日）
http://www.chinalaw.gov.cn/art/2016/11/23/art_11_88260.html
「中華人民共和国国家情報法」国務院法制弁公室（2017年7月5日）
http://www.chinalaw.gov.cn/art/2017/7/5/art_11_205605.html
「イギリス保安組織法（Security Service Act 1989）」
https://www.legislation.gov.uk/ukpga/1989/5/contents

6 英語参考文献

Berkowitz, D. Bruce. "Better ways to Fix Intelligence" *Orbis* Vol.45, No4. Fall 2001.

Best, Richard A. Jr. "Intelligence Reform After Five Years: The Role of the Director of National Intelligence (DNI)" *CRS Report* June 22 2010.

Betts, Richard K., Mahnken, Thomas. *Paradoxes of Strategic Intelligence: Essays in Honor of Michael I. Handel.* Routledge, 2004.

Betts, Richard. K. *Enemies of Intelligence: Knowledge and Power in American National Security.* New York: Columbia University Express, 2007.

Center for the Study of Intelligence CIA. "Sherman Kent and the Board of National Estimates. Collected Essays" *Historical Document: Crucial Estimate Relived,* CIA. 19 Mar 2007.

Davis, Jack. "Why Bad Things Happen to Good Analysis, Analyzing Intelligence." *Analyzing Intelligence: Origins, Obstacles, and Innovations.* Eds. Roger Z. George & James B. Bruce, Georgetown University Press, 2008.

Davis, Jack. "Sherman Kent and the Profession of Intelligence Analysis" *The Sharman Kent Center for Intelligence Analysis Papers* Vol.1, No.5, Sherman Kent Center.

Department of Defense. "Department of Defense Dictionary of Military and Associated Terms" As of August 2021.
https://www.jcs.mil/Portals/36/Documents/Doctrine/pubs/dictionary.pdf

Goodman, Michael S. "Studying and Teaching About Intelligence: The Approach in the United Kingdom" *Studies in Intelligence CIA*, Vol 50, No 2, 2006.

Goodman, Melvin A. "9/11: The failure of strategic intelligence" *Intelligence and national security,* Vol. 18, No. 4, winter 2003.

Grabo, Cynthia M. "Anticipating Surprise, Analysis for Strategic Warning" U.S.A. Center for Strategic Intelligence Research, Joint Military College, 2002.

Heuer, Richards J.Jr. "Limits of Intelligence Analysis." *Orbis,* Vol.49, No.1, Winter 2005.

Heuer, Richards J.Jr., Pherson,Randolph H. *Structured Analytic Techniques for Intelligence Analysis* 3rd ed 2020.

Hoover, Nicholas J. "U.S. Spy agencies Go Web 2.0 In Effort To Better Share Information." *Information Week* 23 Aug 2007.

Johnston, Rob. "Analytic Culture in the US Intelligence Community." Washington, D.C.:

Center for the Study on Intelligence, Central Intelligence Agency, 2005.

Julian, Richards. *The Art and Science of Intelligence analysis*. Oxford University Press, 2010.

Lowenthal, Mark M. *Intelligence, From Secrets to Policy*. 8th ed. Washington: CQ Press, 2019.

MacEachin, Douglas J. *The Tradecraft of Analysis*. Consortium for the Study of Intelligence, 1994.

Herman, Michael. *Intelligence power in peace and war*. Cambridge University Press, 1996.

National Commission on Terrorist Attacks Upon the United States. "The 9 /11 Commission Report: Final Report of the National Commission on Terrorist Attacks Upon the United States." 22 July 2004.

   http://govinfo.library.unt.edu/911/report/911Report.pdf

Nye, Joseph S.Jr. "Peering into the Future." *Foreign Affairs*, Vol.73, No4, July/August 1994.

ODNI Fact Sheet. "U.S. Office of the director of National Intelligence." 21 April 2010.

Office of Director of National Intelligence. "U.S. National Intelligence An Overview 2013," 2013.
   http://www.dni.gov/files/documents/USNI%202013%20Overview_web.pdf

Office of the Director of National Intelligence. "Assessing Rusian Activities and Intention in Recent US Election s, 2017" 2017.

   https://www.dni.gov/files/documents/ICA_2017_01.pdf

Office of Director of National Intelligence. "U.S. National Intelligence Strategy 2019."2019.
   https://www.dni.gov/files/ODNI/documents/National_Intelligence_Strategy_2019.pdf

O'Leary, Jeffery. (USAF Major) "Surprise and Intelligence: Towards a Clearer Understanding." *Air Power Journal*. Spring 1994.

Petersen, Michael B. "LEGACY OF ASHES, TRIAL BY FIRE: The Origins of the Defense Intelligence Agency and the Cuban Missile Crisis Crucible." DIA Historical Research Support Branch Defense, Intelligence Historical Perspectives, Number 1.
   http://www.dia.mil/Portals/27/Documents/About/History/Number%201%20-%20Legacy%20of%20Ashes%20Trial%20by%20Fire.pdf

Philip, Davies H.J. "Culture and Intelligence failure in Britain and the United States." *Cambridge Review of International Affairs*, Vol.17, No.3, 2004.

Polmar, Norman, Allen, Thomas B. *Spy book The encyclopedia of espionage*, 2nd ed. New York: Random House, 2004.

Richelson, Jeffrey T. *The U.S. Intelligence community*, 7th edition. Westview Press, 2019.

Russel, Richard L. "Tag of war: The CIA's Uneasy Relationship with the Military." SAIS Review, Volume XX II ,Number Two, Summer-Fall 2002.

Sims, Jennifer E., Gerber, Burton. *Transforming U.S. Intelligence*. Ed. Jennifer E. Sims & Burton Gerber. Washington, D.C.: Georgetown University Press, 2005.

The select committee on Intelligence on the U.S. "Report of the select committee on Intelligence on the U.S. intelligence community's Prewar Intelligence Assessment on Iraq."
   http://www.intelligence.senate.gov/108301.pdf

   https://www.intelligence.senate.gov/sites/default/files/publications/108301.pdf

Thomas, Stafford T. "Assessing Current Intelligence Studies." *International Journal of Intelligence and Counterintelligence* Vol2, Issue2 1988.

Treverton, Gregory F. "Intelligence Analysis: Between Politicization and Irrelevance." *Analyzing Intelligence: Origins, Obstacles, and Innovations*. Eds. Roger Z. George and James B. Bruce. Washington, D.C.: Georgetown University Press, 2008.

Treverton, Gregory F. "True Intelligence reform is Cultural, not just Organizational Chart Shift." Christian Science monitor journal, 13 January 2005.

Turne, Michael A. *Why Secret Intelligence Fails*. U.S.A.: Potomac Books, Inc, 2005.

U.S.National IntelligenceCouncil. "Foreign Threats to the 2020 US Federal Elections, 2021," 2021.

https://www.dni.gov/files/ODNI/documents/assessments/ICA-declass-16MAR21.pdf

Wark, Wesley. "The Study of Espionage: Past, Present, Future?" *Intelligence and National Security* Vol8, no.3, July 1993.

Webster commission: Commission on the Advancement of Federal Law Enforcement. "Law Enforcement in a New Century and a Changing World: Improving the Administration of Federal Law Enforcement." Washington, D.C.: U.S. GPO, 2000.

Weiner, Tim. "Langley, We Have a Problem." *New York Times*, 14 May 2006.

Wirtz, James. "Deja vu? Comparing Pearl Harbor and September 11." *Harvard International Review*, Fall 2002. http://calhoun.nps.edu/handle/10945/43862

Zegart, Amy B. "September 11 and the Adaptation Failure of U.S. Intelligence Agencies." *International security* Vol. 29, No.4. Spring 2005.

Zegart, Amy B. "Correspondence: How Intelligent Is Intelligence Reform ?" Ed. Joshua RovnerLong Austin. *International Security*. Vol 30, No.4, Spring 2006.

Zegart, Amy B. *Spying Blind: The CIA, the FBI, and the Origins of 9/11*. Princeton University Press, 2007.

7 主要国のインテリジェンス機関等URL

アメリカのインテリジェンス機関

CIA（中央情報局）https://www.cia.gov/

Department of Energy Office of Intelligence and Counterintelligence
（エネルギー省情報・防諜室）
https://www.energy.gov/intelligence/office-intelligence-and-counterintelligence

Department of Homeland Security Office of Intelligence and Analysis
（国土安全保障省情報分析室）https://www.dhs.gov/office-intelligence-and-analysis

Department of Treasury Office of Intelligence Analysis（財務省情報分析室）
https://www.treasury.gov/about/organizational-structure/offices/Pages/Office-of-Intelligence-Analysis.aspx

DIA（国防情報局）https://www.dia.mil/

FBI（連邦捜査局）https://www.fbi.gov/

INR（国務省情報調査局）
https://www.state.gov/bureaus-offices/secretary-of-state/bureau-of-intelligence-and-research/

INSCOM（米陸軍情報保全コマンド）https://www.inscom.army.mil/

NGA（地理空間情報局）https://www.nga.mil/

NRO（国家偵察局）https://www.nro.gov/

NSA（国家安全保障局）https://www.nsa.gov/

ODNI（国家情報長官室）https://www.dni.gov/

ONI（海軍情報部）https://www.oni.navy.mil/

ONSI（麻薬取締局国家安全保障情報室）
https://www.justice.gov/nsd/office-intelligence

SPACE DELTA-7（宇宙軍デルタ7）
https://www.peterson.spaceforce.mil/Units/SPACE-DELTA-7/

USAFISR（米空軍情報監視偵察局）https://www.af.mil/ISR/

USCG-2（米沿岸警備隊情報局）
https://www.dco.uscg.mil/Our-Organization/Intelligence-CG-2/

USMC　Intelligence Division（米海兵隊情報部）
https://www.hqmc.marines.mil/intelligence//

イギリスのインテリジェンス機関

https://www.gov.uk/government/publications/national-intelligence-machinery
DI（国防情報部）
https://www.gov.uk/government/groups/defence-intelligence
GCHQ（政府通信本部）https://www.gchq.gov.uk/
JIC（合同情報委員会）
https://www.gov.uk/government/groups/joint-intelligence-committee
SS（MI5　保安部）https://www.mi5.gov.uk/
SIS（MI6　秘密情報部）https://www.sis.gov.uk/

イスラエルのインテリジェンス機関

モサド（ISIS）https://www.mossad.gov.il/eng/Pages/default.aspx
シャバク（ISA）https://www.shabak.gov.il/english/pages/about.html#=1
アマン（IDI）https://www.iicc.org.il/?module=category&item_id=107

ドイツのインテリジェンス機関

BfV（憲法擁護庁）
https://www.verfassungsschutz.de/DE/verfassungsschutz/bundesamt/bundesamt_node.html
https://dl.ndl.go.jp/view/download/digidepo_11052072_po_02750005.pdf?contentNo=1&alternativeNo=
BND（連邦情報局）https://www.bnd.bund.de/DE/Startseite/startseite_node.html
https://www.bnd.bund.de/EN/Home/home_node.html
MAD（軍事保安局）
https://www.bundeswehr.de/de/organisation/weitere-bmvg-dienststellen/mad-bundesamt-fuer-den-militaerischen-abschirmdienst

日本のインテリジェンス機関

海上保安庁https://www.kaiho.mlit.go.jp/
外務省国際情報統括官組織 https://www.mofa.go.jp/mofaj/annai/honsho/sosiki/koku_j.html
警察庁　https://www.npa.go.jp/about/overview/sikumi.html
警察庁警備局　https://www.npa.go.jp/bureau/security/index.html
公安調査庁　http://www.moj.go.jp/psia/kouan_shoukai2-2.html
財務省税関　https://www.customs.go.jp/index.htm
内閣情報調査局　https://www.cas.go.jp/jp/gaiyou/jimu/jyouhoutyousa.html
防衛省情報本部　https://www.mod.go.jp/dih/

フランスのインテリジェンス機関

http://www.academie-renseignement.gouv.fr/files/plaquette-presentation-comrens.pdf
DRSD（国防保護警備局）https://www.drsd.defense.gouv.fr/
DGSE（対外治安総局）https://www.defense.gouv.fr/dgse
DGSI（国内治安総局）https://www.interieur.gouv.fr/Le-ministere/DGSI
SGDSN（国防安全保障事務局）http://www.sgdsn.gouv.fr/

ロシアのインテリジェンス機関

FSB（連邦保安庁）http://www.fsb.ru/fsb/structure.htm
SVR（対外諜報庁）http://svr.gov.ru/

監修者・執筆者プロフィール

川上高司（かわかみ・たかし）
1955年熊本県生まれ。拓殖大学教授、中央大学法学部兼任講師、NPO法人外交政策センター理事長。大阪大学博士（国際公共政策）。フレッチャースクール外交政策分析研究所研究員、世界平和研究所研究員、RAND研究所客員研究員、海部俊樹総理政策秘書、防衛庁防衛研究所主任研究官、北陸大学法学部教授、拓殖大学海外事情研究所所長・教授などを経て現職。著書に『トランプ後の世界秩序』（共著・東洋経済新報社）、『2021年パワーポリティクスの時代』（共著・創成社）、『無極化時代の日米同盟』（ミネルヴァ書房）、『日米同盟とは何か』（中央公論社）、『アメリカ世界を読む』（創成社）他。

樋口敬祐（ひぐち・けいすけ）
1956年長崎県生まれ。拓殖大学大学院非常勤講師。NPO法人外交政策センター事務局長。元防衛省情報本部分析部主任分析官。防衛大学校卒業後、1979年に陸上自衛隊入隊。95年統合幕僚会議事務局（第2幕僚室）勤務以降、情報関係職に従事。陸上自衛隊調査学校情報教官、防衛省情報本部分析部分析官などとして勤務。その間に拓殖大学博士前期課程修了。修士（安全保障）。拓殖大学大学院博士後期課程修了。博士（安全保障）。2020年定年退官。著書に『国際政治の変容と新しい国際政治学』（共著・志學社）、『2021年パワーポリティクスの時代』（共著・創成社）。

上田篤盛（うえだ・あつもり）
1960年広島県生まれ。株式会社ラック「ナショナルセキュリティ研究所」シニアコンサルタント。防衛大学校卒業後、1984年に陸上自衛隊に入隊。87年に陸上自衛隊調査学校の語学課程に入校以降、情報関係職に従事。防衛省情報分析官および陸上自衛隊情報教官などとして勤務。2015年定年退官。著書に『中国軍事用語事典』（共著・蒼著社）、『戦略的インテリジェンス入門』『中国が仕掛けるインテリジェンス戦争』『武器になる情報分析力』『情報分析官が見た陸軍中野学校』（並木書房）、『未来予測入門』（講談社）他。

志田淳二郎（しだ・じゅんじろう）
1991年茨城県生まれ。名桜大学（沖縄県）国際学群准教授。中央ヨーロッパ大学（ハンガリー）政治学部修士課程修了、中央大学大学院法学研究科博士後期課程修了。博士（政治学）。中央大学法学部助教、笹川平和財団米国（ワシントンDC）客員準研究員、拓殖大学大学院非常勤講師などを経て現職。専門は、米国外交史、国際政治学、安全保障論。著書に『米国の冷戦終結外交—ジョージ・H・W・ブッシュ政権とドイツ統一』（有信堂、第26回アメリカ学会清水博賞受賞）、『ハイブリッド戦争の時代』（並木書房）他。

インテリジェンス用語事典

2022年2月5日　印刷
2022年2月15日　発行

監修者　川上高司
著　者　樋口敬祐、上田篤盛、志田淳二郎
執筆協力　佐藤雅俊
発行者　奈須田若仁
発行所　並木書房
〒170-0002東京都豊島区巣鴨2-4-2-501
電話(03)6903-4366　fax(03)6903-4368
http://www.namiki-shobo.co.jp
印刷製本　モリモト印刷
ISBN978-4-89063-417-0